Der Autor

Prof. Dr. Fritz Blaich, geb. 1940 in Wien, war von 1970 bis zu seinem Tode 1987 Ordinarius für Wirtschaftsgeschichte an der Universität Regensburg. Arbeitsgebiete: Deutsche Wirtschafts- und Sozialgeschichte vom 16. bis zum 20. Jahrhundert und Geschichte der volkswirtschaftlichen Lehrmeinungen. Veröffentlichungen u. a.: ›Die Wirtschaftspolitik des Reichstags im Heiligen Römischen Reich‹ (1970); ›Kartell- und Monopolpolitik im kaiserlichen Deutschland‹ (1973); ›Die Epoche des Merkantilismus‹ (1973); ›Grenzlandpolitik im Westen 1926–1936‹ (1978); ›Staat und Verbände in Deutschland zwischen 1871 und 1945‹ (1979); ›Die Energiepolitik Bayerns 1900–1921‹ (1981); ›Amerikanische Firmen in Deutschland 1890–1918‹ (1984).

Deutsche Geschichte der neuesten Zeit
vom 19. Jahrhundert bis zur Gegenwart

Herausgegeben von Martin Broszat,
Wolfgang Benz und Hermann Graml
in Verbindung mit dem Institut für Zeitgeschichte, München

Fritz Blaich:

# Der Schwarze Freitag
## Inflation und Wirtschaftskrise

Deutscher
Taschenbuch
Verlag

Originalausgabe
1. Auflage Mai 1985
2. Auflage Januar 1990: 11. bis 13. Tausend

Umschlaggestaltung: Celestino Piatti
Vorlage: Vor der Reichsbank in Berlin 1923 (Bildarchiv Preußischer Kulturbesitz)
Gesamtherstellung: C.H. Beck'sche Buchdruckerei, Nördlingen
Printed in Germany · ISBN 3-423-04515-9

Inhalt

# Das Thema

Am Donnerstag, dem 24. Oktober 1929, überraschte ein jäher und tiefer Sturz der Aktienkurse die Spekulanten an der New Yorker Börse. Er beendete die jahrelange Börsenhausse in den USA, die von der Prosperität der amerikanischen Wirtschaft getragen und von einer hektischen Spekulationstätigkeit angeheizt worden war. Am Freitag, dem 25. Oktober, scheiterte der Versuch der Banken und Maklerfirmen, die Lawine der in panischer Angst erteilten Verkaufsaufträge aufzuhalten. Der rasch fortschreitende Zusammenbruch der Börsenkurse erreichte am Dienstag, dem 29. Oktober, noch einmal katastrophale Ausmaße. Diese Vorgänge an der New Yorker Börse gelten seither als der Beginn einer weltweiten Wirtschaftskrise, die meist als »die« Weltwirtschaftskrise bezeichnet wird, obwohl konjunkturelle Störungen der Weltwirtschaft bereits früher aufgetreten waren – zuletzt erst in den Jahren 1920/21 –, und obgleich das riesige Gebiet der Sowjetunion von dieser Depression verschont blieb. Vereinfachend sprachen die Amerikaner künftig vom »Black Thursday«, die Deutschen hingegen vom »Schwarzen Freitag«, wenn sie den Ausbruch dieser Krise zeitlich festlegten. Daß man in Deutschland den konjunkturellen Abschwung nicht am 24., sondern erst am 25. Oktober beginnen ließ, hing mit dem Zeitunterschied in der Nachrichtenübermittlung zusammen. Außerdem hatte sich hier der Begriff »Schwarzer Freitag« als Bezeichnung für einen folgenschweren Börsenkrach seit dem Kurssturz vom 13. Mai 1927 an der Berliner Börse eingebürgert.

Unter den Ländern mit kapitalistischer Wirtschaftsordnung traf die Weltwirtschaftskrise die Vereinigten Staaten und das Deutsche Reich am härtesten. Der Ablauf, die außergewöhnliche Schärfe und die Auswirkungen dieser Depression in Deutschland zwischen 1929 und 1933 stellen den einen Gegenstand der folgenden Ausführungen dar. Ein zweiter tritt hinzu, dem in der Darstellung der zeitliche Vorrang gebührt.

Die »Große Depression« bildete nämlich nicht die einzige schwere wirtschaftliche Bewährungsprobe, die der Weimarer Republik gestellt wurde. Das ökonomische Erdbeben, das der »Schwarze Freitag« ankündigte, erfaßte in Deutschland ein Staatsgebilde und eine Volkswirtschaft, die erst sechs Jahre zuvor eine Währungskrise, die »Große Inflation«, überstanden hatten. Bei dieser Inflation handelte es sich um die schlimmste Geldentwertung, die jemals eine fortgeschrittene Industriegesellschaft heimgesucht hat. Die Wirkungen und Folgen dieser Währungskatastrophe erklären manche Besonderheit im Konjunkturverlauf zwischen 1929 und 1933 sowie bestimmte Eigenarten der deutschen Währungs- und Finanzpolitik in diesem Zeitraum.

# I. »Papiermark« und »Notenpresse«

Vom Sommer 1922 an erlebte die Bevölkerung des Deutschen Reiches, wie das von ihrem Staat ausgegebene Geld erst von Woche zu Woche, bald von Tag zu Tag und schließlich gar von Stunde zu Stunde spürbar an Kaufkraft verlor. Diese Erfahrung war für die Deutschen völlig neu. Die Erscheinung der Arbeitslosigkeit hingegen war ihnen nicht ganz unbekannt. Sie war bereits im Kaiserreich aufgetreten, wenn auch in vergleichsweise milder Form als saisonal bedingte Unterbeschäftigung im Winterhalbjahr oder als Folge der konjunkturellen Rückschläge in der Industrie zwischen 1900–1902 und 1907/08.

Rasch bürgerte sich in der Umgangssprache die Bezeichnung »Papiermark« für die deutsche Währungseinheit »Mark« (= M) ein. Zwar hatte auch die auf Mark lautende Banknote des Jahres 1913 nur aus bedrucktem Papier bestanden. Diesen Geldschein hatte man jedoch getrost aufbewahren können, ohne daß er seine Kaufkraft gleich verlor, und jeder Geschäftspartner hatte ihn gern in Zahlung genommen. Die M-Note des Jahres 1923 hatte dagegen die unangenehme Eigenschaft, daß ihr Wert buchstäblich zerfloß, wie das folgende Beispiel zeigt. Eine Tageszeitung, die sicherlich kein lebensnotwendiges, aber in einer Zeit, die weder Rundfunk noch Fernsehen kannte, ein wichtiges Gut darstellte, kostete am

| | | |
|---|---|---|
| 1. Jan. | 1922: | 0,40 Mark |
| 1. Jan. | 1923: | 30,- - Mark |
| 1. Apr. | 1923: | 200,- - Mark |
| 1. Juli | 1923: | 700,- - Mark |
| 1. Sept. | 1923: | 150 000,- - Mark |
| 1. Okt. | 1923: | 10 000 000,- - Mark |
| 22. Nov. | 1923: | 100 000 000 000,- - Mark |

Je schneller die Kaufkraft der Mark dahinschmolz, desto stärker wuchs der Bedarf an Papiergeld. Diesen Zusammenhang veranschaulichte eine rasch bekannt gewordene Karikatur in der satirischen Zeitschrift ›Simplicissimus‹: Unter der Überschrift »Gutenberg und die Milliardenpresse« erblickt der Betrachter eine riesige Druckmaschine, die eine Flut von 1000- und 10 000-Mark-Scheinen ausspeit, nach denen viele Hände gierig greifen. Links neben der Maschine steht der Erfinder des Buchdrucks, Johannes Gutenberg, faßt sich an den Kopf und stöhnt: »Das habe ich nicht gewollt!«

Als diese Karikatur am 15. November 1922 erschien, reichte die »Notenpresse« der Reichsdruckerei, die früher allein die Herstellung neuer Banknoten bewältigt hatte, nicht mehr aus, um die in schwindelnde Höhen kletternde Nachfrage nach Papiergeld zu befriedigen. Bereits im Sommer 1922 vergab die Reichsbank Aufträge zum Druck von Banknoten an private Druckereien in Berlin und Leipzig. Im Herbst 1923, als die Geschwindigkeit der Entwertung der Mark ihren Höhepunkt erreichte, arbeiteten außer der Reichsdruckerei noch weitere 132 private Firmen für den Notendruck. Diese Unternehmen verfügten über 1723 Druckpressen, die nun Tag und Nacht ratterten. Den Rohstoff für den Druck der Geldscheine lieferten – nach Angaben der Reichsbank – »über 30 Papierfabriken«, die »im Vollbetrieb« die Druckmaschinen mit Papier versorgten. Vom 1. Januar 1923 bis zur Stillegung der »Notenpresse« am 15. November wurden ungefähr 10 Milliarden Geldzeichen im Nennbetrag von 3877 Trillionen Mark gedruckt. 29 galvanoplastische Anstalten lieferten dazu 400000 Druckplatten. Selbst die Kosten des Notendrucks gingen in die Trillionen. Ihr Betrag wurde in der Gewinn- und Verlustrechnung der Reichsbank mit sorgfältiger Genauigkeit festgehalten: er belief sich auf 32776899763734490417 Mark und 5 Pfennige!

Die größte Schwierigkeit bei der Versorgung der Wirtschaft mit Papiergeld bereitete die rasche Anpassung der Druckpressen und der Papierfabriken an die sich überstürzende Entwertung der umlaufenden Noten, die immer häufigere Ergänzungen durch höhere Nennwertziffern notwendig machte. Im Juni 1922 führte die Reichsbank den 10000-Mark-Schein als größte Note ein. Sie hoffte, mit den ihr zur Verfügung stehenden Druckmaschinen täglich 500 Mio. Exemplare dieser Note liefern zu können. Genau ein Jahr später erschien bereits eine über 500000 Mark lautende Note. Anfang Juli 1923 wurde der 1000-Mark-Schein – die Note mit dem höchsten Nennwert im Kaiserreich – aus dem Druckprogramm genommen. Seine Kaufkraft betrug mittlerweile nur noch ein Drittel eines einzigen Pfennigs aus dem Jahr 1913, aber seine Herstellungskosten unterschieden sich kaum von denen der 1-Million-Mark-Note. Ende Juli 1923 wurde eine neue Serie von Banknoten aufgelegt, deren drei höchste Werte der 10-, 20- und 50-Millionen-Mark-

Schein bildeten. Am 11. November 1923 brachte die Reichsbank eine Note über 1000 Milliarden (= Mrd.) Mark heraus. Es folgten noch Geldscheine über 2000, 5000, 10000 und 100000 Mrd. Mark, die aber behelfsmäßig nur auf einer Seite bedruckt waren. Zu diesem Zeitpunkt kostete freilich in Berlin 1 kg Brot 428 Mrd., 1 kg Butter 5600 Mrd. Mark, und die Gebühr für einen Inlandsbrief betrug 100 Mrd. Mark.

Schwierig gestaltete sich auch der Transport der frisch gedruckten Papiermark an die einzelnen, über das ganze Reichsgebiet verstreuten Filialen der Reichsbank und an die Geschäftsbanken. Die Bankanstalten, die »in ruhigen Zeiten« monatlich einmal mit Zahlungsmitteln beliefert worden waren, mußten jetzt täglich versorgt werden. An die Stelle der früher üblichen Postsendungen traten nun Eisenbahntransporte, von denen oft ein einziger mehrere mit Papiergeld beladene Waggons umfaßte, die von Beamten der Reichsbank begleitet werden mußten.

Auch bei den Empfängern der Geldsendungen bewirkte der »Papiermarktaumel« zusätzliche unproduktive Arbeit. Da inzwischen in astronomischen Ziffern gerechnet wurde, aber andererseits die Bürotechnik noch auf Handarbeit beruhte, kamen die Geschäftsbanken nicht umhin, neue Mitarbeiter in großer Zahl einzustellen. So erweiterte die Berliner Handels-Gesellschaft ihr Personal um etwa 500 auf über 1000 Angestellte, »die man brauchte, um die vielen Nullen zu zählen«. Als weitere Bürde belasteten die häufigen und ständigen Umrechnungen von Wechselkursen die Banken und Sparkassen, weil immer mehr Kunden dazu übergingen, ihre Forderungen in stabilen ausländischen Währungseinheiten oder in der »Goldmark« der Vorkriegszeit zu stellen. Schließlich verursachte auch der Wirrwarr der »Notgeldscheine«, die geprüft, sortiert und gezählt werden mußten, einen sinnlosen bürokratischen Aufwand.

Obwohl sich die Reichsbank redliche Mühe gab, die Produktion des Papiergeldes ständig zu steigern, gelang es ihr nämlich von Monat zu Monat weniger, den Bedarf des Wirtschaftskreislaufs an Zahlungsmitteln zu decken. Ein kurzer Streik der Belegschaft der Reichsdruckerei genügte bereits, um am 11. August 1923 die Versorgung des Großraumes Berlin mit »Lohnzahlungsmitteln« zusammenbrechen zu lassen. An diesem Tag konnte die Reichsbank nur wenigen Betrieben, deren Boten sich schon zum Teil während der Nacht vor ihren Schaltern angestellt hatten, Banknoten aushändigen. Bereits am frühen

Vormittag mußte sie ihre Kasse schließen. Länder, Provinzen und fast alle größeren Gemeinden, aber auch öffentliche und private Unternehmungen behalfen sich daher mit der Ausgabe von »Notgeld«. Nur zum Teil lauteten diese provisorischen Geldzeichen auf Mark. In Oldenburg gab die Staatliche Kreditanstalt Ende 1922 Anweisungen über 150 kg Roggen heraus, die als Tauschmittel benutzt wurden. In Waldeck ersetzten »Kartoffelgutscheine« die Banknoten. Auch einige Städte und Firmen emittierten Papierabschnitte, auf denen als Wertangabe eine bestimmte Menge an Feingold, Getreide, Brot, Fett, Zucker, Holz, Kohle oder Bausteinen aufgedruckt wurde. Seit August 1923 begannen die Versorgungsbetriebe in den größeren Städten »wertbeständige« Gutscheine für die Begleichung der Strom-, Gas- und Wassergebühren zu verkaufen. Die Bürger benutzten diese Gutscheine jedoch nicht nur im Verrechnungsverkehr mit den Stadtwerken, sondern bezahlten damit auch Waren und Dienstleistungen.

Unter dem Ersatzgeld, das sich private Firmen schufen, erlangte das »Goldmarknotgeld« der Badischen Anilin- & Soda-Fabrik in Ludwigshafen besonderes Ansehen. Auf dem Weg über Lohn- und Gehaltszahlungen strömte es in den Umlauf. In der Vorderpfalz und in Nordbaden war es vor allem im Einzelhandel als Zahlungsmittel sehr begehrt, was in seiner volkstümlichen Bezeichnung »Anilin-Dollar« zum Ausdruck kam. Nicht immer diente Papier zur Herstellung des Notgeldes. Die Städte Bielefeld und Bremen, die Hamburger Hochbahn, die Hamburgische Bank von 1823 sowie die Gold-Girobank Schleswig-Holstein ließen Münzen prägen. Die Städte Pößneck in Thüringen und Borna bei Leipzig brachten Notgeld in Form von Lederstücken in den Umlauf, die im Gegensatz zur Papiermark gern als Zahlungsmittel angenommen wurden, weil man sie zum Besohlen von Schuhen verwenden konnte. Die Stadt Bielefeld warb für einen ihrer wichtigsten Industriezweige, indem sie Ersatzgeld aus Leinen und Seidenspitzen fertigte, während die Porzellanmanufaktur in Meißen Porzellanscheiben in Zahlungsmittel verwandelte.

Groteske Erscheinungen begleiteten die anschwellende Flut des Papiergeldes. Auch Arbeiter, Angestellte und Beamte traten jetzt die Flucht in die Sachwerte an. Da Immobilien, Aktienpakete und Juwelen für sie unerschwinglich waren, begnügten sie sich mit haltbaren Lebensmitteln und Gebrauchsgegenständen, die gegenüber der Papiermark immerhin den Vorzug besaßen, nicht über Nacht ihren Wert zu verlieren. Sie forderten und erhielten kurzfristige, zum Schluß sogar tägliche Lohn- und Gehaltszahlungen. Die Versuche, im Lohnbüro der Flut des Papiergeldes Herr zu werden, scheiterten am Tempo des Kaufkraftschwundes der Mark. So gab die Firma Robert Bosch in Stuttgart am 10. August 1923 ihrer Belegschaft bekannt, jeder Arbeiter erhalte auf seinen Lohn eine Abschlagszahlung von 1 Million (= Mio.) Mark, der Rest werde ihm am nächsten Tage ausgehändigt. Ab 15. September 1923 ging sie dazu über, nur noch volle Millionenbeträge auszuzahlen und den Überschuß in die nächste Lohnberechnung einzubeziehen. Am 26. Oktober erhielt jeder Arbeiter bereits eine Anzahlung von 50 Mio. Mark. Im Herbst 1923 mußten die Arbeitgeber Tag für Tag riesige Mengen an Papiergeld heranschaffen, sofern sie nicht – wie etwa die BASF – in der Lage waren, ihren Mitarbeitern wertbeständiges Notgeld anzubieten. Große Unternehmen schickten zu den Bankfilialen Fahrer mit Lastkraftwagen oder Pferdefuhrwerken, die dort das Papiergeld in Ballen aufluden. Kleine Betriebe kamen mit Boten aus, die mit Waschkörben oder Kinderwagen zum Transport der Banknoten ausgerüstet waren.

Die Lohnabrechnung entwickelte sich wegen der Multiplikationen, die zur Anpassung der Lohntarife an die Entwertung der Mark vorgenommen werden mußten, und der zahlreichen Ziffern, die niederzuschreiben waren, zu einem Alptraum. Ein Heer von Büroangestellten mußte für Arbeiten aufgeboten werden, die in der Zeit einer stabilen Währung einige wenige Lohnbuchhalter bewältigt hatten. Nach der Lohnzahlung wurde in den meisten Betrieben der Arbeitsprozeß unterbrochen. Mit Bündeln von Banknoten bepackt, stürzte die Belegschaft in die umliegenden Geschäfte, um irgendwelche Waren zu kaufen, ehe der nächste Preisschub den Lohn wertlos machen würde.

Wie in der Kriegszeit bildeten sich vor den Läden lange Schlangen. Auch der alltägliche Einkauf erforderte nämlich zeitraubende Rechen- und Zählverfahren. Der Einzelhandel versuchte, sich gegen den Schwund der Kaufkraft des Papiergeldes zu wappnen, indem er die Höhe seiner Verkaufspreise nach dem jeweiligen Austauschverhältnis zwischen der Mark und dem US-Dollar ausrichtete. Als sich im Herbst 1923 dieser »Dollarkurs« mehrmals am Tage änderte, wurden auch die Preise in den Läden und Gaststätten entsprechend häufig angepaßt und in aller Regel hinaufgesetzt. Deshalb konnte es vorkommen, daß eine Tasse Kaffee, deren Preis bei der Bestellung 5000 Mark betragen hatte, bereits 8000 Mark kostete, wenn der Kellner die Rechnung brachte. Hatte der Kaufmann den augenblicklichen Preis einer Ware endlich berechnet, so mußte er nun das aus einer bunten Vielfalt von Banknoten bestehende Bündel prüfen und zählen, das der Kunde auf dem Ladentisch aufgehäuft hatte.

Nach Geschäftsschluß trugen die Einzelhändler ihre Tageskasse in Waschkörben zur Bank, wo sie immer öfter erleben mußten, daß die tagsüber eingenommene Summe innerhalb weniger Stunden spürbar an Wert verloren hatte. Ab Sommer 1923 wurde es trotz der beweglichen Verkaufspreise von Mal zu Mal schwieriger, das Warenlager wieder aufzufüllen, das infolge der Flucht in die Sachwerte immer rascher geleert wurde. Für eine Kiste Margarine zu 30 Pfund mußte der Lebensmittelkaufmann Anfang August 1923 rund 57 Mio. Mark aufbringen, Anfang September aber schon 247 Mio. Der Einstandspreis für 1 Pfund Zucker stieg im gleichen Zeitraum von 11 000 auf 480 000 Mark. Der Metzger mußte erkennen, daß der Erlös aus dem Ladenverkauf des Wochenendes schon bei Beginn des Viehmarktes am folgenden Montag fast entwertet war. Deshalb nimmt es nicht wunder, daß immer mehr Läden geschlossen blieben. Ein Anschlag an der Eingangstür verkündete den enttäuschten Kunden, das Lager sei geräumt.

In ländlichen Gebieten, wo die Möglichkeiten, empfangenes Papiergeld sofort wieder auszugeben, weitaus geringer waren als in den großen Städten und wo sich auch der neueste Dollarkurs nicht so schnell herumsprach, kehrte man zum primitiven Naturalaustausch zurück. Die Innung der Friseure zu Ochsenfurt am Main beschloß z. B., für eine Rasur ein Entgelt von zwei Eiern und für einen Haarschnitt einen Preis von vier Eiern zu verlangen. Das Pfarramt im fränkischen Pegnitz erhob für eine einfache Beerdigung ohne Einsegnung eine Gebühr von zehn Eiern. Für eine Bestattung 1. Klasse mit Grabrede oder Predigt mußten die Hinterbliebenen dem Pfarrer 40 Eier bezahlen. Schließlich hielt der Naturaltausch auch in der Großstadt seinen Einzug. Ein Kinobesuch kostete nunmehr zwei Briketts, der Schuhmacher war nur im Tausch gegen Lebensmittel bereit, Reparaturen durchzuführen, und der Arzt oder der Rechtsanwalt nahm als Honorar lieber eine Flasche Wein oder ein Pfund Butter entgegen als ein Bündel Papiergeld.

Gerade im Lebensmittelhandel waren dem Naturaltausch jedoch enge Grenzen gezogen. Mehrmals hatten die Landwirte erlebt, daß recht ansehnliche Summen an Papiermark, die sie beim Verkauf von Erntevorräten und Vieh erlöst hatten, ihren Wert eingebüßt hatten, wenn sie 14 Tage nach diesem Verkauf die Stadt aufsuchten, um nun ihrerseits einzukaufen. So erstaunt es nicht, daß sie sich nach der gut ausgefallenen Ernte des Jahres 1923 weigerten, ihre Produkte gegen die gesetzlichen Zahlungsmittel des Deutschen Reiches herzugeben. Andererseits besaßen sie für die Gegenstände, die ihnen die Stadtbewohner im Tausch anboten, z. B. ein Klavier für die Lieferung der »Winterkartoffeln«, nur eine beschränkte Aufnahmefähigkeit, und ihre Hypothekenschulden hatten sie bereits früher mit Papiermark – zum Schaden ihrer Gläubiger – getilgt. Daher geriet bereits Anfang August 1923 in den Städten die Zufuhr von Fett, Fleisch und Kartoffeln bedenklich ins Stocken. Schon raunte die Stadtbevölkerung von einem »Lieferstreik«, den die Bauern angeblich für den Winter 1923/24 planten und der in den industriellen Ballungszentren unweigerlich eine Hungersnot ausgelöst hätte.

Der raschen Entwertung der Mark entsprach ein ebenso schnelles Steigen der Kaufkraft ausländischer Währungseinheiten auf den deutschen Märkten. Nicht nur »harte« Devisen wie Dollars, Gulden oder Schweizer Franken, mit denen ausländische Spekulanten bereits in früheren Jahren spottbillig Aktienpakete oder Immobilien erworben hatten, waren jetzt gefragt. Im Jahre 1923 genügte schon der Besitz französischer Franken, italienischer Lire oder tschechischer Kronen, also keineswegs sehr wertbeständiger Zahlungsmittel, um in Deutschland bequem leben und preiswert einkaufen zu können. Vor allem die Bevölkerung der Grenzgebiete klagte darüber, daß ihre Nachbarn in Massen täglich die Grenze überquerten, um auf deutscher Seite die Läden buchstäblich auszuräumen, während sie selbst gegen Mark-Noten keine Ware erhielt. Wer aber mochte es z. B. einem Einzelhändler in Furth im Wald verdenken, wenn er sein Warenlager bereitwillig für die Besucher aus Böhmen leerte? Die Kronen, die er dabei verdiente, besaßen ihren Wert noch eine Woche später, wohingegen die Banknoten mit den astronomischen Ziffern, die ihm seine Stammkunden anboten, eben nach wenigen Stunden nur noch bunt bedrucktes Papier darstellten.

Die Kaufkraft der meisten Arbeitnehmer, die überwiegend oder ganz in Mark entlohnt wurden, fiel im täglichen Wettlauf mit dem Dollarkurs immer weiter zurück. Ihre Sorgen spiegelt der Text eines Dokumentes wider, das Münchener Spengler im soeben vollendeten Dach des Walchensee-Kraftwerks hinterlegten: »Dieser Turm wurde gedeckt im Jahre 1923 während der Zeit vom Oktober bis November. Der Lohn zu dieser Zeit betrug für einen Spengler 120 Milliarden in der Stunde. Es kostete in Milliarden: Bier 1 Liter 80, Brot 1 Pfund 36, Fleisch 1 Pfund 200, Milch 1 Liter 80, Fett 1 Pfund 400, 1 Ei 15, Wirtschaftsessen 100, Voressen 80, 1 Zigarette 6 bis 25, 1 Zigarre 30 bis 100, 1 Paar Schuhe 3,5 Billionen, 1 Anzug nach Maß 70 Billionen ... Unsere derzeitige Regierung bürgerlich, Putsche alltäglich, das arbeitende Volk verarmt trotz der hohen Löhne, Kleidung zu kaufen für den Arbeiter illusorisch.«

Erbittert mußten die Lohn- und Gehaltsempfänger überdies erleben, wie die Notenpresse ihre traditionellen Tugenden der Arbeit, der Sparsamkeit und der Ehrlichkeit zur Dummheit stempelte. Denn zu raschem Wohlstand ohne nennenswerte Mühe gelangten jetzt Devisenspekulanten und Warenschieber, die vor allem in den großen Städten ihren leicht erworbenen Reichtum in herausfordernder Weise zur Schau stellten. Die »Schieber«, die ihre Geschäfte oft hart am Rande der Kriminalität an den Devisen-, Produkten- und Wertpapierbörsen abwikkelten, verdrängten den seriösen, sorgfältig kalkulierenden Kaufmann. Zu ihnen gesellte sich eine Schar kleiner und großer Aufkäufer, vom Volksmund »Raffkes« getauft, die möglichst preiswert Buntmetalle, Gold- und Silbermünzen, Gebrauchsgegenstände aller Art, ganze Nachlässe und Wohnungseinrichtungen, Grundstücke, Häuser und Fabrikbetriebe aufkauften, die sie dann ganz oder in Teilen möglichst teuer weiterveräußerten. Viele von ihnen verdankten ihren Aufstieg der Notlage der Schicht der »Rentiers«, deren Einkommen ganz oder überwiegend aus den Erträgen ihres Geldkapitals stammte. Zu diesem Personenkreis zählten neben Privatgelehrten, Künstlern und Schriftstellern vor allem ehemalige Selbständige wie z. B. Ärzte und Rechtsanwälte, die für ihre Altersversorgung und für die Sicherung ihrer Familienangehörigen Geld zurückgelegt hatten, weil sie keiner Sozialversicherung angehörten. Ein Bankguthaben von 60000 Mark, dessen Zinsertrag noch im Jahre 1913 ein behagliches Leben im Ruhestand ermöglicht hatte, reichte jedoch im August 1923 nicht einmal mehr für den Kauf einer Tageszeitung aus. Eventuell vorhandener Hausbesitz warf wegen der staatlichen Mietenbindung in den

Jahren 1922/23 keinen realen Ertrag mehr ab. Obendrein hatten viele Rentiers sich in den unmittelbaren Nachkriegsjahren von ihrem Hausbesitz getrennt, nachdem sie günstig klingende Kaufangebote erhalten hatten. Allein in Berlin hatte in dieser Zeit rund ein Drittel des Häuserbestandes seine Eigentümer gewechselt, wobei als Käufer häufig Ausländer aufgetreten waren. Die Freude des Verkäufers über den hohen Mark-Betrag, den er für sein Haus erlöst hatte, währte jedoch nur kurze Zeit. Rentiers, die nicht mehr arbeitsfähig waren oder keine Beschäftigung mehr fanden, sahen sich gezwungen, persönliche Besitztümer wie Möbel und Hausrat, Gemälde, Schmuck, Porzellan oder das »Familiensilber« an den nächstbesten Raffke zu verschleudern, um ihr Leben fristen zu können. Aber auch der Ertrag dieser Notverkäufe zerrann in ihren Händen. Erbarmungslos drückte die Notenpresse diese einst wohlhabenden und in hohem Ansehen stehenden Bürger auf den Stand des Fürsorgeempfängers hinab, der sich in die Schlange vor der städtischen »Notküche« einreihen mußte, wenn er eine warme Mahlzeit erhalten wollte. Die Zunft der »Privatgelehrten«, denen Deutschlands Wissenschaft und Kultur viel verdankten, starb fast völlig aus.

Die immer größer werdende Kluft zwischen dem Existenzkampf der großen Mehrheit der Bevölkerung und dem aufreizenden Luxusleben der neuen Oberschicht der Schieber und Raffkes bekümmerte auch den Gesetzgeber. Ab April 1922 berieten der Reichsrat und die Reichsregierung mehrmals über Maßregeln, »die geeignet sind, dem übertriebenen und Ärgernis erregenden Luxus und Aufwand, insbesondere der immer mehr um sich greifenden Völlerei und Schlemmerei, der Vergeudung lebenswichtiger Nahrungsstoffe zur Herstellung reiner Genußmittel und der fortschreitenden Umwandlung von Wohn- oder gewerblichen Räumen in Luxusgaststätten wirksam entgegenzutreten«. Ein Gesetzentwurf des bayerischen Ministerpräsidenten, der die Tatbestände der Völlerei und Schlemmerei mit Geld- und Haftstrafen ahnden wollte, erlangte jedoch keine Gesetzeskraft.

Vor diesem Hintergrund wird das Urteil verständlich, das ein kritischer Beobachter des deutschen Währungschaos, der Dichter Stefan Zweig, über die Fernwirkungen dieses »Hexensabbats der phantastischen Irrsinnszahlen von Billionen« fällte. In seinen autobiographischen Erinnerungen ›Die Welt von gestern‹ hielt er 1939 fest: »Nichts hat das deutsche Volk – dies muß immer wieder ins Gedächtnis gerufen werden – so erbittert, so haßwütig, so hitlerreif gemacht wie die Inflation.«

Wer aber hatte diese Inflation zu verantworten? Traf die Schuld das Direktorium der Reichsbank, das über die Notenpresse gebot, oder die Reichsregierung, die »ihre« Zentralnotenbank unbehelligt und nach Belieben Papiermark drucken ließ? Die Suche nach den Ursachen und den Urhebern der Inflation führt freilich zunächst zu der Frage, wann der Prozeß der Geldentwertung einsetzte und welchen Verlauf er nahm.

# II. Inflation und Wirtschaftskrise

## 1. Die Inflation 1914–1923

*Das Erscheinungsbild der Inflation*

»Inflation« bezeichnet heute einen Prozeß stetig steigender Preise der Waren und Dienstleistungen in einer Volkswirtschaft. Dieser Begriff war in Deutschland vor dem Ersten Weltkrieg selbst innerhalb der Wirtschaftswissenschaft nahezu unbekannt. Zwar erläuterte 1898 das ›Wörterbuch der Volkswirtschaft‹ in einem einzigen Satz, »Inflation« bedeute eine »durch Währungspolitik bewirkte künstliche Preissteigerung«, doch führte das ab 1909 in 3. Auflage erscheinende renommierte ›Handwörterbuch der Staatswissenschaften‹ diesen Begriff noch nicht einmal im Sachregister auf.

Da der deutschen Bevölkerung jegliche Inflationserfahrung fehlte, erblickte sie in den Gesetzen zur Finanzierung des Krieges, die Anfang August 1914 verkündet wurden, keinen Gefahrenherd für die Kaufkraft der Mark. Der Reichstag und die Reichsregierung befreiten zwar die Reichsbank von der Pflicht, ihre Banknoten jederzeit gegen Gold einzutauschen. Die Vorschrift, daß ein Drittel der im Wirtschaftsverkehr zirkulierenden Papiergeldmenge durch Goldvorräte der Notenbank gedeckt sein müsse, blieb jedoch ausdrücklich bestehen.

Die Steigerung der Warenpreise, die schon in den ersten Kriegswochen beobachtet wurde, ließ sich mit den Hamster- und Angstkäufen, die in Erwartung einer baldigen Erschwerung der Einfuhren vorgenommen wurden, und mit dem plötzlich auftretenden Bedarf der Mobilmachung überzeugend erklären. Außerdem versuchte der Staat, durch Eingriffe in die Märkte den Preisauftrieb bei Lebensmitteln in Grenzen zu halten. Zuerst setzte er Höchstpreise fest, die von den Anbietern nicht überschritten werden durften. Als sich dieses Verfahren nicht bewährte, ergänzte er seine Preisbestimmungen durch die Rationierung des Warenangebots mit Hilfe der Reichsfleischkarte, der Schmalzbezugskarte, der Zucker- und Milchkarte und des Bezugsscheins für Kartoffeln. Folgt man der amtlichen Preisstatistik, so wirkte die Ausgabe der Lebensmittelkarten dämpfend auf die Preise der Grundnahrungsmittel. Der Einkaufspreis der wöchentlichen »Kriegsration«, welche das Ernährungsamt der Familie eines »Schwerstarbeiters« – also der höchsten Versorgungsstufe – zuteilte, betrug im April 1918 ungefähr das Doppelte des Standes vom August 1914. Diese Preiserhöhung schien tragbar, da durch Zulagen inzwischen auch die Löhne und Gehälter angehoben worden waren. So war der durchschnittliche Wochenlohn eines Untertagearbeiters im Ruhrbergbau, der als Schwerstarbeiter eingestuft wurde, zwischen 1914 und 1918 von 38,88 auf 80,88 Mark angestiegen. In Wirklichkeit gelang es selbst dem Schwerstarbeiter ab 1916 nicht mehr, seine Familie von den amtlich zugeteilten Rationen zu ernähren. Nicht allein, daß die Qualität der Nahrungsmittel stark sank – minderwertiges »Kriegsbrot« wurde ausgegeben, und die Steckrübe ersetzte die Kartoffel –, sondern bei Fleisch, Fett und Milchprodukten entsprach die Zuteilung der Behörden oft nicht den Mengen, die auf den Lebensmittelkarten ausgedruckt waren. Versuchte der Arbeiter jedoch, die fehlenden Kalorienmengen über den »Schleichhandel« oder auf dem »Schwarzen Markt« zu beschaffen, so mußte er bis zum Vierfachen des amtlichen Höchstpreises bezahlen.

Die Preissteigerung erfaßte natürlich auch Industrieprodukte. Bei Maschinen stieg der Preispegel von Juli 1914 bis Oktober 1918 fast auf das Dreifache, bei Kleineisenwaren auf das Vierfache. Als preistreibend wurde in diesem Sektor das Verhalten der militärischen Beschaffungsämter empfunden. Sie feilschten nicht lange mit ihren Lieferanten, sondern zahlten anstandslos die geforderten Preise, sofern sie kriegswichtige Produkte nur rechtzeitig erhielten. Dienstleistungen, deren Preise der Staat selbst festsetzte, verteuerten sich dagegen kaum. So kostete eine Eisenbahnfahrkarte 3. Klasse vom 1. Januar 1914 bis zum 31. März 1918 3 Pfennig für 1 km, vom 1. April 1918 bis 31. März 1919 3,7 Pfennig. Die Beförderung eines Fernbriefes im Inland erforderte vom 1. Januar 1914 bis zum 31. Juli 1916 ein Porto von 10 Pfennig, vom 1. August 1916 bis zum 30. September 1919 von 15 Pfennig. Die Berliner Straßenbahn verlangte für einen Einzelfahrschein vom 1. Januar 1914 bis zum 30. April 1918 10 Pfennig und vom 1. Mai 1918 bis zum 20. Januar 1919 15 Pfennig.

Deshalb erstaunt es nicht, daß die Bevölkerung das Schwinden der Kaufkraft der Mark als kriegsbedingte »Teuerung« betrachtete, die sie der Verknappung des Warenangebots anlastete. Eine solche Erklärung des Preisauftriebs lag bei der Versorgung mit Nahrungsmitteln in der Tat nahe. Die Reichsregierung hatte es versäumt, ausreichende Vorräte einzulagern. Schon bei Kriegsbeginn hatte die britische Flotte das Deutsche Reich, das in der Friedenszeit ungefähr ein Fünftel seines Bedarfs an Nahrungsmitteln importiert hatte, vom Angebot des Weltmarkts abgeschnürt. Gleichzeitig sank die Leistungsfähigkeit der deutschen Landwirtschaft rasch ab, denn die Landwirte mußten fortlaufend Arbeitskräfte und Zugtiere an die Armee abtreten, warteten aber oft vergeblich auf die Zuteilung von Düngemitteln, Geräten und Maschinen. Mißernten verschärften schließlich die Ernährungslage ebenso wie grobe Fehlgriffe der Behörden bei der Festlegung der Erzeugerpreise und der Verteilung der Agrarprodukte.

Dennoch fehlte es nicht an Hinweisen, daß der Verlust der Kaufkraft der Mark nicht nur durch das Schrumpfen des Warenangebots, sondern auch durch die Vergrößerung der umlaufenden Papiergeldmenge hervorgerufen wurde. Seit dem 23. November 1914 drohte die Reichsregierung jedem Staatsbürger harte Strafen an, der Goldmünzen zu einem ihren Nennwert übersteigenden Preis erwarb oder veräußerte. Dieses Gesetz enthielt das unfreiwillige Eingeständnis, daß die Dritteldeckung nur noch auf dem Papier stand, denn im Juni 1914 wäre niemand auf den Gedanken gekommen, für ein 20-Mark-Stück in Gold 25 Mark in Banknoten zu bieten oder zu fordern. Bald nach Kriegsausbruch stellten deutsche Eisen- und Stahlindustrielle, die Erz aus Schweden importierten, mit Erstaunen fest, daß sie immer mehr Mark aufwenden mußten, um den jeweils gleichen Betrag schwedischer Kronen zu erwerben. Im Juli 1914 hatte man in Zürich für 100 Mark noch 122,60 Schweizer Franken kaufen können. Im Juli 1915 erhielt man für diesen Betrag nur noch 109, im Juli 1916 95, im Juli 1917 66 und im Juli 1918 65,90 Schweizer Franken. Allen staatlichen Eingriffen zum Trotz ließen sich die Wechselkurse auch im Inland nicht auf der »Goldparität« der Vorkriegszeit festhalten. Der Preis für 1 US-Dollar stieg an der Berliner Börse von 4,20 im Juli 1914 auf 7,43 Mark im November 1918. Überdies erfaßte die Teuerung auch Häuser, Fabrikgebäude und Landgüter, deren Zahl nicht kleiner geworden war.

Diese Warnsignale wurden jedoch nur von einigen wenigen Fachleuten wahrgenommen, die sich in der Öffentlichkeit kein Gehör verschaffen konnten. Obendrein bemühte sich die Reichsbank, die Deckungsvorschrift für die zirkulierende Geldmenge weiterhin durchzusetzen. In Zusammenarbeit mit der



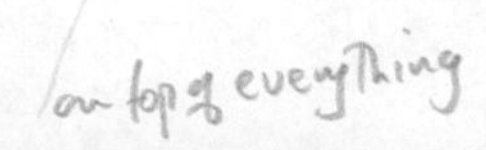

Reichspost richtete sie 1917 eine »Stelle zur Förderung des bargeldlosen Zahlungsverkehrs« ein, mit dem Ziel, die Ausgabe von Papiergeld zu drosseln und das Deckungsverhältnis der umlaufenden Banknoten zum Goldvorrat in ihren Tresoren zu verbessern. Ihr Direktorium übersah dabei, daß auch die zunehmende Verwendung des »Buch-« oder »Giralgeldes« an Stelle der Barzahlung mit Papiergeld, also das Abbuchen eines bestimmten Rechnungsbetrages von einem Postscheck- oder Girokonto auf ein anderes, die kaufkräftige Nachfrage vergrößerte. Diese falsche Einschätzung des Giralgeldes, das die Reichsbank nicht zur wirksamen Geldmenge rechnete, weil es keine Banknoten erforderte, teilte sie freilich mit den führenden Geldtheoretikern ihrer Zeit.

Die allgemein verbreitete Hoffnung, die Wiederaufnahme einer »friedensmäßigen« Produktion würde den Spuk der Teuerung rasch vertreiben, verhinderte während der Dauer des Krieges eine Flucht der Geldbesitzer in die Sachwerte. Wer Geld erübrigen konnte, legte es bei den Banken und Sparkassen auf die hohe Kante oder kaufte dafür Wertpapiere, weil er sich für die Nachkriegszeit eine spürbare Senkung der Preise und mithin ein Steigen der Kaufkraft seiner Ersparnisse versprach. Diese Erwartung prägte auch die Lohnpolitik der Unternehmer. Im Hinblick auf die Preissteigerungen gewährten die Arbeitgeber ihrer Belegschaft »Teuerungszulagen« auf die jeweilige Grundvergütung, die z. B. bei der Firma Siemens im Juli 1918 50 bis 60 Prozent des Gehaltes der unteren Angestellten erreichten. Derartige Zulagen ließen sich nämlich bei einem Abebben der Teuerungswelle schneller rückgängig machen als reguläre Lohn- und Gehaltserhöhungen. Somit erfüllte die deutsche Währung bei Kriegsende noch alle Funktionen des Geldes. Die Mark wurde nach wie vor als allgemeines Tauschmittel benutzt, sie diente uneingeschränkt als Recheneinheit, und die Staatsbürger übertrugen ihr noch immer die Aufgabe der Wertaufbewahrung über einen Zeitraum hinweg.

Die Teuerung überdauerte jedoch nicht allein den Waffenstillstand. Bis 1922 entwickelte sie sich in mehreren Stufen von einer »schleichenden« zu einer »galoppierenden« Inflation. Dieser Weg soll im Folgenden anhand der Bewegung des Dollarkurses und der Großhandelspreise nachgezeichnet werden. Die Auswahl dieser beiden Indikatoren erfordert zuvor eine Erläuterung.

Während des Krieges waren die Vereinigten Staaten von

Amerika in einem raschen Rollentausch vom Schuldner zum Gläubiger Europas aufgestiegen. Der US-Dollar wurde zur Leitwährung im internationalen Zahlungsverkehr. Da die Reichsregierung schon bald nach Kriegsende die Devisenbewirtschaftung beseitigte, spiegelte der Berliner Dollarkurs, also der Preis, der an der Berliner Börse zu einem bestimmten Zeitpunkt für 1 Dollar in Mark bezahlt wurde, die Kaufkraft der deutschen Währung auf dem Weltmarkt wider. Nicht nur Exportkaufleute und Devisenspekulanten achteten auf diesen Kurs. Nach und nach machte es sich die gesamte Bevölkerung zur Gewohnheit, den Fortgang der Inflation an der Höhe des jeweiligen Wechselkurses Dollar:Mark abzulesen.

Schwieriger gestaltete sich die Bestimmung des Binnenwertes der Mark, weil der Staat das Netz von Interventionen, mit dem er während des Krieges die Inlandsmärkte überspannt hatte, nur zögernd und ungleichmäßig zurückzog. Für die Erzeugnisse der Eisen- und Stahlindustrie hob er das System der Höchstpreise schon am 2. Januar 1919 auf. Der deutsche Stahlbund, ein während des Krieges entstandenes Kartell der Hersteller, nutzte die zurückgewonnene Marktfreiheit, um die Verkaufspreise für Halbzeuge bis Mai 1920 in dicht aufeinander folgenden Schüben um fast 900 Prozent zu erhöhen. Bei Lebensmitteln wurde die staatliche Bewirtschaftung erst in den Jahren 1920 und 1921 abgebaut. Am längsten, nämlich bis Ende 1922, hielt sich die Zwangswirtschaft bei der Brotversorgung, wo sie sich auch am wirksamsten erwies. In den ersten Nachkriegsjahren spielte deshalb der Schleichhandel noch eine Rolle. 1920/21 betrugen die Schwarzmarktpreise in der Regel das Anderthalb- bis Dreifache der amtlichen Höchstpreise. Der Wohnungsmarkt unterlag die ganze Inflationszeit hindurch einer strengen staatlichen Bewirtschaftung. Die Mieten blieben auf dem Niveau der Vorkriegszeit eingefroren.

Hingegen gelang es dem Staat nicht, die Preise der von ihm kontrollierten Unternehmungen konstant zu halten. Obwohl nun im Reichstag, in den Parlamenten der Länder und in den meisten Gemeinderäten Parteien über die Mehrheit verfügten, welche die Interessen der Verbraucher vertraten, mußten diese Preise, wenn auch zum Teil mit erheblicher zeitlicher Verzögerung, der Bewegung der Marktpreise angepaßt werden: Am 11. November 1918 kostete das Porto des Fernbriefes 15 Pfennig, am 1. Juli 1922 aber schon 3 Mark. In der Zwischenzeit galten die folgenden Tarife: Vom 1. Oktober 1919 bis zum

5. Mai 1920 = 20 Pfennig, vom 6. Mai 1920 bis zum 31. März 1921 = 40 Pfennig, vom 1. April 1921 bis zum 31. Dezember 1922 = 60 Pfennig, vom 1. Januar 1922 bis zum 30. Juni 1922 = 2 Mark. In noch kürzeren Intervallen verteuerte sich der Straßenbahnfahrschein von 15 Pfennig am 11. November 1918 auf 4 Mark am 1. Juli 1922. Fast ebenso oft erhöhte die Reichsbahn ihre Tarife. Am 11. November 1918 verlangte sie für die Fahrkarte 3. Klasse 3,7 Pfennig für 1 km, am 1. Juli 1922 aber 44 Pfennig.

Trotz der unterschiedlichen Bedingungen der Preisbildung auf den Binnenmärkten ist der Index der Großhandelspreise, den das Statistische Reichsamt berechnete, dennoch geeignet, das Ausmaß und die Geschwindigkeit des Preisauftriebs im Inland anzuzeigen. Die Berechnung des Index beruhte auf 40 Preisreihen, von denen sich 22 auf Nahrungs- und Genußmittel, 16 auf industrielle Rohstoffe und Halbfabrikate sowie zwei auf die Grundstoffe Steinkohle und Petroleum erstreckten. Die Preisbildung im Großhandel war selbst im Bereich der Lebensmittel staatlichen Kontrollen weit weniger unterworfen als die Preise des Detailhandels, weil der Staat bei seinen Versuchen, die Teuerung zu bekämpfen, vor allem die Einzelhandelsstufe, nicht aber den Bereich des Großhandels, mit drakonischen Strafandrohungen gegen »Preistreiberei« ins Visier nahm.

Verknüpft man den monatlichen Index der Großhandelspreise, dessen Basiswert 1913 = 1 lautet, mit den durchschnittlichen monatlichen Notierungen des Wechselkurses Dollar:Mark an der Berliner Börse, so lassen sich vier Abschnitte der Inflationierung der deutschen Währung bis Juli 1922 erkennen:

1. Vom Waffenstillstand am 11. November 1918 bis zur Unterzeichnung des Friedensvertrages von Versailles am 28. Juni 1919 stieg der Dollar-Kurs von 7,43 Mark um 89 Prozent auf 14,01 Mark. Der Index der Großhandelspreise stand im November 1918 bei 2,34. Er kletterte bis Juni 1919 um 32 Prozent auf 3,08. Dabei erhöhten sich die Preisindizes der »Inlandswaren« um 30, diejenigen der »Einfuhrwaren« hingegen um 50 Prozent. Noch fiel im internationalen Vergleich die Preisentwicklung im Deutschen Reich nicht als außergewöhnlich auf. Unter den Siegermächten hatten Frankreich und Italien sogar mit höheren Teuerungsraten zu kämpfen.

2. Vom Juli 1919 bis zum Kapp-Putsch am 13. März 1920 stieg der Dollar-Kurs von 15,08 Mark um 465 Prozent auf 83,89 Mark. Im Februar 1920 hatte 1 Dollar sogar 99,11 Mark geko-

stet. In dieser Zeitspanne explodierte auch das Niveau der Großhandelspreise. Die Indexzahl stieg von 3,39 um 404 Prozent auf 17,09. Die Steigerungsrate betrug bei Inlandswaren 266 Prozent, bei Einfuhrwaren hingegen 1031 Prozent.

Verschiedene innen- und außenpolitische Vorgänge beschleunigten die Talfahrt des Außenwerts der Mark. Als die Unterzeichnung des Friedensvertrags die alliierte Blockade beseitigte, stieg die Nachfrage der deutschen Volkswirtschaft nach Importgütern sprunghaft an. Die Bezahlung der Einfuhrwaren erfolgte durch den Verkauf heimischer Währung gegen Devisen. Das rasch zunehmende Angebot an Mark im Ausland drückte deren Kurs schnell hinunter, womit sich die Einfuhren nach Deutschland weiter verteuerten. Außerdem war zweifelhaft, ob sich die Weimarer Republik gegenüber ihren inneren Gegnern würde behaupten können. Nach heftigen innenpolitischen Auseinandersetzungen, die in einigen Gebieten Formen des Bürgerkrieges angenommen hatten, drohte sogar die Gefahr einer Militärdiktatur, als rechtsradikale Putschisten, die Gefolgsleute Kapps, vom 13. bis zum 17. März 1920 die Reichshauptstadt in ihre Gewalt brachten. Überdies wurden nicht nur in Deutschland die Bedingungen des Friedensvertrages als hart und drükkend empfunden. Auch ausländische Wirtschaftsexperten zweifelten, ob die Leistungsfähigkeit der deutschen Volkswirtschaft den Forderungen der Sieger gewachsen sein würde. Die Ungewißheit über die politische und wirtschaftliche Zukunft des Reiches nährte im Ausland das Mißtrauen gegen die deutsche Währung, die an den Devisenbörsen immer weniger nachgefragt wurde.

Gewiß zogen die deutschen Exporteure Nutzen aus dem raschen und tiefen Fall der Mark und dem Gefälle zwischen dem in- und ausländischen Preisniveau, das ihre Preisforderungen auf dem Weltmarkt unter das Niveau ihrer Konkurrenten drückte. Ihre Exporterlöse reichten aber nicht aus, um den Kurs der Mark zu stützen. Inzwischen begannen nämlich auch deutsche Staatsbürger, ihre auf Mark lautenden Bankguthaben in harte Devisen, vorzugsweise in Dollars, umzuwandeln. Diese »Kapitalflucht« wurde durch die »Erzbergersche Finanzreform« angeheizt, welche die Sätze der Einkommen- und Vermögensteuern auf eine bis dahin für unvorstellbar gehaltene Höhe emporschraubte.

3. Vom April 1920 bis zur Annahme des Londoner Ultimatums am 5. Mai 1921 stieg der Kurs Dollar:Mark um nur 7

Prozent, von 59,64 auf 63,53 Mark. Seinen tiefsten Stand erreichte er im Juni 1920 mit einer Austauschrelation 1 Dollar = 39,13 Mark. Der Kurs zog dann wieder an und erreichte im November 77,24 Mark, fiel aber im Februar 1921 erneut auf 61,31 Mark. Der Index der Großhandelspreise verminderte sich um 15 Prozent von 15,67 im April 1920 auf 13,26 im April 1921. Dieser Rückgang war der Kursentwicklung zuzuschreiben, welche die Einfuhren im Vergleich zur Vorperiode erheblich verbilligte. Während nämlich die Preisindizes bei Inlandswaren um 7 Prozent anstiegen, gingen sie bei Einfuhrwaren um 45 Prozent zurück.

Diese Phase der relativen Stabilisierung der Mark wurde von politischen und weltwirtschaftlichen Einflüssen eingeleitet und getragen. Die Republik behauptete sich gegenüber den Kapp-Putschisten. Im April 1920 endete auch der blutige Bürgerkrieg im Ruhrgebiet. Im Juli 1920 eröffnete die Konferenz von Spa die Aussicht auf eine für Deutschland günstigere Lösung der Reparationsfrage. Im September 1920 berief der Völkerbund eine internationale Konferenz zur Überwindung der Inflationierung der europäischen Währungen ein, zu der er erstmals auch deutsche Vertreter einlud. Gleichzeitig bemühte sich die Reichsregierung, in ihrem Haushalt die Ausgaben durch »ordentliche« Einnahmen, also vor allem durch Steuern, zu decken und ihre Verschuldung allmählich abzubauen. Die Erwartung, daß sich Deutschlands Wirtschaft und Währung bald erholen würden, erfaßte selbst die ausländischen Spekulanten, die jetzt zunehmend Mark-Beträge aufkauften.

Hinzu trat die Wirtschaftskrise, welche im März 1920 von Japan ausging und rasch alle bedeutenden Industriestaaten ergriff, mit Ausnahme des Deutschen Reiches. Da die Preise auf dem Weltmarkt fielen, verringerten sich in Deutschland die Aufwendungen für alle Importwaren, gleichgültig, ob es sich um Getreide oder um Eisenerz handelte. Als Folge sanken nicht allein die Preise im Inland, es erhöhten sich auch die Kostenvorteile deutscher Produzenten gegenüber ihren ausländischen Konkurrenten. In der Schwerindustrie trafen sinkende Einfuhrpreise für Erz auf Eisenbahnfrachtraten und Kohlenpreise, die vom Staat künstlich niedrig gehalten wurden, so daß z. B. der wichtige Energieträger Kohle in Deutschland ungefähr halb so viel kostete wie in England. Außerdem erhielten die deutschen Arbeiter Löhne, die deutlich unter dem Niveau Großbritanniens oder gar der USA lagen. Während die industrielle Produktion 1920/21 weltweit um mehr als 15 Prozent zurückging – für damalige Vorstellungen ein ungewöhnlich scharfer Rückschlag –, erzielte das Deutsche Reich eine Zunahme der Produktion um 20 Prozent. Die relative Stabilisierung der Mark weckte in Deutschland Hoffnungen auf ein baldiges Ende der Teuerung. Das Schlimmste sei nun überstanden, meinte die Bevölkerung. Selbst einige Großindustrielle zeigten sich so zuversichtlich, daß sie bei Lieferungen ins Ausland wieder auf Zahlung in Mark bestanden.

4. Vom Mai 1921 bis zum Juli 1922 stieg der Preis des Dollars von 62,30 um 692 Prozent auf 493,22 Mark. Der Preisindex erhöhte sich von 13,08 um 769 Prozent auf 100,59, wobei die Steigerung bei den Preisen der Inlandswaren 635, bei denjenigen der Einfuhrwaren 810 Prozent betrug.

Nachdem die Alliierten im Londoner Ultimatum die Reparationsschuld Deutschlands auf 132 Milliarden »Goldmark« – 4,20 Goldmark entsprachen 1 US-Dollar – bei jährlichen Raten von 3 Milliarden Goldmark festgesetzt hatten, begann der rasche Verfall des Außenwertes der deutschen Währung. Erstaunlicherweise waren es zuerst die inländischen Besitzer von Geldkapital, die das Vertrauen in die Zukunft der Mark verloren. Sie trennten sich entweder durch Kapitalflucht von ihren Mark-Guthaben oder sie spekulierten am Devisenmarkt in Erwartung eines weiteren Wertverlustes der Mark. Obwohl die Warenpreise auf dem Weltmarkt immer noch vergleichsweise niedrig waren, schmolz der Außenwert der Mark jetzt so schnell dahin, daß sich die Einfuhr von Lebensmitteln und Rohstoffen rasch verteuerte. Auf den Exportmärkten begann sich die Schere zwischen den Verkaufspreisen der deutschen und der ausländischen Anbieter allmählich zu schließen. Schrumpfende Exporterlöse verringerten jedoch das Angebot an Devisen im Inland und drückten den Kurs der Mark weiter hinab.

Daher erstaunt es nicht, daß in der ersten Hälfte des Jahres 1922 auch die Ausländer den »Rückzug aus der Mark« antraten. Die Sachverständigen der Reparationskommission ermittelten, daß sich Ende 1921 noch 36 Prozent aller Einlagen bei den deutschen Großbanken in den Händen von Ausländern befunden hatten. Im Verlauf des Jahres 1922 sank dieser Anteil auf 11 Prozent. Zu den enttäuschten Erwartungen auf eine Erholung der Mark trat im Frühsommer 1922 die Empfehlung des internationalen Bankiers-Ausschusses unter Vorsitz von J. P. Morgan, Deutschland erst dann eine langfristige Anleihe zu gewähren, wenn die Reparationsfrage geregelt und die deutsche Währung stabilisiert worden sei. Schließlich weckte die Ermordung des Reichsaußenministers Rathenau am 24. Juni 1922 durch rechtsradikale Attentäter erneut Zweifel an der innenpolitischen Stabilität der Weimarer Republik.

Ab Juli 1922 brach der Zahlenwirbel eines rasend fortschreitenden Kaufkraftschwundes der Mark über die deutsche Volkswirtschaft herein. Das Stadium der »Hyperinflation« war erreicht. Bis Dezember 1922 stieg der Kurs des Dollars um 1539 Prozent von 439,22 auf 7589,27 Mark. Vor allem im November und Dezember orientierte er sich weitgehend am Stand der Verhandlungen über die Reparationsfrage. Die jeweilige Tagesnotierung des Dollars, die in dieser Zeit zwischen 6500 und 8500 Mark hin- und herpendelte, zeigte wie ein Seismograph die Bemühungen, Hoffnungen und Fehlschläge der deutschen Unterhändler an. Das Anwachsen der Kapitalflucht und der Devisenspekulation veranlaßte die Reichsregierung, ab Oktober 1922 den Handel mit ausländischen Zahlungsmitteln wieder ihrer Kontrolle zu unterwerfen. Freilich gelang es ihr nicht, den Devisenverkehr im besetzten Gebiet, namentlich an der Kölner Börse, in den Griff zu bekommen. Deshalb folgten die Berliner Devisenkurse mit einer zeitlichen Verzögerung den Notierungen auf den Devisenmärkten im besetzten Westen und im Ausland. Insbesondere zeigte sich die »begrenzte Devisenzwangswirtschaft« nicht in der Lage, den Stoß abzufedern, den der »Ruhrkampf« der deutschen Währung versetzte.

Nach dem Einmarsch der französisch-belgischen Armee ins Ruhrgebiet am 11. Januar 1923 verbot die Reichsregierung allen Beamten, Befehle der Besatzungsbehörden auszuführen. Auch die Belegschaft der Bergwerke und Hüttenbetriebe leistete »passiven Widerstand«. Der Dollar-Kurs, der am 2. Januar 1923 mit 7260 Mark notiert worden war, erreichte bereits am 11. Januar den Wert von 10450 Mark und kletterte, getragen von einer Panikstimmung, bis zum 31. Januar auf 49000 Mark. Sollte der passive Widerstand nicht von vornherein aussichtslos sein, konnte die Reichsregierung einem derartig rapiden Verfall ihrer Währung nicht tatenlos zusehen. Auf ihr Drängen hin fand sich die Leitung der Reichsbank bereit, unter Rückgriff auf ihren Bestand an Gold und Devisen eine Stützung des Außenwerts der Mark zu versuchen.

Anfang Februar 1923 begannen Agenten der Reichsbank, an den Börsen in Berlin, New York, London und Amsterdam hohe Mark-Beträge gegen Gold oder Devisen zum Tageskurs anzukaufen und somit das im Verhältnis zur Nachfrage riesige Angebot an Mark zu verknappen. Mit einem Aufwand von 105 Millionen Goldmark, also 25 Millionen Dollar, gelang es im Verlauf von 14 Tagen, den Preis für 1 Dollar in Berlin von 49000 auf 18900 Mark hinunterzudrücken. Die Ankaufsaktion hatte vor allem die ausschließlich der Spekulation dienenden, zwischen den einzelnen Börsen hin- und herflutenden Mark-Beträge aufgesogen. Dem Einsatz weiterer 460 Millionen Goldmark war die Stabilisierungsperiode zu verdanken, die vom 14. Februar bis zum 18. April währte. In diesem Zeitraum schwankte der Preis des Dollars nur geringfügig zwischen 21000 und 22000 Mark.

Da sich die Lage der Reichsfinanzen als Folge des Ruhrkampfes dramatisch verschlechterte, war die Reichsbank gezwungen, die Menge der umlaufenden Banknoten ständig zu erhöhen. Mit einem rasch schrumpfenden Vorrat an Gold und Devisen jagte sie mithin hinter einem sich explosionsartig vermehrenden Angebot an Papiermark nach, ehe sie am 18. April ihren Stützungsversuch einstellte. Der Preis des Dollars, der am 17. April 21210 Mark betragen hatte, schnellte bereits am nächsten Tag auf 25000 Mark empor. Am 2. Mai erreichte er 31700 Mark. In einem Rückzugsgefecht verlegte sich die Reichsbank auf die Taktik, durch gelegentliche Interventionen am Devisenmarkt besonders krasse Auswüchse in der Kursentwicklung zurückzuschneiden. Da dieses kurzfristige Bremsen aber in keinem Verhältnis zu den dafür eingesetzten Goldreserven stand, verzichtete sie nach einem letzten Versuch Ende Juni auf jeden Widerstand gegen den Verfall der Mark-Währung. Den nun folgenden Absturz des Außenwertes der Mark ins Bodenlose verdeutlicht die folgende Tabelle.

An der Berliner Börse kostete im Jahr 1923 1 US-Dollar im Durchschnitt des Monats

| | | |
|---|---:|---|
| Mai | 47670 | Mark |
| Juni | 109996 | ” |
| Juli | 353412 | ” |
| August | 4620455 | ” |
| September | 98860000 | ” |
| Oktober | 25260000000 | ” |
| November | 2193600000000 | ” |
| am 20. November | 4200000000000 | ” |

Der Verlust der Kaufkraft der Mark auf dem Binnenmarkt blieb zunächst hinter dem Schwund ihres Außenwertes zurück. Der Index der Großhandelspreise stieg von Juli bis Dezember 1922 von 100,59 um 1366 Prozent auf 1475. Bei den Inlandswaren betrug die Steigerung 1280 Prozent, bei Einfuhrwaren hingegen 1655 Prozent. Der Ruhrkampf kehrte dieses Verhältnis um. Im ersten Halbjahr 1923 stieg der Wert des Dollars gegenüber der Mark um 612 Prozent. Der Preisindex erhöhte sich in dieser Zeitspanne um 696 Prozent. Bei Inlandswaren war sogar eine Steigerung um 713, bei Einfuhrwaren um 655 Prozent zu verzeichnen.

Diese nun bis zum Ende der Inflation zu beobachtende Erscheinung war hauptsächlich auf zwei Ursachen zurückzuführen. Nachdem die Besatzungsmacht das Industrierevier an Rhein und Ruhr vom übrigen Reichsgebiet abgeriegelt hatte, mußten viele Produzenten Kohle, Eisen und Stahl gegen Devisen im Ausland kaufen. Außerdem verlor die deutsche Währung, die schon lange nicht mehr zur Wertaufbewahrung taugte, nun auch ihre Funktion als Recheneinheit. Immer mehr Industrielle und Großhändler entschlossen sich, ihre Verkaufspreise in Goldmark oder in ausländischen Währungseinheiten, vorzugsweise in US-Dollars, britischen Pfunden, holländischen Gulden oder Schweizer Franken, zu berechnen und auf Bezahlung in harten Devisen oder zumindest in »Papiermark zu Tageskurs« zu dringen. Die Kalkulation ihrer Verkaufspreise orientierten sie nunmehr am Wiederbeschaffungspreis der Ware, womit sie den rapiden Verfall des Außenwertes der Mark auf das inländische Preisniveau übertrugen. Diesem Beispiel folgte der Einzelhandel mit einer zeitlichen Verzögerung.

Mit Rücksicht auf ihre Autorität unter der Bevölkerung und auf ihr Ansehen im Ausland konnte die Reichsregierung nicht dulden, daß auf dem deutschen Binnenmarkt fremde Währungseinheiten die Geldfunktionen wahrnahmen. Mit ihrer Verordnung gegen die Devisenspekulation vom 12. Oktober 1922 versuchte sie, der Mark die Aufgabe des Zahlungsmittels und der Recheneinheit weiterhin zu sichern. Sie untersagte die Verwendung des ausländischen Geldes bei »Inlandgeschäften«, und sie zwang bei Androhung harter Strafen den Einzelhandel, nicht aber den Großhandel und die Industrie, seine Verkaufspreise in Mark anzugeben.

Deshalb ging der Einzelhandel dazu über, seine in Mark ausgewiesenen Preise mit Hilfe einer »Umrechnungszahl« oder eines »Multiplikators« dem jeweiligen Stand des Wechselkurses Dollar:Mark anzupassen. Diesem Verfahren schlossen sich alle Bereiche der Wirtschaft an, denen die Reichsregierung die Preisstellung in Mark auferlegt hatte. Die Krankenkassen berechneten Beiträge und Kassenleistungen nach Grundzahlen, die mit einer veränderlichen »Schlüsselzahl« vervielfacht wurden. Nach »Meßzahlen« und »Wertmeßziffern« wurden die Gehälter der Beamten und die Löhne der »Reichsarbeiter« ermittelt. Außerdem rechnete man nach einer Reihe von Indexziffern. Es gab z. B. einen Ärzteindex und eine Indexziffer für Gerichtskosten. Schließlich einigten sich die Gewerkschaften und die Arbeitgeberverbände am 1. September 1923 auf ein Verfahren, welches »bis zur Schaffung eines auch für die Lohnzahlung in Frage kommenden wertbeständigen Zahlungsmittels« die Zerlegung des Gesamtlohnes in einen Grundbetrag und in einen »Multiplikator« vorsah.

Mit welcher Geschwindigkeit die Preise in der Endphase der Inflation anstiegen, sollen einige Beispiele veranschaulichen. Die folgende Tabelle enthält Einzelhandelspreise in Mark, die an bestimmten Stichtagen des Jahres 1923 in Berlin ermittelt wurden:

| Stichtag | 1 kg Roggenbrot | 1 kg Rindfleisch | 1 Zentner Briketts |
|---|---|---|---|
| 3. 1. | 163 | 1 800 | 1 865 |
| 4. 7. | 1 895 | 40 000 | 28 000 |
| 6. 8. | 8 421 | 440 000 | 227 000 |
| 3. 9. | 273 684 | 4 000 000 | 3 314 000 |
| 1. 10. | 9 474 000 | 80 000 000 | 82 430 000 |
| 22. 10. | 1 Mrd. 389 Mio. | 10 Mrd. | 4 Mrd. 344 Mio. |
| 5. 11. | 78 Mrd. | 240 Mrd. | 198 Mrd. 100 Mio. |
| 19. 11. | 233 Mrd. | 4 Bio. 800 Mrd. | 1 Bio. 372 Mrd. |

Der rasenden Geschwindigkeit der Entwertung der Mark konnte sich auch der Staat als Anbieter von Leistungen nicht entziehen. Der Einzelfahrschein der Berliner Straßenbahn kostete vom 28. Juli bis zum 27. August 1923 noch 5 Mark. Nach 44 Erhöhungen erreichte er vom 22. bis zum 30. November 1923 den Preis von 150 Mrd. Mark. Für die Beförderung des Fernbriefes verlangte die Reichspost vom 1. Juli bis zum 30. September ein Porto von 6 Mark. Nach 15 Änderungen belief sich der Tarif vom 12. bis zum 30. November auf 10 Mrd. Mark. Die Reichsbahn berechnete bei der Personenbeförderung 3. Klasse vom 1. Februar bis zum 30. September für 1 km 45

Pfennig. Nach 21 Erhöhungen betrug der Fahrpreis vom 1. bis zum 30. November 17,235 Mrd. Mark.

Im Herbst 1923 büßte die Mark ihre letzte Aufgabe ein, nachdem sie von den Landwirten als Tauschmittel zurückgewiesen worden war. Inzwischen lähmten Ruhrkampf und Hyperinflation in unheilvoller Verkettung die industrielle Produktion. Kurzarbeit und Massenarbeitslosigkeit waren die Folge, die nun ihrerseits in Verbindung mit der schlechten Ernährungslage in den Städten Unruhen und Plünderungen auslösten. Die Furcht der Reichsregierung vor den politischen Folgen einer Versorgungskrise beschleunigte die Durchführung einer Währungsreform.

*Die Ursachen der Inflation*

Das Aufspüren der Ursachen der Inflation soll eine theoretische Vorbemerkung erleichtern. Über die Kaufkraft des Geldes in einer Volkswirtschaft entscheidet das Verhältnis zwischen der Menge der Geldzeichen, die sich in den Händen der Käufer befindet, und der Menge der Güter, die zum Verkauf bereitsteht. Die Geldmenge wird nicht allein durch die Anzahl und den jeweiligen Nominalwert der von der Zentralnotenbank ausgegebenen Geldzeichen bestimmt, sondern ebenso durch die »Umlaufgeschwindigkeit des Geldes«, also die Häufigkeit, mit der diese Zeichen innerhalb eines Zeitraumes ihren Besitzer wechseln. Eine Banknote über 100 Mark, die dreimal im Monat beim Kauf von Gütern umgesetzt wird, entfaltet mithin in dieser Periode eine Nachfrage von 300 Mark. Verschwinden hingegen Geldzeichen für einige Zeit aus dem Umlauf, weil sie z. B. »im Sparstrumpf« gehortet werden, so verringert sich die auf den Märkten wirksame Geldmenge. Die Bindung des Geldvolumens an den Goldvorrat der Zentralnotenbank kann lediglich sicherstellen, daß die im Verkehr befindlichen Banknoten nicht beliebig vermehrt werden können. Sie kann jedoch das Ansteigen der Preise nicht verhindern, wenn bei unveränderter Geldmenge das Angebot an Gütern kleiner wird. Der Schwund der Kaufkraft des Geldes wird natürlich erheblich größere Ausmaße annehmen, wenn sich das Gütervolumen verringert und gleichzeitig die Geldmenge aufgebläht wird.

Genau diese Situation führte die Regierung des Deutschen Reiches durch den von ihr gewählten Weg der Finanzierung des Weltkrieges 1914–1918 herbei. Wegen der gleich nach Kriegsausbruch verhängten Blockade und angesichts der geringen wirtschaftlichen Leistungsfähigkeit ihrer Bundesgenossen mußte sie die für die Kriegführung benötigten Güter ganz überwiegend dem inländischen Sozialprodukt entnehmen. Die Folge war, daß die Menge an Waren und Dienstleistungen, die der zivilen Nachfrage überlassen wurde, bis 1918 ständig schrumpfte. Dennoch hätte die Reichsregierung das Ausmaß der Preissteigerungen in Grenzen halten können, wenn sie die in den Händen privater Nachfrager vorhandene Geldmenge entsprechend verringert hätte. Dieses Ziel hätte sie durch eine Erhöhung der Steuern auf Einkommen und Vermögen erreicht. Die zusätzliche Besteuerung hätte nicht nur eine sozial ausgewogene Belastung der Bevölkerung ermöglicht, sie hätte auch – im Gegensatz zur Anleihe – eine endgültige Deckung des Kriegsbedarfs des Staates bedeutet. Der Schmälerung des realen Sozialprodukts durch eine Vernichtung von Gütern auf den Schlachtfeldern hätte sie eine Verkürzung der Geldeinkommen und -vermögen entgegengestellt.

Das größte Hindernis für ein Anziehen der Steuerschraube, das die Reichstagsfraktion der SPD bereits 1915 im Hinblick auf die Kriegsgewinne der Unternehmer verlangte, barg jedoch die Finanzverfassung des Reiches, welche die direkten Steuern der Hoheit der Bundesstaaten unterstellt hatte. Im Königreich Preußen, dem wirtschaftlich bedeutendsten Gliedstaat, sicherte außerdem ein ungleiches, indirektes und öffentliches Wahlsystem, das »Drei-Klassen-Wahlrecht«, den Großagrariern und der Schwerindustrie bis November 1918 die politische Herrschaft. Trotz ihrer patriotischen Lippenbekenntnisse zeigten diese Kreise kein Interesse an einer fiskalischen Belastung ihrer Kriegsgewinne. Erst als die Gefahr innenpolitischer Spannungen das Erreichen ihrer Kriegsziele bedrohte, bequemten sie sich zu Zugeständnissen. Deshalb konnte das Reich 1916 eine »Kriegsgewinnsteuer« einführen, deren Aufkommen aber erst 1917 ins Gewicht fiel. Den Satz der regulären Einkommensteuer konnte es gegen den Widerstand der Bundesstaaten jedoch nicht anheben. Auf dem Feld der indirekten Steuern, das dem Reich unterstand, erschien 1916 der »Warenumsatzstempel«, ein Vorläufer der modernen Umsatzsteuer, der aber nur 150,5 Mio. Mark einbrachte. 1917 folgten eine Kohlensteuer und eine Abgabe vom Personen- und Güterverkehr. Insgesamt schlugen die ordentlichen Einnahmen im Reichshaushalt während des Krieges nur mit 21,8 Mrd. Mark zu Buch, von denen 7,3 Mrd. aus der Besteuerung der Kriegsgewinne stammten.

Als wesentlich ergiebiger erwies sich die Begebung von Anleihen. Zwischen September 1914 und September 1918 legte das Reich neun Kriegsanleihen auf, die zusammen einen Erlös von 96,9 Mrd. Mark erbrachten. Trotz der amtlichen Verlautbarungen, die das Merkmal der »Volksanleihe« in den Vordergrund stellten, hatte die bis zuletzt wachsende Beteiligung »kleiner« Zeichner mit Beträgen unter 1000 Mark für das Ergebnis keine ausschlaggebende Bedeutung. Schon bei der 4. Anleihe im März 1916 gewährleisteten die »großen« Zeichner mit Beträgen über 10000 Mark den Erfolg. Diese Entwicklung spiegelte bereits die durch die Kriegswirtschaft hervorgerufene Vermögensverschiebung und den realen Einkommensschwund der Mehrheit der Bevölkerung wider. Im Vergleich zur Steuer bot die Anleihe den Vorteil, daß sie unter Ausnutzung der nationalen Begeisterung, später dann des vaterländischen Pflichtbewußtseins auch solche Geldbeträge erfaßte, die, weil sie gehortet oder als Bankguthaben angelegt worden waren, selbst den Netzen eines feinmaschigen Steuersystems entgangen wären. Außerdem vermied die Anleihepolitik jede Auseinandersetzung mit einzelnen Gruppen der Steuerzahler und sicherte somit den politischen Burgfrieden. Obwohl die Kriegsanleihe der privaten Wirtschaft ebenso Kaufkraft entzog wie die Kriegssteuer, führte sie zu keiner endgültigen Deckung des Staatsbedarfs, weil sie mit dem Versprechen gekoppelt war, der Anleihezeichner werde nicht nur seinen eingesetzten Geldbetrag zurückerhalten, sondern obendrein noch an den Zinsen – in der Regel 5 Prozent pro Jahr – gut verdienen.

Je höher also die Verschuldung des Reiches bei seinen Bürgern anwuchs, um so größer wurde der monetäre Rückstau, der nach Kriegsende den Reichshaushalt in Gestalt der Tilgungsraten und der Zinszahlungen belasten würde. Die politische Führung hoffte jedoch, diese Schulden nach einem Sieg auf ihre Gegner abzuwälzen. Im Reichstag verteidigte Karl Helfferich, der Staatssekretär im Reichsschatzamt, die Anleihepolitik mit dem Argument: »Das Bleigewicht der Milliarden haben die Anstifter des Krieges verdient. Sie mögen es durch die Jahrzehnte schleppen, nicht wir.« Noch im Mai 1917 rechnete Kaiser Wilhelm II. damit, nach Kriegsende von den USA und Großbritannien je 30 Mrd. Dollar, von Frankreich 40 Mrd. Francs und von Italien 10 Mrd. Lire als Entschädigung zu erhalten. Die Reichsregierung beließ es nicht bei solchen Plänen. Am 3. März 1918 legte sie im Friedensvertrag von Brest-Litowsk dem wirtschaftlich völlig ausgebluteten Rußland eine Tributzahlung von 6 Mrd. Rubel auf.

Da sich jedoch allein die Ausgaben des Reiches zwischen 1914 und 1918 auf 161 Mrd. Mark beliefen, reichten die Erträge der Anleihen für die Deckung des Staatsbedarfs nicht aus. Nun besaß die Reichsregierung schon vor dem Krieg die Möglichkeit, finanzielle Engpässe in ihren Kassen mit kurzfristigen Krediten der Reichsbank zu überbrücken. Gegen die Ausstellung eines Schuldscheins, der unverzinslichen »Schatzanweisung«, räumte die Notenbank dem Reich ein entsprechend hohes Guthaben ein, von dem es Bargeld abheben oder Geldbeträge abbuchen lassen konnte. Bei Fälligkeit konnten die Schatzanweisungen durch neue ersetzt werden, so daß der Kredit trotz formeller Kurzfristigkeit langfristig zur Verfügung stand, freilich nach der Reichsschuldenordnung nur in einer Höhe bis zu 475 Mio. Mark.

Bereits zu Kriegsbeginn erkannte die Reichsregierung, daß dieser Kreditspielraum ihren Anforderungen nicht genügen würde. Mit Billigung des Reichstags erließ sie deshalb bereits Anfang August 1914 ein Bündel von Gesetzen, welches ihr den unbeschränkten Zugang zu den Krediten der Notenbank einräumte. Die Deckungsvorschrift der Goldwährung sollte freilich eingehalten werden. Danach mußte die Reichsbank für ein Drittel des Gesamtbetrags ihrer umlaufenden Banknoten eine Primärdeckung in Gold halten, während für die beiden anderen Drittel eine Sekundärdeckung aus erstklassigen Handelswechseln vorgesehen war. Da es dem Direktorium der Reichsbank gelang, den größten Teil der umlaufenden Goldmünzen und einen Teil der privaten Goldhorte an sich zu ziehen, konnte es bis zum Spätherbst 1916 die Primärdeckung des Notenumlaufs aufrechterhalten.

Die Sekundärdeckung verlor hingegen schon im August 1914 ihre währungspolitische Aufgabe. Die Schatzanweisung, ergänzt durch den »Schatzwechsel«, eine kurzfristige Staatsschuld in Wechselform, wurde für die Dauer des Krieges den erstklassigen Handelswechseln rechtlich gleichgestellt. Mithin konnte die Reichsbank diese staatlichen Schuldscheine als Sekundärdeckung für die von ihr ausgegebenen Banknoten einsetzen. Die Reichsregierung begründete diese gesetzliche Neuerung damit, daß die Bonität des Reichswechsels, auch wenn er nur eine Unterschrift trage, dem »bankfähigen« Handelswechsel, der von drei besonders kreditwürdigen Bürgen unterzeichnet sein mußte, nicht nachstehe und »zweifellos die unbedingte Gewähr einer rechtzeitigen Einlösung« biete. Ob die Reichsbank viele oder wenige Handelswechsel diskontierte, hing jedoch bis 1914 immer vom Umfang der auf den Märkten vollzogenen Umsätze ab. Die Ausdehnung oder das Schrumpfen der Banknotenmenge, die durch Handelswechsel gedeckt wurde, erfolgte deshalb nach dem jeweiligen Bedarf der Volkswirtschaft an Bargeld. Demgegenüber eröffnete die Diskontierbarkeit der staatlichen Finanzwechsel eine erste Quelle zusätzlicher, vom Wirtschaftsprozeß abgekoppelter Geldschöpfung.

Eine zweite Quelle erschloß das Gesetz über die Gründung der Darlehenskassen, die rechtlich selbständig waren, wirtschaftlich aber dem Direktorium der Reichsbank unterstanden. Diese Einrichtungen sollten den Kreditbedarf der Privatwirtschaft, der Bundesstaaten, der Gemeinden und anderer öffentlicher Körperschaften decken, indem sie gegen Verpfändung von Waren oder Wertpapieren Kredite gewährten. Diese »Lombardkredite« wurden in »Darlehenskassenscheinen« ausbezahlt, die, obgleich sie keine gesetzlichen Zahlungsmittel darstellten, von den öffentlichen Kassen, also z. B. von den Finanzämtern, zu ihrem auf Mark lautenden Nennwert angenommen werden mußten. Als Ersatz für Banknoten wurden sie deshalb auch im privaten Geschäftsverkehr benutzt. Noch folgenschwerer war freilich die Bestimmung, daß die Reichsbank diese Darlehenskassenscheine neben dem Gold in die Primärdeckung einstellen durfte, was Ende 1916 erstmals geschah. Damit ließ sich die Grundlage der Notenausgabe uferlos erweitern, und die Deckungsvorschrift war zur Farce geworden.

Freilich konnte die Reichsregierung die plötzlich auftretenden, außerordentlich hohen finanziellen Anforderungen der Mobilmachung und der ersten Kriegsmonate kaum anders als durch eine Kreditaufnahme bei der Notenbank erfüllen. Sie hoffte jedoch, die in dieser Zeitspanne entstandene kurzfristige »schwebende Schuld« durch den Ertrag künftiger Anleihen fundieren zu können. Bis zur 4. Kriegsanleihe im März 1916 ging ihre Rechnung auf. Allerdings gelang es auch in diesem Zeitraum nicht, die private monetäre Nachfrage dem verminderten Güterangebot anzupassen. Zwischen der Ausgabe zusätzlicher, durch Schatzwechsel oder Darlehenskassenscheine gedeckter Banknoten und der Abschöpfung von Kaufkraft durch die Zeichnung von Anleihebeträgen verging ein halbes Jahr, in welchem als Folge der Aufblähung der Geldmenge

Preise und Einkommen anstiegen. Die Anleihepolitik hätte nur dann neutral auf das Preis- und Einkommensniveau gewirkt, wenn die Anleihezeichnung gleichzeitig und in gleicher Höhe wie die Geldschöpfung erfolgt wäre.

Die blutigen Materialschlachten an der Westfront mit ihrem gewaltigen Verschleiß an Munition und Waffen trieben inzwischen die Kosten des Krieges in die Höhe. Der Geldbetrag, den die Kriegführung für einen einzigen Monat verschlang, hatte 1914 ungefähr bei 1,2 Mrd. Mark gelegen, im Frühjahr 1917 erreichte er bereits 3 Mrd., und 1918 belief er sich auf fast 5 Mrd. Zwar stiegen auch die Erträge der Anleihen noch an – den höchsten Zeichnungsbetrag erbrachte die 8. Kriegsanleihe im März 1918 –, doch blieb schon das Ergebnis der 5. Anleihe vom September 1916 um 2,1 Mrd. Mark hinter der schwebenden Reichsschuld zurück. Bei der letzten Anleihe im September 1918 betrug diese Lücke schließlich 39 Mrd. Mark.

Allerdings gelang es der Reichsbank, immer größere Teile der kurzfristigen Schuldtitel des Reiches an dic private Wirtschaft gegen Mark-Noten zu verkaufen. Besonders die dank der überschäumenden Kriegskonjunktur an Bargeld flüssigen Geschäftsbanken erwarben diese Papiere, die jederzeit gegen Banknoten eingewechselt werden konnten, um sich eine erstklassige Liquiditätsreserve zuzulegen. Auf diese Weise konnte die Reichsbank das Anwachsen der Papiergeldmenge verlangsamen, sie konnte es jedoch angesichts der absoluten Zunahme der kurzfristigen Verschuldung des Reiches nicht mehr bremsen. Am 31. März 1915 belief sich die schwebende Schuld auf 7,2 Mrd. Mark, von denen sich 6 Mrd. im Portefeuille der Reichsbank befanden. Am 31. März 1918 betrug dieses Verhältnis 33,0:15,7 und bei Kriegsende 51,2:21,9.

Die Höhe der bei der Reichsbank verbliebenen schwebenden Schuld zeigte an, daß dem Reich ein gleich hoher Betrag an Banknoten zur Verfügung gestellt worden war, der bald, z. B. bei der Bezahlung von Rüstungsgütern, dem privaten Sektor der Wirtschaft zugeflossen war. Auf diesem Wege stieg der Nennwert der zirkulierenden Banknoten von 2,9 Mrd. Mark am 1. August 1914 auf 18,6 Mrd. Mark am 1. Dezember 1918. Außerdem befanden sich im November 1918 Darlehenskassenscheine im Werte von 9,7 Mrd. Mark im Verkehr, so daß der gesamte Notenumlauf bei Kriegsende den Pegelstand von 28,3 Mrd. Mark erreichte. Lediglich die Menge des Münzgeldes war während des Krieges von 3,7 auf 0,2 Mrd. Mark geschrumpft.

Die Förderung des bargeldlosen Zahlungsverkehrs begünstigte überdies die Fähigkeit der Geschäftsbanken und der Sparkassen, unabhängig von der Notenbank Giralgeld zu schaffen. Allerdings läßt sich dessen Umfang nicht ermitteln, weil einigermaßen vollständige Angaben über die Höhe der Guthaben auf den Zahlungsverkehrskonten der Kreditinstitute fehlen. Diesem Geldvolumen stand eine Gütermenge gegenüber, die um mehr als ein Drittel geringer war als zu Kriegsbeginn.

Trotzdem hatte die Kriegsfinanzierung noch keinen Prozeß in Gang gesetzt, der zwangsläufig in einer Hyperinflation hätte münden müssen. Bei den Siegermächten hatte der Krieg die Kaufkraft der Währung in ähnlichem Maße beeinträchtigt. Bis 1920 blieb daher die inflationäre Preisentwicklung eine weltweite Erscheinung, von der auf dem Wege der Handelsverbindungen durch die »importierte Inflation« selbst die neutral gebliebenen Staaten erfaßt wurden. Warum also gelang es den nach der Novemberrevolution für die Währung und die Finanzen Deutschlands verantwortlichen Politikern nicht, die kaufkräftige Nachfrage und das Güterangebot wenigstens so weit zur Deckung zu bringen, daß der Wert der Mark im Jahre 1919 auf 40 oder 50 Prozent ihrer Kaufkraft des Jahres 1913 hätte stabilisiert werden können?

Das Angebot an Gütern für den zivilen Bedarf konnte nach Kriegsende zunächst nicht fühlbar erhöht werden. Die Umstellung vieler Industriebetriebe von der Kriegs- auf die Friedensproduktion erforderte Zeit. Der weitgehende Verzicht auf Neu- oder Ersatzinvestitionen seit 1914 hatte den Produktionsapparat veralten lassen und den vorzeitigen Verschleiß vieler Fabrikanlagen herbeigeführt. Die Abtretung von Gebieten und die Besetzung des Rheinlandes zerschnitten obendrein organisch gewachsene Verbindungen zwischen Rohstoffquellen, Verarbeitungsbetrieben und Absatzmärkten, die unter großem Zeit- und Kostenaufwand neu geknüpft werden mußten. Diese Ursachen bewirkten, daß die industrielle Produktion Deutschlands 1919 nur 37 Prozent des Standes von 1913 erreichte. Vor allem der im Krieg betriebene Raubbau ließ die Erträge der Landwirtschaft 1919 auf weniger als die Hälfte der Ergebnisse von 1913 sinken.

Ähnlich schlecht stand es um den Versuch, die Inflation von der Geldseite her zu bekämpfen. Die fundierte Schuld des Reiches war zwischen dem 31. März 1913 und dem 31. März 1919 von 4,8 Mrd. auf 92,4 Mrd. Mark angewachsen; entsprechend hatten die Zinszahlungen, der »Schuldendienst«, zugenommen. Die schwebende Schuld des Reiches betrug am 31. März 1919 63,7 Mrd. Mark. Sie mußte entweder bald getilgt oder fundiert werden. Zur finanziellen Hinterlassenschaft des Kaiserreiches traten die Kriegsfolgelasten: die Invaliden und die Hinterbliebenen mußten versorgt werden. Die Unternehmer verlangten und erhielten Entschädigungen für ihre Verluste in den abgetretenen und besetzten Gebieten. Allein den Reedereien zahlte das Reich 1,5 Mrd. Mark Schadensersatz für Handelsschiffe, die »durch Kriegsereignisse« verlorengegangen waren. Außerdem hielt die Reichsregierung weiterhin Truppen unter Waffen, mit deren Hilfe sie die Grenzen des Reiches im Osten sichern und den innenpolitischen Frieden wahren wollte. Ferner mußte sie Reparationslieferungen bezahlen und für den Unterhalt der Besatzungsarmee im Rheinland aufkommen.

Vor allem aber drohte das Gespenst einer Massenarbeitslosigkeit. Millionen von Frontsoldaten gerieten ja nicht, wie 1945 die Angehörigen der Wehrmacht, in Gefangenschaft, sondern marschierten in die Heimat zurück, wo sie zügig entlassen wurden. Zwar verpflichtete die provisorische sozialistische Regierung, der »Rat der Volksbeauftragten«, die Arbeitgeber, alle Kriegsteilnehmer, die früher in ihren Betrieben beschäftigt gewesen waren, für mindestens drei Monate wiedereinzustellen. Doch war abzusehen, daß die infolge der Umstellung von Kriegs- auf Friedensproduktion ohnehin gedrosselte Nachfrage am Arbeitsmarkt einen Schub von über 6 Millionen Arbeitskräften nicht sofort aufnehmen würde. Für die Arbeitslosen mußte das Reich die Hälfte der Kosten der Erwerbslosenfürsorge aufbringen, während Länder und Gemeinden die andere Hälfte trugen.

Hätte es indessen der Rat der Volksbeauftragten nicht in der Hand gehabt, den Berg der Reichsschulden abzutragen? Er hätte doch das finanzielle Erbe des Kaiserreichs zurückweisen und sowohl die Tilgung wie die Verzinsung der Kriegsanleihen verweigern können! Die Verkündung des Staatsbankrottes hätte jedoch unter den »kleinen« Anleihezeichnern den gesamten Mittelstand schwer getroffen, um dessen Vertrauen die junge Republik warb. Noch schlimmere Rückwirkungen hätte die Enteignung der »großen« Anleihezeichner ausgelöst. In der Zentralarbeitsgemeinschaft vom 15. November 1918 hatten nämlich auch die Führer der sozialistischen Gewerkschaften den Fortbestand des Systems der Marktwirtschaft anerkannt. Im Rahmen dieser Wirtschaftsordnung war jedoch ein konjunktureller Aufschwung, den die Reichsregierung für die Beschaffung von Arbeitsplätzen dringend benötigte, ohne die Mithilfe der Unternehmer nicht zu erreichen. Schließlich hatten auch die Versicherungsanstalten namhafte Beträge für die Kriegsanleihen aufgebracht. Die Zahlung von Alters-, Invaliden- und Unfallrenten sowie von Leistungen aus der Kranken- und Lebensversicherung hing deshalb davon ab, daß diese Anleihen pünktlich getilgt und verzinst wurden. Die Enteignung der Anleihegläubiger hätte obendrein die Kreditwürdigkeit des Deutschen Reiches auf dem internationalen Geld- und Kapitalmarkt erschüttert.

Da die Träger der deutschen Wirtschaftspolitik 1918/19 dem Ziel der Vollbeschäftigung den absoluten Vorrang einräumten, blieb ihnen der Weg einer Erhöhung der Steuereinkünfte versperrt. Die Höhe der laufenden Reichsausgaben hätte nämlich ein extrem scharfes Anziehen der Steuerschraube erfordert. Abgesehen von der zeitlichen Verzögerung zwischen der Verkündung eines neuen Steuergesetzes und dem Eingang zusätzlicher Steuereinkünfte, hätte dieses Verfahren dem Wirtschaftskreislauf eine derartige Geldmenge entzogen, daß ein Deflationsprozeß in Gang gekommen wäre, der zu einer katastrophalen wirtschaftlichen Depression geführt hätte. Auch die Anleihepolitik bot keinen Ausweg. Mit dem Waffenstillstand war die patriotische Opferbereitschaft der Bevölkerung erloschen, und in der unmittelbaren Nachkriegszeit ging die Spartätigkeit stark zurück. Die »Sparprämienanleihe«, die das Reich Ende 1919 auflegte, wurde mit einem Ertrag von nur 1,3 Mrd. Mark ein Fehlschlag.

Im »Haushaltsjahr 1919«, das vom 1. April 1919 bis zum 31. März 1920 dauerte, beliefen sich daher die ordentlichen Einnahmen des Reiches nur auf knapp 11 Mrd. Mark, denen allein für den Schuldendienst bereits ein Ausgabeposten von 8,4 Mrd. gegenüberstand. Die Ausgaben »aus Anlaß des Krieges« erreichten eine Höhe von 30,1 Mrd. Mark. So wie die Verhältnisse lagen, war die Reichsregierung auf eine weitere Kreditaufnahme bei der Reichsbank angewiesen. Deshalb stieg die schwebende Schuld des Reiches bis zum 31. März 1920 auf 91,6 Mrd. Mark an, von denen 42,7 Mrd. bei der Notenbank verblieben. Der Umlauf an Reichsbanknoten wuchs auf 45,2 Mrd. Mark. Der Bestand an Darlehenskassenscheinen erreichte 13,7 Mrd. Mark, von denen ungefähr zwei Drittel als Notendeckung im Portefeuille der Reichsbank lagen.

Der Wirkungen dieser als Notbehelf betrachteten Finanzpolitik war sich die Reichsregierung durchaus bewußt. Bereits am 26. April 1919 verglich Finanzminister Dernburg vor dem Kabinett die Ausgabe von Schatzanweisungen mit der Assignatenwirtschaft der französischen Revolutionsregierungen. Deshalb nehme es nicht wunder, folgerte er, daß sich in Deutschland die Lebensmittel verteuerten und daß im Ausland die Mark nur noch 28,4 Pfennig wert sei. Seine Vorschläge zur Bekämpfung der Inflation kleidete er in die Forderungen nach einer Fundierung der schwebenden Reichsschuld durch »solide und gut eingehende Steuern« und nach einer Beschränkung der Ausgabe von Banknoten.

Auch das Direktorium der Reichsbank betrachtete das unaufhörliche Anwachsen der Geldmenge mit Besorgnis. Am 1. Juni 1919 teilten Präsident Havenstein und sein Stellvertreter Glasenapp dem neuen Finanzminister Erzberger mit, daß die Primärdeckung des Banknotenumlaufs nur noch zu 12 Prozent aus Gold, aber bereits zu 88 Prozent aus Darlehenskassenscheinen bestehe. Die Sekundärdeckung beruhe fast nur auf Schatzanweisungen, nachdem der Bestand an Handelswechseln auf 210 Mio. Mark zusammengeschmolzen sei. Zwar habe man Mitte Juni kurzfristige Schuldtitel im Wert von 27,5 Mrd. Mark bei einer Gesamtsumme von 71,4 Mrd. »im freien Verkehr« untergebracht, doch stehe zu befürchten, daß bei einem Aufschwung der Konjunktur die von Privatleuten als Liquiditätsreserve gehaltenen Schatzanweisungen bei der Reichsbank auf dem Wege des Rediskonts in Bargeld umgewandelt werden würden. Das Direktorium der Notenbank, dem man häufig eine formaljuristische Denkweise unterstellt, hatte also durchschaut, daß der Deckung des Papiergeldes, die nach wie vor den gesetzlichen Vorschriften entsprach, mittlerweile keine wirtschaftliche Bedeutung mehr zukam. Havenstein und Glasenapp hatten auch die Hauptquelle des Inflationsprozesses erkannt, denn sie hielten dem Finanzminister vor, daß das Anwachsen des Umlaufs an Zahlungsmitteln durch das Ansteigen der kurzfristigen Verschuldung des Reiches verursacht werde. Sie empfahlen deshalb eine »Abbürdung« der schwebenden Schuld auf das während des Krieges beträchtlich angeschwollene Privatvermögen entweder durch die Besteuerung oder durch die Begebung einer Anleihe. Dieser Vorschlag entsprach den Vorstellungen Erzbergers, der die Durchführung einer Vermögensabgabe zur Vorbedingung für die Übernahme des Ministeramtes gemacht hatte.

Nachdem die Revolutionswirren überstanden waren, unternahm die Reichsregierung energische Anstrengungen, um ihren Haushalt durch ordentliche Einnahmen zu konsolidieren. Im Rahmen der im Herbst 1919 anlaufenden Erzbergerschen Finanzreform beschritt sie in ihrer Steuerpolitik die folgenden Wege:

1. Die indirekte Besteuerung wurde ausgeweitet. Der Satz der Umsatzsteuer wurde von 5 Promille auf 1,5 Prozent angehoben, »Luxusgüter« wurden sogar mit 15 Prozent belastet. Die Tarife der Tabak-, Zündwaren- und Spielkartensteuer wurden erhöht. Bei der Ausfuhr von Waren aus dem Reich wurde eine Abgabe erhoben.

2. Die bisherigen Einkommensteuern der Länder wurden durch eine Reichssteuer ersetzt, die durch eine Körperschaft- und eine Kapitalertragsteuer ergänzt wurde. Auch im Bereich der direkten Besteuerung wurden die Tarife drastisch erhöht. Hatte z. B. der Höchstsatz der früheren preußischen Einkommensteuer 4 Prozent betragen, so wurde er nun auf 60 Prozent angehoben. Außerdem wurde bei der Besteuerung der Einkommen aus Löhnen und Gehältern der Quellenabzug in Form der »Lohnsteuer« eingeführt.

3. Eine Fundierung der schwebenden Reichsschuld versprach sich Erzberger aber vor allem von drei einmaligen Abgaben, welche die wohlhabenden Kreise der Bevölkerung treffen sollten, deren Vermögenszuwachs während des Krieges vom Fiskus kaum erfaßt worden war. Am 10. September 1919 verabschiedete der Reichstag die »abschließende Kriegsbesteuerung«. Sie bestand in einer »Kriegsabgabe vom Vermögenszuwachs« und in einer »außerordentlichen Kriegsabgabe für das Rechnungsjahr 1919«. Am 31. Dezember 1919 folgte das »Reichsnotopfer«, eine einmalige Vermögenssubstanzsteuer, deren Sätze von 10 auf 65 Prozent bei Vermögen über 2 Mio. Mark anstiegen.

Die Erhöhung der indirekten Besteuerung und die Einführung der Lohnsteuer brachten dem Reich rasch erhebliche Mehreinnahmen. Dadurch gelang es, den Teil der Reichsausgaben, der durch Steuern finanziert wurde, zwischen 1919 und 1921 von rund 30 Prozent auf ungefähr 44 Prozent anzuheben. Da überdies die Mark ab Frühjahr 1920 im In- und Ausland wieder an Vertrauen gewann, hätten die deutschen Finanzpolitiker zumindest den Versuch wagen können, durch einen Ausgleich des Reichshaushalts die Inflation abzubremsen.

Daß sie die Phase der relativen Stabilisierung der Mark ungenutzt verstreichen ließen, lag in ihrer Furcht begründet, die



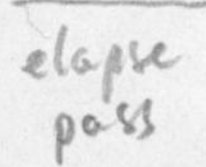

Arbeitslosigkeit könne in Deutschland ähnliche Ausmaße annehmen wie in Großbritannien und in den USA. Gerade diese Staaten hatten jedoch das Bestreben, die Kaufkraft ihrer Währungseinheiten wieder auf den Vorkriegsstand zu bringen, mit einer Deflation bezahlt. Das stetige Ansteigen der Zahl der Erwerbslosen auf ungefähr 500 000 im August 1920 und die rasch zunehmende Kurzarbeit alarmierten das Reichskabinett. Zudem drängten die Gewerkschaften die Reichsregierung, an die Stelle der bisherigen unproduktiven Unterstützung der Arbeitslosen eine gezielte Politik der Arbeitsbeschaffung zu setzen. Den Vorrang der Beschäftigungspolitik vor einer Sanierung des Haushalts betonte auch Preußens Ministerpräsident Braun. Am 2. September 1920 erbat er »Reichsmittel« für ein Beschäftigungsprogramm mit dem Hinweis, die Eingliederung von »Zehntausenden von Arbeitern« in den Wirtschaftsprozeß dürfe nicht aus Geldmangel scheitern. Im Reichskabinett verfocht vor allem Arbeitsminister Brauns den Gedanken der »produktiven Erwerbslosenfürsorge«, den er vor allem in der besonders arbeitsintensiven Bauwirtschaft verwirklichen wollte. Im Haushaltsplan für 1921 erhöhte das Reich daher alle Ausgabenansätze, die geeignet waren, den Hoch- und Tiefbau anzukurbeln. Allein für die Förderung des Wohnungsbaus waren 3,7 Mrd. Mark vorgesehen.

Die Reichsbank erkannte, daß diese Ausgaben nicht mit ordentlichen Einnahmen zu finanzieren waren. Auf ihre Dekkungsvorschriften pochend, wandte sie sich bereits am 12. Januar 1921 gegen einen Plan der Gewerkschaften, die Bauwirtschaft durch eine mit Geldschöpfung verbundene Kreditvergabe zu beleben. Da die Notenbank aber noch den Weisungen des Reichskanzlers unterstand, verhallten ihre Warnungen ungehört. Folgerichtig bat das Direktorium am 1. Februar 1921 den Kanzler, er möge die Reichsbank ermächtigen, die für den Umlauf an Banknoten vorgesehene Dritteldeckung bis zum Ausgleich des Reichshaushaltes zu unterschreiten. Daraufhin verabschiedete der Reichstag am 4. Mai 1921 ohne Gegenstimme ein Gesetz, das die Notenbank für den Zeitraum vom 10. Mai 1921 bis zum 31. Dezember 1923 von der Einhaltung der Primärdekkung gemäß dem Bankgesetz vom 14. März 1875 befreite.

Dieses Gesetz öffnete dem Reichsfinanzminister den ungehinderten Zugang zum kurzfristigen Notenbankkredit, der für ihn deshalb wichtig war, weil im Verlauf des Jahres 1921 das Steueraufkommen immer stärker in die Mühlen der Inflation geriet. Mit Ausnahme der Lohnsteuer lag bei den direkten Steuern zwischen der Festsetzung der Steuerschuld durch das Finanzamt und dem Eingang der Zahlung des Steuerpflichtigen eine erhebliche Zeitspanne, in der sich das Rad der Geldentwertung weiter drehte. Deshalb verkörperte die Steuersumme, die der Staat empfing, stets weniger Kaufkraft als diejenige, die er gefordert hatte. In der Zwischenzeit hatte aber die Preisentwicklung die tatsächlichen Ausgaben des Reiches weit über die Voranschläge im Haushaltsplan hinausgetrieben. Die dadurch entstandenen Haushaltslücken stopfte der Finanzminister, indem er neue Schatzanweisungen ausstellte. Eine Enttäuschung bereitete ihm zudem das Reichsnotopfer. Da es wegen der Höhe seiner Tarife einen Eingriff in die Vermögenssubstanz darstellte, also z. B. nicht aus laufenden Zinseinnahmen aufzubringen war, hatte der Gesetzgeber eine Tilgung der Steuerschuld in Raten vorgesehen, deren Kaufkraft im Zeichen der immer schneller werdenden Inflation dahinschwand. Bereits 1922 wurde daher das Notopfer durch Zuschläge zu einer neu geschaffenen Vermögensteuer abgelöst, die indessen das Schrumpfen der ordentlichen Einnahmen ebensowenig aufzuhalten vermochten wie die Anhebung verschiedener Steuertarife oder die Einführung der Steuervorauszahlung. Im Haushaltsjahr 1922 betrug die durch Steuern finanzierte Quote der Reichsausgaben nur noch 37,5 Prozent, 1923 sank sie auf ungefähr 10 Prozent.

Dem Rückgang der Steuerquote entsprach das Anschwellen der schwebenden Schuld des Reiches von 166,3 Mrd. Mark am 31. März 1920 auf 271,9 Mrd. Mark am 31. März 1922. Von den kurzfristigen Schuldtiteln des Reiches befanden sich 1921 39 Prozent und 1922 54 Prozent im Besitz der Reichsbank. Der Umlauf an Banknoten stieg von 45,2 Mrd. im März 1920 auf 130,7 Mrd. Mark im März 1921.

Ab Juni 1921 machte sich ferner eine Beschleunigung der Geldentwertung bemerkbar, die vom Inflationsprozeß selbst getragen wurde. Das nun rasch schwindende Vertrauen in die Mark kurbelte die Umlaufgeschwindigkeit der Banknoten an. Der bargeldlose Zahlungsverkehr verlor allmählich seine Bedeutung, weil die Überweisung eines Geldbetrages, die einige Tage dauerte, bereits mit einem meßbaren Schwund der Kaufkraft verbunden war. Auf Bankkonten fließende Guthaben blieben dort nicht lange stehen, sondern wurden von den Inhabern in Stückgeld abgehoben. Auf diese Weise verringerten sich z. B. die Guthaben der Postscheckkunden von 485,3 Mio. Mark im Januar 1921 auf 251,8 Mio. im Januar 1922 und auf 96,1 Mio. im Dezember 1922.

Der Rückgang des Giroverkehrs schränkte den Spielraum der Geschäftsbanken zur Schaffung von Buchgeld immer mehr ein und minderte ihre Fähigkeit, Kredite zu vergeben. Andererseits hatten die Unternehmer inzwischen den Inflationsprozeß durchschaut. Im Vorgriff auf das Steigen der Produktionskosten und in Erwartung einer Beschleunigung der Geldentwertung wuchs ihre Nachfrage nach Krediten rasch an. Als Folge entstand um die Mitte des Jahres 1922 eine »Kreditkrise«. Aus Sorge um den Stand der Beschäftigung fühlte sich die Reichsbank verpflichtet, die Kreditknappheit zu beheben. Sie warb für eine stärkere Verwendung des Wechsels im Zahlungsverkehr und erklärte sich bereit, »gute Handelswechsel« zu diskontieren. An ihre Erfahrungen aus der Zeit der Goldwährung anknüpfend, ging sie davon aus, daß von solchen Wechseln keine inflatorische Gefahr ausgehen könne. Ermuntert wurde sie bei diesem Vorhaben von Vertrctern der Industrie, die zwar in ihren Verlautbarungen ebenfalls die Bedeutung der Vollbeschäftigung hervorhoben, tatsächlich aber die Politik der Reichsbank geschickt für ihre Gewinninteressen einspannten.

Zum einen nämlich hielt die Reichsbank ihren am 23. Dezember 1914 festgesetzten Diskontsatz von 5 Prozent bis zum 27. Juli 1922 unverändert aufrecht. Danach erhöhte sie ihn bis Jahresende stufenweise auf 10 Prozent, obwohl die Geschäftsbanken bereits ab Juli für einen Kontokorrentkredit 50 Prozent Zins verlangten. Den Verzicht auf eine Anpassung der Diskontrate an die Geldentwertung rechtfertigte das Direktorium mit seiner volkswirtschaftlichen Aufgabe, die Aufwendungen für den Schuldendienst des Reiches so niedrig wie möglich zu halten. Zum anderen unterließ es die Reichsbank bis August 1923, die von ihr ausgeliehenen Beträge durch eine Entwertungsklausel gegen den Schwund der Kaufkraft zu sichern. Deshalb borgten sich bei ihr bis zu diesem Zeitpunkt findige Spekulanten und Unternehmer, allen voran Hugo Stinnes, hohe Summen in Mark zu günstigen Zinsen und kauften dafür Sachwerte, z. B. die Fabrikbetriebe von Firmen, die in finanzielle Schwierigkeiten geraten waren. Nach wenigen Wochen zahlten sie diese Kredite zurück – in vollem Nennwert, aber mit inzwischen stark verminderter Kaufkraft –, indem sie erneut Papiergeld bei der Reichsbank ausliehen. Der »wertbeständige« Fabrikbetrieb aber blieb in ihrer Hand.

Natürlich erkannte die Reichsbank die Gefahr eines Mißbrauchs ihrer Wechseldiskontierung zu spekulativen Geschäften. Deshalb unterzog sie jedes Kreditgesuch einer strengen Prüfung. Sie verwarf es, wenn es offenkundig zum Ankauf von Waren und Devisen über den »normalen Bedarf« hinaus oder zur Beschaffung fehlenden Anlagekapitals bestimmt war. Offenbar fiel es erfahrenen Unternehmern aber leicht, die Direktoren der Reichsbank, zumeist Geheimräte aus kaiserlicher Zeit, vom üblichen Rahmen ihres Handels- oder Devisengeschäftes zu überzeugen. Der Bestand an Handelswechseln im Portefeuille der Notenbank wuchs nämlich im Verlauf des Jahres 1922 von 1 Mrd. auf 422 Mrd. Mark an und fiel neben den am 31. Dezember 1922 dort vorhandenen Reichsschatzanweisungen im Nennwert von 1185 Mrd. Mark als Grundlage für die Ausgabe von Banknoten durchaus ins Gewicht.

Während die Reichsbank mit ihren Wechselkrediten an die Privatwirtschaft buchstäblich Öl in die Flammen der Inflation goß, gelang es der Reichsregierung, einen weiteren Gefahrenherd in Gestalt einer ungezügelten Emission von Notgeld vorerst abzuriegeln. Da das Reich im Sommer 1922 wegen der Engpässe bei der Versorgung mit Banknoten den Geldersatz dulden mußte, fühlten sich kommunale und private Ausgabestellen ermutigt, Notgeld nicht nur zur Überbrückung einer Knappheit an Zahlungsmitteln herzustellen, sondern eine zusätzliche Menge dieser Geldzeichen für Zwecke der Finanzierung zu nutzen. Dank strenger Auflagen für die Emission konnte die Reichsregierung den Umlauf an Notgeld bis Juli 1923 auf 2,4 Mrd. Mark beschränken. Dann aber ließ die Knappheit an gesetzlichen Zahlungsmitteln eine »Notgeldwelle« aufbranden, die, von einer explosionsartigen Vermehrung dieser Geldzeichen und ihrer Ausgabestellen begleitet, den Damm der staatlichen Regulierung brach.

Außerdem beeinflußten seit dem Waffenstillstand die Reparationen den Ablauf des Inflationsprozesses. Die Reparationszahlungen stellten erhebliche Anforderungen an den Reichshaushalt. Im Rechnungsjahr 1920 entfielen ungefähr 20 Prozent der Reichsausgaben auf Reparationslasten. 1921 stieg dieser Anteil auf 42 Prozent, im Etatjahr 1922 ging er auf 29 Prozent zurück. Mehr als die von den Alliierten abgerufenen Leistungen heizte jedoch die Reparationsfrage selbst die Geldentwertung an. Sie prägte den Kurs der deutschen Währungs- und Finanzpolitik, und sie löste den Ruhrkampf aus, welcher der Mark-Währung den Todesstoß versetzte.

Anfangs standen die verantwortlichen Politiker der jungen Republik dem Kaufkraftschwund der Mark verständnislos gegenüber, waren sie doch mit geldtheoretischen Einsichten ausgerüstet, die in der Epoche der Goldwährung gewonnen worden waren. Bald aber lieferten ihnen Nationalökonomen und Währungsexperten zwei Erklärungen der Geldentwertung, die einander widersprachen. Die Verfechter der »Zahlungsbilanztheorie« – z. B. Helfferich, M. J. Bonn, H. Schacht – erblickten die Hauptursache in den ständigen Defiziten der deutschen Leistungsbilanz im Wirtschaftsverkehr mit dem Ausland, deren Ausgleich den Wechselkurs der Mark habe abgleiten lassen. Der sinkende Außenwert der Mark habe dann infolge der Verteuerung der Importe das inländische Preisniveau allmählich in die Höhe getrieben. Als Beweis für ihre These diente ihnen die Beobachtung, daß bis zum Ruhrkampf der Wechselkurs der Mark meist schneller sank als die Preise auf dem deutschen Binnenmarkt anstiegen.

Genau umgekehrt sah die Kausalkette aus, welche die Vertreter der »Inflationstheorie« entwickelten, z. B. G. Cassel, L. A. Hahn, A. Lansburgh. Sie bezeichneten die Vermehrung der Geldmenge infolge der Staatsverschuldung als Ursache des Preisauftriebs, der dann wiederum die rapide Verschlechterung des Wechselkurses der Mark ausgelöst habe. Die Reparationsleistungen hätten die Inflation nur insofern beschleunigt, als sie nicht durch Steuereinkünfte, sondern durch eine Kreditaufnahme des Staates bei der Notenbank finanziert worden seien. Während also die Inflationstheorie die Schuld für die Entwertung der Mark eindeutig der Reichsregierung und der Reichsbank zuschob, führte die Zahlungsbilanztheorie zu einer völlig anderen Diagnose: Eine Stabilisierung der Mark sei erst dann zu erwarten, wenn die Reparationsforderungen auf ein tragbares Maß reduziert worden seien und dem Reich durch ausländische Kredite ein Ausgleich der Zahlungsbilanz ermöglicht werde.

Diese Theorie bot der deutsch-nationalen Propaganda, wie sie z. B. Helfferich betrieb, eine willkommene Gelegenheit, die Schuld für das Währungschaos auf die Alliierten abzuwälzen. Das enttäuschende Ergebnis der Steuerreform von 1919 und die hohe Reparationslast im Etatjahr 1921 überzeugten jedoch auch die für die Währung und Finanzen verantwortlichen Politiker, daß der Versuch einer Sanierung des Reichshaushaltes ohne eine vorausgehende endgültige und »tragbare« Lösung der Reparationsfrage mißlingen müsse. Das Direktorium der Reichsbank, das ursprünglich der Inflationstheorie nahestand, warnte am 21. Mai 1921 die Reichsregierung erneut vor dem raschen Anwachsen der schwebenden Schuld. Neben der Stillegung der Notenpresse nannte es nun aber die Verbesserung der Handelsbilanz mit dem Ausland und die Begrenzung der Kriegsentschädigung auf ein »tragbares Maß« als Bedingungen für die Stabilisierung der Währung. Die Reichsbank vollendete ihre Kehrtwendung zur Zahlungsbilanztheorie, als sie im Frühjahr 1923 versuchte, den Außenwert der Mark durch den Verkauf ihrer Goldreserven zu stützen.

Schließlich konnten auch entschiedene Demokraten und Republikaner wie Reichsaußenminister Rathenau der Versuchung nicht widerstehen, anhand der Zahlungsbilanztheorie der Weltöffentlichkeit die Unerfüllbarkeit der Reparationsforderungen nachzuweisen. Diese Argumentation, welche die Reichsregierung in ihren Stellungnahmen zum Reparationsproblem ständig wiederholte, erweckte im Ausland den Verdacht, die Deutschen hätten den Inflationsprozeß bewußt in Gang gesetzt, um sich ihren Verpflichtungen zu entziehen. Das Mißtrauen, das auf diese Weise vor allem in Frankreich und Belgien geschürt wurde, bekam das Reich bei der Besetzung des Ruhrgebietes zu spüren.

Der Ruhrkampf führte zu einer drastischen Kürzung des Güterangebots auf den deutschen Märkten. Vor allem die ausbleibenden Lieferungen an Kohle, Koks, Eisen und Stahl zwangen viele Betriebe im unbesetzten Gebiet, ihre Produktion zu drosseln, Kurzarbeit einzuführen oder gar Arbeiter zu entlassen. 1923 verminderte sich das Volumen der industriellen Produktion gegenüber 1922 um rund ein Drittel. Es wurde auf einen Stand zurückgeworfen, der unter dem Niveau von 1920 lag.

Auf der anderen Seite stürzte eine Flut von Papiergeld über die deutsche Wirtschaft herein, weil das Reich den passiven Widerstand nur mit Hilfe der Kredite seiner Notenbank leisten konnte. Versuche, die zusätzlichen Ausgaben wenigstens zum Teil durch die Begebung einer Dollar-Anleihe zu decken, scheiterten. Bei den ordentlichen Einnahmen klaffte überdies ein riesiges Loch. Die vergleichsweise hohen Steuererträge im rheinisch-westfälischen Industriegebiet, z. B. das Aufkommen aus der Kohlensteuer und der Ausfuhrabgabe, gingen dem Reich völlig verloren. Im unbesetzten Gebiet schmälerte die Lähmung der Produktion und des Handels die Steuereingänge. Im Oktober 1923 deckten die Steuereinkünfte schließlich nur noch 1 Prozent der Reichsausgaben, 99 Prozent mußten durch den Druck von Papiergeld finanziert werden. Das Direktorium der Reichsbank wäre aufgrund des Autonomiegesetzes vom 26. Mai 1922, das auf Verlangen der Reparationskommission die Weisungsbefugnis des Reichskanzlers beseitigt hatte, nunmehr in der Lage gewesen, die Gewährung von Krediten an das Reich einzudämmen. Havenstein fühlte sich jedoch verpflichtet, die Reichsregierung in ihrem Kampf gegen die Reparationsgläubiger zu unterstützen und den Wirtschaftskreislauf ausreichend mit Geld zu versorgen, soweit die Kapazitäten der Notenpressen und der Papierfabriken dies zuließen.

Da inzwischen jeder Staatsbürger bestrebt war, empfangene Mark-Beträge sofort wieder auszugeben, erreichte die Umlaufgeschwindigkeit der Banknoten den höchstmöglichen Grad. Die schwebende Schuld des Reiches schwoll bis zum 15. November 1923, als die Stabilisierung der Papiermark gelang, auf 191,6 Trillionen Mark an. Während aber Ende April noch ein Viertel aller Reichsschatzanweisungen im freien Verkehr untergebracht werden konnte, waren es Ende Juni nur noch 7 Prozent. Am 15. November 1923 befanden sich 99 Prozent der kurzfristigen Schuldtitel im Portefeuille der Reichsbank, wo außerdem noch Handelswechsel im Werte von 39,5 Trillionen Mark lagerten. Das Kreditvolumen der Darlehenskassen belief sich mittlerweile auf fast 2 Trillionen. Als Folge stieg der Umlauf an Papiergeld von 6,5 Billionen im August auf 400 Trillionen Mark im November 1923. Diesen Pegelstand erreichte nach Schätzungen der Reichsbank inzwischen auch die Notgeldwelle.

Daß es deutschen Währungs- und Finanzpolitikern gelang, auf diesem monetären Trümmerhaufen innerhalb weniger Monate das Gebäude einer voll funktionsfähigen Währung zu errichten, wurde von zeitgenössischen Beobachtern im In- und Ausland mit Recht als eines der größten Wunder der Wirtschaftsgeschichte bezeichnet. In Umrissen soll daher der Weg aufgezeigt werden, der zur Währungsreform von 1924 führte.

Die Maßnahmen zur Sanierung der deutschen Währung verdichteten sich aus einer Vielzahl fast gleichzeitig vorgelegter Pläne zum »Wunder der Rentenmark«, das auf folgender Konstruktion beruhte: Am 15. Oktober 1923 wurde die »Deutsche Rentenbank«, ein vom Staat unabhängiges öffentlich-rechtliches Kreditinstitut gegründet. Ihr Grundkapital bestand aus einer hypothekarischen Belastung des gesamten gewerblich genutzten Grundbesitzes zu ihren Gunsten. Diese Belastung – je 1,6 Mrd. Goldmark entfielen auf Industrie und Landwirtschaft – wurde nach dem Maßstab des 1913/14 erhobenen »Wehrbeitrags«, einer Vermögensabgabe, auf die einzelnen Betriebe umgelegt. Auf der Grundlage dieser fiktiven Deckung gab die Bank »Rentenbankscheine« heraus, die auf »Rentenmark« lauteten, wobei 1 Rentenmark im Wert 1 Goldmark entsprach. Diese Scheine waren kein gesetzliches Zahlungsmittel, sie mußten aber von öffentlichen Kassen angenommen werden. Am 15. November 1923 gewährte die Rentenbank dem Reich 1,2 Mrd. Rentenmark als zinslosen Kredit; weitere 1,2 Mrd. gab sie der Reichsbank zur Weiterleitung an die Geschäftsbanken, 0,8 Mrd. behielt sie als Reserve. Vereinbarungsgemäß stellte die Reichsbank an diesem Tag die Diskontierung der Schatzanweisungen ein und legte mithin die Notenpresse still. Damit schuf sie die Voraussetzung für eine Stabilisierung der Papiermark, die auf den Stufen 1 US-Dollar = 4,2 Billionen Mark und 1 Rentenmark = 1 Billion Mark erfolgte. Gesetzliches Zahlungsmittel blieb weiterhin die Mark.

Eine inflationäre Wirkung konnte von der Rentenmark nicht ausgehen, denn ihre Menge war streng auf 3,2 Mrd. begrenzt. Da sie nur im Inland zirkulierte, war sie auch keinen Schwankungen des Wechselkurses unterworfen. Die Deckung durch eine Grundschuld erwies sich obendrein als wertvolle psychologische Stütze, um das Vertrauen der Bevölkerung in die Rentenmark zu wecken. Überzeugt davon, daß die Rentenmark wertbeständig sein müsse, weil sie ja auf Grund und Boden fundiert sei, nahm das Publikum die Scheine der Rentenbank als Zahlungsmittel an, ohne sie gleich wieder gegen Waren einzuwechseln.

Die Rentenmark war von vornherein nur als Übergangslösung gedacht. Die Weichen für die Rückkehr zur Goldwährung stellten Reichsfinanzminister Luther und der neue Reichsbankpräsident Schacht. Durch drastische Kürzungen der Ausgaben und durch ein scharfes Andrehen der Steuerschraube gelang es Luther, für das Etatjahr 1924 einen Haushaltsplan vorzulegen, bei dem die ordentlichen Ausgaben durch Steuereinnahmen gedeckt waren. Schacht sicherte die Stabilisierung der Währung, indem er die Kreditzufuhr an die Privatwirtschaft ohne Rücksicht auf die konjunkturelle Entwicklung drosselte. Am 30. August 1924 erhielt das Deutsche Reich ein neues gesetzliches Zahlungsmittel, die »Reichsmark« (RM), wobei 2790 RM = 1 kg Feingold entsprechen sollten. An die Stelle der Goldumlaufwährung, wie sie das Deutsche Reich bis 1914 besessen hatte, trat jetzt eine Goldkernwährung. Zwar wurden keine Goldmünzen in den Verkehr gebracht, aber die Reichsbank mußte für ihre im Umlauf befindlichen Banknoten eine Deckung von mindestens 40 Prozent in Gold oder in Devisen von Ländern mit Goldwährung halten. Die Papiermark wurde im Verhältnis 1 Billion Mark : 1 Reichsmark eingetauscht und bis Juli 1925 aus dem Verkehr gezogen.

*Wirtschaftliche und soziale Folgen der Inflation*

Der Inflation kam das unbestreitbare Verdienst zu, daß sie der jungen Weimarer Republik eine lang anhaltende Massenarbeitslosigkeit ersparte. Im Dezember 1918 schätzte man die Zahl der Erwerbslosen in Deutschland auf 5,4, im Januar 1919 sogar auf 6,6 Millionen. Die Kredite der Reichsbank ermöglichten jedoch im Rahmen der Demobilmachung die rasche Durchführung von Maßnahmen der Arbeitsbeschaffung, so daß bis zum Sommer 1919 die zurückflutenden Frontsoldaten wieder in den Wirtschaftsprozeß eingegliedert werden konnten. Im Juni 1919 wurden 620000 unterstützte Arbeitslose gezählt, im März 1920 waren es nur noch 370296.

Das Fortdauern der Inflation heizte die private Investitionstätigkeit an, weil angesichts kräftiger Preissteigerungen und eines lange Zeit nominal unveränderten Zinsniveaus der in Goldmark berechnete reale Zinssatz ständig sank. Trotz der Gebietsverluste erreichte die industrielle Produktion Deutschlands 1922 bereits wieder 80 Prozent des Vorkriegsstandes, nachdem sie 1919 auf 37 Prozent abgesunken war. Auf diesem Wege entging der deutsche Arbeitsmarkt dem Zugriff der Weltwirtschaftskrise von 1920/21, wie der folgende Vergleich zeigt:

Arbeitslose auf je 1000 Einwohner im Jahresdurchschnitt

| | 1921 | 1922 | 1923 |
|---|---|---|---|
| Deutsches Reich | 6 | 4 | 12 |
| Großbritannien | 41 | 41 | 34 |
| USA | 47 | 38 | 16 |
| Schweiz | 15 | 17 | 8 |

Wie stark das Tempo der Geldentwertung die Nachfrage am Arbeitsmarkt steuerte, bezeugt die gegenläufige Entwicklung zwischen der Erwerbslosigkeit und dem Ausmaß der Preissteigerung. In der Periode der relativen Stabilisierung stieg die Quote der Arbeitslosen unter den gewerkschaftlich organisierten Arbeitnehmern von 1,9 im März 1920 sehr schnell auf 6 Prozent im Juli 1920. Der folgende Inflationsschub drückte diese Quote im Juni 1921 wieder unter 3 Prozent. Den Übergang zur Hyperinflation begleitete eine Vollbeschäftigung, denn im Juni und Juli 1922 waren nur 0,6, im August 0,7 und im September 0,8 Prozent der Mitglieder der Gewerkschaften arbeitslos. Erst das Währungschaos des Jahres 1923 kippte die Inflationskonjunktur um. Nachdem alle Produktionskosten, zuletzt auch Löhne und Gehälter, durch Sicherungsklauseln der Geldentwertung angepaßt worden waren, übte die Inflation keinen Anreiz mehr auf die Investitionspolitik der Unternehmer aus. Gleichzeitig ging der Kostenvorsprung gegenüber dem Ausland verloren. Bereits im Sommer 1923 sackte die industrielle Produktion auf ein Drittel des Standes im Vorjahr ab, wozu freilich auch die Auswirkungen des Ruhrkampfes beitrugen. Die Quote der Arbeitslosigkeit, die im Oktober und November 1922 erst 1,4 bzw. 2,0 Prozent betragen hatte, erreichte im Oktober und November 1923 19,1 bzw. 23,4 Prozent!

Die Inflation half ferner, die deutsche Volkswirtschaft von der Kriegs- auf die Friedensproduktion umzustellen, und sie beschleunigte den Wiederaufbau. Die deutsche Handelsflotte, deren Tonnage durch Kriegsverluste und -tribute von 5,13 Mio. BRT auf 0,4 Mio. BRT geschrumpft war, besaß zu Beginn des Jahres 1924 schon wieder eine Gesamttonnage von 2,9 Mio. BRT. Die Deutsche Reichsbahn verfügte 1924 über einen größeren Park an Lokomotiven und Waggons als sämtliche Eisenbahnverwaltungen im größeren Reichsgebiet des Jahres 1914, obwohl der Vorkriegsbestand bei Lokomotiven um fast zwei Drittel und bei Waggons um mehr als ein Drittel durch Kriegs- und Reparationsverluste vermindert worden war.

Solche Erfolgszahlen verhüllen allerdings die Kehrseite der Inflationskonjunktur. Die umfangreichen Bestellungen der Reichsbahn und der Reeder veranlaßten den einzelnen Unternehmer im Lokomotiv- und Waggonbau sowie in der Werftindustrie, seine Fertigungskapazität entsprechend auszuweiten. Nach der Währungsreform stellte sich heraus, daß die Produktionsanlagen in diesen Wirtschaftszweigen bei weitem nicht ausgelastet werden konnten, denn die Bahn hatte ihren Nachholbedarf gedeckt, die Reeder kalkulierten Neubauten nunmehr auf der Basis einer stabilen Währung, und die inflationsbedingten Wettbewerbsvorteile im Exportgeschäft waren verschwunden. Viele Firmen in diesen Branchen überstanden die folgenden Jahre nur dank der Subventionen der öffentlichen Hand, ohne jedoch die Zahl ihrer Arbeitsplätze aufrechterhalten zu können.

Das schwankende Fundament der Kalkulation in den Inflationsjahren verleitete die Unternehmer ferner dazu, den Prozeß der Rationalisierung in ihren Betrieben aufzuschieben. Die Hersteller von Personenkraftwagen beispielsweise, die durch den sinkenden Außenwert der Mark von der Konkurrenz aus dem Ausland abgeschirmt wurden und die obendrein mit der Flucht ihrer Kunden in die Sachwerte rechneten, sahen keine Veranlassung, in ihren Betrieben die handwerkliche Fertigung durch das Fließband zu ersetzen, ihre Produkte technisch und optisch zu verbessern und den Kundendienst auszubauen. Mit Produktionsverfahren und Konstruktionstechniken, die sich seit 1914 nicht wesentlich geändert hatten, fand sich die Branche 1924 plötzlich dem Wettbewerb der weit überlegenen amerikanischen Produzenten ausgesetzt. Der deutsche Kunde war aber nun nicht mehr bereit, die stabile Reichsmark für ein Auto »um jeden Preis« loszuwerden. Daher erstaunt es nicht, daß bei der Neuzulassung von Personenwagen Fabrikate ausländischer, vorwiegend amerikanischer Herkunft bis 1929 einen Anteil von fast 40 Prozent am deutschen Markt erreichten.

Auch der Wirtschaftsordnung drückte die Inflation ihren Stempel auf. Schon vor 1914 hatten die Unternehmer der Grundstoff- und Schwerindustrie die Strategie der vertikalen Konzentration verfolgt. Kohle-, Eisen- und Stahlproduzenten begannen, kleinere Unternehmungen der ihnen vor- oder nachgelagerten Produktionsstufen aufzukaufen. Der vertikale Konzern erwies sich nämlich als vergleichsweise krisenfest, konnte er doch Verluste auf der einen Produktionsebene durch Gewinne auf einer anderen ausgleichen. Deshalb fiel es ihm auch leicht, Konkurrenten, die nur auf einer Produktionsstufe vertreten waren, durch unlautere Machenschaften, insbesondere durch »Preisdumping«, aus dem Markt zu werfen. Außerdem wurde der Verbrauch an Kohle, Eisen und Stahl innerhalb des Konzerns nicht auf die Produktionsquote angerechnet, welche die Kartelle der Schwerindustrie ihren Mitgliedsfirmen auferlegten. Vertikale Konzentration konnte also trotz der Absprachen über Verkaufspreise und Produktionsmengen zu einer besseren Auslastung der Kapazität verhelfen.

Vor allem diese Form der Konzentration wurde durch das von der Inflation erschlossene Verfahren der bequemen und risikolosen Kreditaufnahme beschleunigt. Hinzu kam, daß die Geldentwertung die Zahl der »freien« Aktionäre stark verminderte. Verarmte Kleinaktionäre wurden gezwungen, ihre im Mark-Kurs steigenden Aktien zu veräußern, um mit den scheinbar hohen Erlösen ihren Lebensunterhalt zu bestreiten. Aus diesen einzelnen Notverkäufen schnürten Bankiers und Börsenspekulanten ganze Aktienpakete zusammen, die sie mit einem »Paketzuschlag« an Interessenten verkauften, welche die betreffende Aktiengesellschaft ihrem Konzern einzugliedern beabsichtigten.

Große stahlerzeugende und -verarbeitende Firmen wie Krupp, Gebr. Stumm, Hoesch, Henschel, Thyssen oder Mannesmann sicherten sich auf diese Weise die Kontrolle über Kohlenzechen, zum Teil auch über Erzgruben und die Lieferanten von Hilfsstoffen. Die Gutehoffnungshütte hingegen drang gezielt in die Weiterverarbeitung vor. In rascher Folge gliederte sie sich Drahtwerke, Eisengießereien und Maschinenfabriken an, darunter zwei so bedeutende Unternehmungen wie M. A. N. und die Maschinenfabrik Eßlingen. Stinnes vollendete den Aufbau der riesigen Siemens-Rheinelbe-Schuckert-Union, die den Bergbau, die Eisen- und Stahlerzeugung und die Elektroindustrie überspannte. Die Inflation bot neben den in der Konzernbildung bereits erfahrenen Schwerindustriellen auch Neulingen eine Chance. Großzügig gewährte Kredite der Disconto-Gesellschaft erlaubten es dem im Krieg reich gewordenen Tuchfabrikanten Günther Quandt, die Kontrolle über die leistungsfähige Berliner Accumulatoren-Fabrik AG zu gewinnen. Börsenspekulationen auf Kreditbasis verschafften Friedrich Flick, dem Direktor einer kleinen Eisenhütte im Siegerland, Anteile am Aktienkapital der oberschlesischen Montanindustrie von mehr als 100 Mio. Goldmark. Die Eisenhändler Otto Wolff und Peter Klöckner, die vor dem Krieg von den Kartellen der Eisen- und Stahlindustrie fast zu Verteilern degradiert worden waren, nutzten den inflationären Kreditspielraum, um erfolgreich in das Gebiet der Produktion vorzustoßen.

Stinnes freilich begnügte sich nicht mit der vertikalen Konzentration. Auf dem Fundament der nahezu kostenlosen Kredite der Reichsbank errichtete er ein Konglomerat, indem er wahllos alle Firmen aufkaufte, die er bekommen konnte, ohne Rücksicht auf den Grad ihrer produktionstechnischen Verflechtung. Auf dem Höhepunkt seiner Macht – kurz vor seinem Tod im Jahre 1924 – umfaßte sein Imperium 1664 rechtlich selbständige Unternehmungen mit 4554 Betrieben, die sich auf fast alle Wirtschaftszweige erstreckten. Der Zusammenbruch des Stinnes-Konglomerats, der bereits 1925 erfolgte, darf nicht darüber hinwegtäuschen, daß andere Industrielle, die den Pfad der vertikalen Konzentration nicht verlassen hatten, ihre wirtschaftliche Machtstellung und den damit verbundenen politischen Einfluß auch nach der Währungsreform behaupten und zum Teil sogar noch ausbauen konnten.

Auch der Staat ging als Gewinner aus dem Inflationsprozeß hervor. Die gesamten inneren Kriegsschulden des Deutschen Reiches in Höhe von 154 Mrd. Mark betrugen am 15. November 1923 in der Kaufkraft des Jahres 1913 noch 15,4 Pfennig. Auch nach der 1925 vorgenommenen Aufwertung, bei der je 1000 Mark Nennwert der Kriegsanleihen in eine vorerst unverzinsliche Ablösungsschuld von 25 Reichsmark umgewandelt wurden, belief sich die gesamte bis 1923 aufgelaufene Reichsschuld auf nur 4,8 Mrd. Reichsmark. Die Länder und die Gemeinden benutzten die Geldentwertung ebenfalls, um ihre Schulden abzuschütteln. Die Stadt Dortmund z. B. mußte 1918 ungefähr ein Drittel ihrer Ausgaben für den Schuldendienst aufwenden, 1921 aber nur noch 10 Prozent, 1923 war sie praktisch schuldenfrei.

Zu den Nutznießern der Inflation zählten freilich auch private Schuldner, die vor dem Krieg aufgenommene Kredite nun in entwertetem Geld zurückzahlten. Vor allem die Hypothekenschuldner machten von dieser Möglichkeit Gebrauch. Gedeckt wurde diese Art der Bereicherung durch die deutsche Rechtsprechung, die bis zum Frühjahr 1923 in ihren Entscheidungen über die Rückzahlung von Darlehen unerbittlich auf dem Grundsatz »Mark = Mark« beharrte und dem Gläubiger einen Ausgleich für den inzwischen eingetretenen hohen Wertverlust der verliehenen Summe verweigerte. Eine 1913 aufgenommene Grundschuld über 50000 »Goldmark« konnte also Anfang 1923 mit dem gleichen Betrag in »Papiermark« getilgt werden. Auf diese Weise gelang es den deutschen Landwirten, ihre gesamte Hypothekenlast abzustoßen, die 1913 immerhin 16 Mrd. Mark betragen hatte. Ihre hypothekarische Belastung stieg freilich wieder auf 4 Mrd. Reichsmark an, nachdem das Reichsgericht im Herbst 1923 die Aufwertung »alter« Grundschulden um 25 Prozent erzwungen hatte. Auch zahlreiche Eigentümer von Wohnhäusern hatten die Inflation genutzt, um ihre Hypothekenschulden in Papiermark abzulösen. Nachdem der Staat die Bindung der Mieten gelockert hatte, nahm er diese Sondergewinne zum Anlaß, um alle Wohngebäude, die vor dem 1. Juli 1918 bezugsfertig gewesen waren, mit einer Gebäudeentschuldungssteuer, der »Hauszinssteuer«, zu belegen. Die Erträgnisse dieser Ländersteuer waren ungefähr zur Hälfte für die Förderung des öffentlichen Wohnungsbaus zweckgebunden.

Als eindeutige Verlierer gingen die Besitzer von Geldvermögen, die auf Mark lauteten, aus dem Inflationsprozeß hervor. Sämtliche Guthaben bei Banken und Sparkassen wurden durch die Umstellung 1 Billion Mark = 1 Reichsmark vernichtet. So schrumpften bei der Sparkasse Frankfurt a. M. die Sparguthaben von 8,12 Billionen Mark, die sich auf 153423 Einleger verteilten, über Nacht auf ganze 8120 Reichsmark zusammen. Aus sozialpolitischen Erwägungen wurden dann 1925 Einlagen auf Sparbüchern, die noch vorhanden waren, mit einem Satz von 25 Prozent aufgewertet. Bei staatlichen Schuldtiteln betrug die Rate der Aufwertung zwischen 2,5 und 12,5 Prozent, bei Industrieobligationen und Pfandbriefen zwischen 10 und 25 Prozent.

Zu den Opfern der Inflation zählten mithin die Träger der gesetzlichen Sozialversicherung, Betriebskrankenkassen, Stiftungen und das private Versicherungsgewerbe, die ihre Kapitalgrundlage und ihre Rücklagen in Mark gebildet hatten. Empfindliche Einbußen erlitten die Gewerkschaften, die erhebliche Teile ihres Geldvermögens in Kriegsanleihen und in festverzinslichen Wertpapieren hielten. Die private Daseinsvorsorge, die für die Angehörigen der freien Berufe eine wichtige Rolle spielte, brach zusammen. Damit entzog die Inflation, wie eingangs geschildert, den »Rentiers« und neben ihnen den Mündeln den Lebensunterhalt. Auch die Bankunternehmen spürten die Vernichtung der Papiermark. Sie erzielten zwar im hektischen Devisengeschäft der Inflationsjahre beträchtliche Gewinne. Gleichzeitig verzehrte die Geldentwertung jedoch ihr Eigenkapital, das von 7,1 Mrd. Mark im Jahr 1913 auf 1,97 Mrd. Reichsmark 1924 zurückging. Die Einlagen, die bei ihnen gehalten wurden, sanken im gleichen Zeitraum von 33,6 Mrd. Mark auf 9,8 Mrd. Reichsmark. Innerhalb der Branche konnten zwar die Berliner Großbanken ihre Stellung verstärken, gegenüber dem ökonomischen Gewicht der Industrie verloren sie jedoch an Boden.

Den Lohn- und Gehaltsempfängern brachte die Inflation bis Anfang 1923 den Vorteil des sicheren Arbeitsplatzes. Fraglich ist jedoch, ob die Teuerungszulagen, die ihnen ihre Arbeitgeber von Zeit zu Zeit gewährten oder die ihnen ihre Gewerkschaften erkämpften, mit dem Preisauftrieb Schritt halten konnten. Eine Berechnung des Statistischen Reichsamtes, die freilich nur einige wenige Lohn- und Gehaltsempfänger erfaßte, vermag zumindest die Richtung der Entwicklung der realen Einkommen anzuzeigen. Die folgende, auf diesem Zahlenmaterial aufbauende Tabelle enthält Indexzahlen der realen Wochenlöhne nach Maßgabe der Tarifverträge im Jahresdurchschnitt:

| | Reichsbetriebsarbeiter | | Buchdrucker | Hauer und Schlepper im Ruhrbergbau |
|---|---|---|---|---|
| | gelernte | ungelernte | | |
| 1913 | 100 | 100 | 100 | 100 |
| 1918 | 83,3 | 99,8 | 54,1 | 63,7 |
| 1919 | 92,2 | 119,8 | 72,3 | 82,4 |
| 1920 | 66,7 | 89,1 | 60,8 | 77,6 |
| 1921 | 74,5 | 100,0 | 68,9 | 89,1 |
| 1922 | 64,2 | 87,6 | 60,9 | 69,9 |
| 1923 | 50,9 | 69,1 | 54,2 | 70,1 |

Die realen Wochenlöhne der drei Facharbeitergruppen – darunter der hochqualifizierte Buchdrucker und der harte körperliche Arbeit verrichtende »Ruhrkumpel« – lagen in den Inflationsjahren teilweise erheblich unter dem Vorkriegsniveau. Der ungelernte Arbeiter konnte sein reales Einkommen aus der Vorkriegszeit 1919 übertreffen und 1921 halten. Zweifellos profitierte er davon, daß sich sein Arbeitgeber, das Reich, aus sozialen Erwägungen bemühte, die unteren, am Existenzminimum liegenden Lohngruppen der Geldentwertung stärker anzupassen als die höheren. Man mag einwenden, daß ab 1919 für den Wochenlohn nur noch 48 Arbeitsstunden aufzuwenden waren und nicht mehr zwischen 52 und 60 wie 1913. Die zusätzliche Freizeit änderte freilich nichts an der Kaufkraft des Arbeitnehmers, zumal sie ab 1922 immer mehr von Begleiterscheinungen der Inflation wie dem Schlangestehen vor den Läden oder dem mühsamen Naturaltausch auf dem Lande aufgezehrt wurde. Die Berechnung der realen Einkommen der Reichsbeamten ergab ein ähnliches Bild. Der Index mit dem Basiswert 1913 = 100 der realen Monatsgehälter im Jahresdurchschnitt lautete 1923 für den »höheren« Beamten 38,0, für den »mittleren« 49,5 und für den »unteren« 69,9. Auch bei den Beamten erfolgte also in der Nachkriegszeit eine Nivellierung der relativen Gehaltsunterschiede.

Ein großer Teil der Arbeitnehmer wurde außerdem durch die Entwertung seiner Sparguthaben geschädigt. Einkommensteile, die für die Finanzierung der Ausbildung des Sohnes oder der Aussteuer der Tochter zurückgelegt worden waren, gingen verloren. Eine Vorstellung vom Umfang dieses Schadens vermittelt der Rückgang der Spareinlagen bei den Sparkassen, also der bevorzugten Anlageform für kleinere Geldvermögen, von rund 19 Mrd. Mark im Jahre 1913 auf 608 Mio. Reichsmark Ende 1925. Schließlich besteuerte der Fiskus das Einkommen der Arbeitnehmer unmittelbar bei der Auszahlung der Löhne und Gehälter, während die Unternehmer und die Landwirte ihre Steuerbeträge erst einige Zeit nach der Veranlagung in entwerteter Mark an den Staat abführten. Diese Benachteiligung ließ den Anteil der Lohnsteuer am Aufkommen der Einkommensteuer im Haushaltsjahr 1922 von 56 auf 93 Prozent emporschnellen. Erst zu Beginn des Etatjahres 1923, am 1. April 1923, trat das Gesetz über die Berücksichtigung der Geldentwertung in Kraft, das in zahlreichen Einzelbestimmungen die Steuergesetze dem Kaufkraftschwund der Mark anzupassen suchte. Aus diesen Gründen ist es gerechtfertigt, auch die breite Schicht der Arbeitnehmer zu den Opfern der »Großen Inflation« zu rechnen.

## 2. Die Wirtschaftskrise 1929–1933

### *Das Erscheinungsbild der Wirtschaftskrise in Deutschland*

Wesentlich schärfer als die Hyperinflation traf die 1929 heraufziehende Wirtschaftskatastrophe die Lohn- und Gehaltsempfänger. Massenentlassungen und Kurzarbeit bedrohten die wirtschaftliche Existenz der Arbeiter und Angestellten. Leere Kassen der öffentlichen Haushalte erzwangen eine erhebliche Herabsetzung der Bezüge der Beamten. Zwar prägten auch spektakuläre Zusammenbrüche bedeutender Industrie- und Handelsfirmen sowie folgenreiche Konkurse angesehener Bankhäuser das Erscheinungsbild der Weltwirtschaftskrise in

Deutschland, auch blieben die deutschen Börsen nicht vom Sturz der Aktienkurse verschont. Unübersehbar war außerdem die Not der Landwirtschaft. Der Rückgang der Erzeugerpreise verringerte das Einkommen der Bauern, während zugleich die Verschuldung ihrer Betriebe anstieg. Am Ende stand häufig genug als sichtbares Zeichen der Krise die Zwangsversteigerung. Bei einer gesamten landwirtschaftlichen Nutzfläche von ungefähr 36,8 Mio. Hektar wechselten 1930 130404 Hektar, 1931 177602 Hektar und 1932 153770 Hektar zwangsweise den Eigentümer. Alle diese Krisensymptome stellte freilich die Erscheinung der Massenarbeitslosigkeit in den Schatten. Trostlose graue Reihen von Männern und Frauen, die in langen Schlangen vor den Arbeitsämtern warteten, um sich einen Schein, der zum Bezug einer Erwerbslosenunterstützung berechtigte, abstempeln zu lassen, waren in den Industriestädten an der Tagesordnung.

Geht man allerdings davon aus, daß der Zustand der Unterbeschäftigung in einer Volkswirtschaft beginnt, wenn die Zahl der Arbeitslosen 5 Prozent der Zahl der Beschäftigten erreicht, dann hat das Deutsche Reich nach dem Ende der Inflation nur kurze Perioden der Vollbeschäftigung erlebt. Unter 5 Prozent lag die Quote der Arbeitslosen nämlich nur von April 1924 bis Oktober 1925 sowie nach dem tiefen konjunkturellen Einbruch des Winters 1925/26 noch einmal von Juli bis Oktober 1927. Im Sommer 1928 fiel diese Quote nochmals unter 6 Prozent, am weitesten im September, als die Zahl der Arbeitslosen auf 5,5 Prozent der Zahl der Beschäftigten absank. Der Februar 1929 übertraf mit einem Stand von 3,05 Mio. Arbeitslosen – das waren 19,3 Prozent der noch in Arbeit Stehenden – den bisherigen Tiefpunkt, der mit 2,27 Mio. im Februar 1926 erreicht worden war. Das Anschwellen der Arbeitslosigkeit im Winter 1928/29 ließ sich allerdings mit dem ungewöhnlich strengen Frost erklären, der von Dezember bis März die Tätigkeit in vielen Wirtschaftszweigen lahmlegte. Der saisonale Auftrieb, der im April 1929 einsetzte, brachte dann auch bis zum Juli einen Rückgang der Zahl der Erwerbslosen auf 1,25 Mio.

Vor dem Hintergrund dieser Erfahrungen erregten die 1,6 Mio. Arbeitslosen, die im Oktober 1929 bei den Arbeitsämtern gemeldet waren, weder in der Öffentlichkeit noch bei den Trägern der Wirtschaftspolitik besondere Aufmerksamkeit. Trotz eines durchschnittlich kalten Winters überschritt dann aber die Zahl der Erwerbslosen in den ersten drei Monaten des

Jahres 1930 die Grenze von 3 Mio., am weitesten im Februar mit 3,37 Mio. Die Hoffnung auf einen raschen Abbau der Arbeitslosigkeit im Frühjahr 1930 erfüllte sich nicht. Der saisonale Aufschwung stellte sich nur zögernd und abgeschwächt ein und erreichte bereits im Mai seinen Höhepunkt, als die Arbeitsämter immer noch 2,64 Mio. Erwerbslose registrierten. Bereits im September überstieg die Zahl der Arbeitslosen wieder die 3-Mio.-Marke, und im Februar 1931 erreichte das Heer der erwerbslosen Männer und Frauen eine Stärke von fast 5 Mio. Bis Juni verminderte es sich zwar auf 3,95 Mio., wuchs aber bereits im August wieder auf über 4 Mio. an und überschritt im November erstmals den Stand von 5 Mio. In den ersten drei Monaten des Jahres 1932 waren bei den Arbeitsämtern stets über 6 Mio. Erwerbslose gemeldet. Der Tiefpunkt der gesamten Krisenzeit wurde im Februar 1932 mit 6,13 Mio. erreicht.

Nur langsam ging die Arbeitslosigkeit bis September 1932 auf 5,1 Mio. zurück. Der für den Winter 1932/33 befürchtete weitere steile Anstieg blieb dann allerdings aus. Im Dezember 1932 war mit 5,77 Mio. Arbeitslosen kein wesentlich schlimmerer Zustand eingetreten als im Dezember 1931 mit 5,67 Mio. Andererseits war aber auch keine Besserung der Lage am Arbeitsmarkt erkennbar, denn im Januar und Februar 1933 kletterte die Zahl der Erwerbslosen wieder über den Stand von 6 Mio. und lag nur geringfügig unter dem Stand des Vorjahres. Außerdem war die Zahl der Beschäftigten im Winterhalbjahr 1932/33 gegenüber 1931/32 leicht zurückgegangen. Die Statistik der Arbeitslosen war also offensichtlich unvollständig.

Tatsächlich hatten im Verlauf der Krise immer mehr Erwerbslose, und zwar hauptsächlich Frauen und Jugendliche darauf verzichtet, sich beim Arbeitsamt erfassen zu lassen, weil sie die Hoffnung auf einen Arbeitsplatz mittlerweile aufgegeben hatten und obendrein keinen Anspruch auf eine staatliche Unterstützung mehr besaßen. Auf diese Weise formierte sich ein Heer der »unsichtbaren« Arbeitslosen, dessen Stärke das Institut für Konjunkturforschung Ende Juli 1932 auf 1,7 bis 1,8 Mio. Personen schätzte, was 32 bis 33 Prozent der damals gemeldeten Arbeitslosen entsprach. Einige von ihnen kamen bei Verwandten unter, andere begaben sich auf Wanderschaft. 1932 bezifferte man die Zahl der im Reichsgebiet herumziehenden Arbeitslosen, deren Versorgung die Fürsorgeetats der Gemeinden belastete, auf ungefähr 400 000.

Obwohl die chronische Unterbeschäftigung alle Wirtschaftszweige und -räume des Reiches erfaßte, wirkte sie sich sektoral und regional unterschiedlich stark aus. Die Geißel der Arbeitslosigkeit traf die Bauarbeiter am schwersten. 1932 zählte das Bauhauptgewerbe schließlich nur noch 775 000 Beschäftigte gegenüber 2,075 Mio. im Jahre 1928. Im Februar 1932 ermittelten die Gewerkschaften der Bauarbeiter, daß 90,2 Prozent ihrer Mitglieder von Arbeitslosigkeit oder von Kurzarbeit betroffen waren. Mit weitem Abstand folgte die vom Niedergang der Bauwirtschaft mit in die Tiefe gerissene Holzindustrie, in der 63,8 Prozent der gewerkschaftlich Organisierten entlassen oder zur Kurzarbeit gezwungen worden waren. Nur vergleichsweise günstig standen die Gewerkschaften der Metallarbeiter da, bei denen im Februar 1932 42,2 Prozent der Mitglieder erwerbslos waren oder kurzarbeiteten. Diese Durchschnittswerte verdekken freilich erhebliche regionale Unterschiede.

Im Durchschnitt des Jahres 1932 waren im Deutschen Reich von je 1000 Einwohnern 90 als arbeitslos gemeldet. Deutlich unter diesem Wert lagen jedoch die Landesarbeitsamtsbezirke Ostpreußen mit 45, Südwestdeutschland mit 59, Pommern mit 60 und Bayern mit 64. Mit Ausnahme Südwestdeutschlands, dessen Wert durch die besondere Lage des Arbeitsmarktes in Württemberg zu erklären ist, handelte es sich hier um Bezirke mit einem hohen Anteil der bäuerlichen Bevölkerung, die sich gegenüber der Arbeitslosigkeit als relativ widerstandsfähig erwies. Fühlbar über dem Durchschnittswert lagen hingegen die Landesarbeitsamtsbezirke Rheinland mit 100, Brandenburg, das die Stadt Berlin einschloß, mit 116 und Sachsen mit 137. Im hochindustrialisierten Sachsen waren Wirtschaftszweige konzentriert, die vom Rückgang der Nachfrage besonders schwer heimgesucht wurden, z. B. die Automobilindustrie, der Maschinenbau und namentlich die Textilindustrie, in der in Zeiten guter Konjunktur fast ein Drittel der sächsischen Industriearbeiter Beschäftigung fand.

Diesem Reichsland mit der höchsten Arbeitslosigkeit stand Württemberg gegenüber, das schon die Zeitgenossen als »Wirtschaftsoase« bezeichneten. In Württemberg bewegte sich die Zahl der gemeldeten Arbeitslosen stets weit unterhalb derjenigen des gesamten Reichsgebietes. Auch in seiner stark industrialisierten Hauptstadt Stuttgart war die Erwerbslosigkeit geringer als in vergleichbaren anderen deutschen Städten. Vor allem zwei Gründe waren für die relativ günstige Lage dieses Landes ausschlaggebend. Die für die württembergische Wirtschafts- und Sozialstruktur kennzeichnende Verbindung industrieller Arbeit mit landwirtschaftlichem Nebenerwerb brachte es mit sich, daß viele Erwerbslose aus dem Kreis der Unterstützten ausschieden, ohne sich beim Arbeitsamt zu melden. Daher war die unsichtbare Arbeitslosigkeit in Württemberg erheblich größer als im Reichsdurchschnitt. Nach einer 1933 vorgenommenen Zählung waren im Reich von 100 Erwerbslosen 13 bis 14, in Württemberg aber 33 nicht gemeldet. Die auf hochwertige Erzeugnisse ausgerichtete Industrie Württembergs war auf einen Stamm gut ausgebildeter Facharbeiter angewiesen, den sich der Unternehmer für einen künftigen Aufschwung der Konjunktur zu erhalten suchte. Wo immer es ging, vermied der württembergische Industrielle daher Massenentlassungen und behalf sich mit einer Verkürzung der Arbeitszeit. Deshalb war die Zahl der »Kurzarbeiter« im ersten Halbjahr 1932 im Landesarbeitsamtsbezirk Südwestdeutschland, der Württemberg und Baden umfaßte, mehr als doppelt so hoch wie im Durchschnitt des Reiches.

Zu lokalen Schwerpunkten der Arbeitslosigkeit entwickelten sich die Industriestädte. 1932 lebten 44,3 Prozent aller im Reich registrierten Arbeitslosen in den 50 Städten mit mehr als 100000 Einwohnern. Eine Erhebung über den Anteil der Arbeitslosen an der jeweiligen Einwohnerzahl erbrachte für den 31. Mai 1932 als Stichtag das folgende Ergebnis: Münster, eine Beamtenstadt mit agrarisch strukturiertem Umland, in der nur 5,8 Prozent der Einwohner als arbeitslos gemeldet waren, fiel völlig aus dem Rahmen der Entwicklung. Unter der Marke von 10 Prozent lagen außerdem noch Krefeld-Uerdingen mit 9,3 und Karlsruhe mit 9,7 Prozent. Den Spitzenplatz hielt Chemnitz mit 18,1 Prozent Arbeitslosen unter seiner Einwohnerschaft. Es folgten die Städte Plauen mit 17,5, Solingen mit 16,9, Lübeck mit 16,6, Harburg-Wilhelmsburg mit 16,3 und Breslau mit 15,7 Prozent. Über 14 Prozent der Einwohner waren als Arbeitslose registriert in Leipzig mit 14,9, in Duisburg-Hamborn mit 14,8, in Erfurt und Nürnberg mit jeweils 14,4, in Dortmund mit 14,2 sowie in Bremen und Hagen mit jeweils 14,1 Prozent. In der Gruppe der Mittelstädte, die mehr als 50000 Einwohner zählten, stand die Stadt Offenbach an der Spitze, in der am 31. Dezember 1932 fast 16 Prozent der Wohnbevölkerung unterstützte Arbeitslose waren. Ihr folgten Herne mit ungefähr 15 und Elbing mit 14,5 Prozent.

Bereits diese wenigen Vergleichszahlen enthüllen, mit welcher Wucht der Zusammenbruch des internationalen Güteraustauschs die deutsche Wirtschaft getroffen hatte. Hochwertige, aber nicht lebensnotwendige Exportartikel wie Solinger Messer und Scheren, Offenbacher Lederwaren, Plauener Spitzen oder Nürnberger Spielzeug fanden auf dem Weltmarkt keinen Absatz mehr. Ebenso bekamen die Werften an Nord- und Ostsee die Krise der Weltwirtschaft zu spüren. Diese Zahlen deuten aber auch die Schwierigkeiten an, mit denen das Ruhrgebiet und das Textilrevier Sachsens zu kämpfen hatten. Besonders schwer lastete die Krise auf der Stadt Chemnitz, die nicht allein über Betriebe der Textilherstellung verfügte, sondern obendrein das Zentrum des deutschen Textilmaschinenbaus bildete, der stark vom Export abhängig war.

Auch innerhalb eines einzelnen Wirtschaftszweiges gab es im Hinblick auf die Zahl der freigesetzten Arbeitskräfte noch Unterschiede zwischen den verschiedenen Firmen. So verzeichnete der Sektor Chemie bis Herbst 1932 einen Rückgang der Beschäftigten um ein knappes Drittel gegenüber dem Höchststand von 1929. Der IG-Farben-Konzern verminderte seine Belegschaft in diesem Zeitraum jedoch um ungefähr 45 Prozent. Im Bereich der Elektroindustrie schrumpfte die Zahl der beschäftigten Arbeiter im Jahresdurchschnitt zwischen 1929 und 1932 fast um die Hälfte. Der Robert Bosch GmbH gelang es jedoch, auch im Jahr 1932 den Stand ihrer Belegschaft bei ungefähr 8000 Mitarbeitern gegenüber 8794 im Durchschnitt des Jahres 1927 zu halten. Gegen diesen Vergleich mag man einwenden, daß die Firma Bosch Ende der zwanziger Jahre mehrere neuartige, hohe Wachstumsraten versprechende Produkte entwickelt hatte und daß sie, anders als der Chemie-Konzern, überwiegend hochqualifizierte Fachkräfte beschäftigte. Andererseits war Robert Bosch dafür bekannt, daß er – wohl im Gegensatz zur bürokratisierten Konzernleitung der IG-Farben – in seinen Mitarbeitern mehr erblickte als nur die Träger des Produktionsfaktors »Arbeit«, den man im Produktionsprozeß je nach Bedarf in beliebiger Menge einsetzen konnte. Trotz aller »Sachzwänge«, die in den Betrieben den Personalabbau notwendig machten, damit die Firma die Krise überstehen konnte, sollte man daher nicht übersehen, daß in vielen Fällen die soziale Einstellung des Unternehmers über das Verhältnis zwischen Entlassung und Kurzarbeit innerhalb seiner Unternehmung entschied.

Welche wirtschaftliche Not sich hinter dem soeben ausgebreiteten Zahlenmaterial verbarg, wird zumindest in Umrissen deutlich, wenn man sich vergegenwärtigt, wie es um die soziale Absicherung der Erwerbslosen stand. Eine Arbeitslosenversicherung, die alle Arbeiter und fast alle Angestellten umfaßte, wurde in Deutschland erst 1927 eingeführt. Die am 16. Juli 1927 gegründete »Reichsanstalt für Arbeitsvermittlung und Arbeitslosenversicherung« gewährte Arbeitnehmern, die vor dem Verlust ihres Arbeitsplatzes mindestens 26 Wochen lang eine versicherungspflichtige Tätigkeit ausgeübt hatten, für die Dauer von 26 Wochen eine Arbeitslosenunterstützung, deren Höhe sich am durchschnittlichen Arbeitsentgelt der letzten drei Monate orientierte. Die Sätze der Unterstützung waren nach Lohnklassen gestaffelt und erreichten zwischen 35 und 75 Prozent des früheren Erwerbseinkommens. Hinzu kam ein Familienzuschlag von 5 Prozent. Nach Ablauf der Frist bestand erst dann wieder ein Anspruch auf Mittel der Reichsanstalt, wenn die Anwartschaft von neuem erfüllt worden war. Erhielt der Erwerbslose keine Arbeitslosenunterstützung mehr, war er aber im vergangenen Jahr mindestens 13 Wochen beschäftigt gewesen, konnte er für weitere 13 Wochen eine Unterstützung aus der »Krisenfürsorge« erhalten. Diese der heutigen Arbeitslosenhilfe ähnelnde Mischform zwischen Versicherungs- und Fürsorgesystem, deren Mittel zu vier Fünfteln vom Reich und zu einem Fünftel von den Gemeinden aufgebracht wurden, war nach den Erfahrungen mit der Wirtschaftskrise 1925/26 eingerichtet worden. Sie zielte darauf ab, die Folgen einer länger anhaltenden Arbeitslosigkeit in einzelnen Branchen oder bestimmten Regionen zu mildern. War auch der Anspruch auf Krisenunterstützung erloschen, so wurde der Bedürftige als »Wohlfahrtserwerbsloser« der allgemeinen Fürsorge seiner Wohngemeinde zugewiesen.

Leider waren die Sozialpolitiker, welche die Arbeitslosenversicherung geschaffen hatten, von der vergleichsweise guten Beschäftigungslage des Jahres 1927 ausgegangen. Deshalb hatten sie bei der Festlegung der Höhe der Beiträge, welche die Arbeitnehmer und die Arbeitgeber zu gleichen Teilen an die Reichsanstalt abzuführen hatten, eine durchschnittliche jährliche Zahl von 700000 bis 800000 Arbeitslosen zugrundegelegt. Bereits der strenge Winter 1928/29 warf ihre Berechnungen über den Haufen. Nun rächte es sich, daß die Einführung der Arbeitslosenversicherung, die bereits in der Weimarer Verfassung angekündigt worden war und für deren Aufbau seit 1919 mehrere

Regierungsentwürfe vorgelegen hatten, so lange hinausgezögert worden war. Wäre die Reichsanstalt schon nach dem Ende der Inflation errichtet worden, so hätte sie in den Jahren mit halbwegs günstiger Konjunktur Rücklagen ansammeln können, die es ihr erlaubt hätten, dem ersten Ansturm der Wirtschaftskrise Widerstand zu leisten. So aber mußte das Reich am Ende des Haushaltsjahres 1928, also am 31. März 1929, ein in der Arbeitslosenversicherung entstandenes Defizit von 349,1 Mio. Reichsmark durch ein Darlehen abdecken. Auf der Reichsanstalt lastete von nun an der Makel der Schuldenwirtschaft, und die Öffentlichkeit wurde hellhörig für Klagen über tatsächliche oder vermeintliche Mißbräuche des Versicherungssystems.

Die sich im Laufe des Jahres 1929 rasch verdüsternde finanzielle Lage des Reiches stellte die Regierung der Großen Koalition unter dem sozialdemokratischen Kanzler Hermann Müller vor die Entscheidung, entweder die Leistungen der Versicherung zu kürzen oder die Beiträge zu erhöhen. Da sich in erster Linie die Fraktion der SPD gegen eine Senkung der Unterstützungssätze wehrte, entschloß sich die Reichsregierung am 27. Dezember 1929, den Beitragssatz für Arbeitnehmer und Arbeitgeber, der bisher jeweils 3 Prozent des »Bruttoarbeitsentgelts« betragen hatte, auf 3,5 Prozent anzuheben. Die Anforderungen des ersten Krisenwinters stellten das Reichskabinett im Frühjahr 1930 erneut vor das Problem der Sanierung der Finanzen der Reichsanstalt. Ein mühevoll ausgehandelter Kompromißvorschlag, dem sich auch die SPD als der größte Koalitionspartner unterordnete, sah eine weitere Erhöhung der Beiträge auf 4 Prozent des Bruttolohnes vor. Den Wünschen der Arbeitgeber folgend, beharrte jedoch die Fraktion der DVP auf dem bisherigen Satz von 3,5 Prozent. Dieser Lösung, die den Unternehmern Lohnnebenkosten erspart, aber gleichzeitig die Senkung der Unterstützungssätze erzwungen hätte, widersetzten sich die Vertreter der SPD. Der in der Koalition um eine Beitragslücke von 0,5 Prozent aufflammende Streit schuf den äußeren Anlaß für das Auseinanderbrechen des Kabinetts Müller. Der nächste Reichskanzler, Brüning, regierte ab Juli 1930 ohne parlamentarische Mehrheit. Sein »Präsidialkabinett« erließ Gesetze nach Art. 48 der Weimarer Verfassung in Form der vom Reichspräsidenten unterzeichneten Notverordnungen. Brüning räumte – auch aus außenpolitischen Gründen – der Sanierung und der Konsolidierung der Staatsfinanzen den Vorrang ein. Die Notverordnung vom 26. Juli 1930 hob die Beiträge zur

Arbeitslosenversicherung auf 4,5 Prozent an, am 6. Oktober 1930 folgte eine Erhöhung auf 6,5 Prozent des Bruttoarbeitslohnes. Zu Beginn des Etatjahres 1931, also ab 1. April 1931, wurde die Reichsanstalt finanziell vom Reichshaushalt abgekoppelt. Die Verpflichtung des Reiches, Defizite in der Arbeitslosenversicherung durch ein Darlehen zu überbrücken, erlosch. Künftig mußte die Reichsanstalt die Unterstützungsleistungen ausschließlich aus ihren Beitragseinnahmen finanzieren. Da sich der Beitragssatz schwerlich noch erhöhen ließ, begann die Reichsregierung, diese Leistungen dem beschränkten Rahmen der Finanzierung anzupassen. Die Notverordnung vom 5. Juni 1931 verfügte eine Kürzung der Unterstützungen, die je nach Lohnklasse zwischen 6,3 und 14,3 Prozent betrug. »Saisonarbeitslose« erhielten nur noch die entsprechend geminderten Sätze der Krisenfürsorge, was ihnen Einbußen zwischen 7 und 45 Prozent im Vergleich zum vorherigen Unterstützungsniveau bescherte. Außerdem wurde die Dauer ihrer Unterstützung auf 20 Wochen herabgesetzt. Auch der Kreis der Anspruchsberechtigten wurde immer weiter eingeengt. Bestimmten Gruppen der Bevölkerung wurde jede Unterstützung versagt. Zu ihnen zählten Arbeitnehmer, die über 60 Jahre alt waren, und Jugendliche, die nach der Schulentlassung oder dem Ende ihrer Lehrzeit keine Anstellung gefunden hatten und bei Eltern oder Verwandten lebten. Ehefrauen erhielten die Unterstützung nur, soweit sie bedürftig waren.

Der weiteren katastrophalen Entwicklung des Arbeitsmarktes begegnete der Vorstand der Reichsanstalt, indem er am 5. Oktober 1931 die Dauer der Unterstützung auf 20 Wochen, bei Saisonarbeitslosen sogar auf 16 Wochen verkürzte. Das Präsidialkabinett Papen höhlte das Versicherungsprinzip durch die Notverordnung vom 14. Juli 1932 weiter aus. Ein Anspruch auf Versicherungsleistungen, die zwischen 25 und 30 Prozent gesenkt wurden, bestand jetzt nur noch für sechs Wochen. Danach setzte ebenso wie in der Krisenfürsorge eine Prüfung der »Hilfsbedürftigkeit« ein, die nach den inzwischen ebenfalls verschärften Grundsätzen der kommunalen Fürsorge vorgenommen wurde.

Die Strategie der Ausgrenzung von Anspruchsberechtigten führte zu einer ständigen Verringerung der Zahl der von der Reichsanstalt unterstützten Personen. Bereits im Februar 1931 erreichte die Zahl der Empfänger von Arbeitslosenunterstützung mit 2,59 Mio. ihren Höchststand. Sie sank dann mit geringfügigen Unterbrechungen auf 0,95 Mio. im Januar 1933 ab. Gleichzeitig gefährdete die Politik des stetigen Sozialabbaus die Versorgung der wenigen Arbeitslosen, die überhaupt noch Versicherungsleistungen erhielten. Der durchschnittliche Unterstützungssatz der Reichsanstalt pro Monat und Leistungsempfänger sank von 80,93 Reichsmark im Jahre 1927 um 46,3 Prozent auf 43,46 Reichsmark in der zweiten Hälfte des Etatjahres 1932. Der Preisindex für die Lebenshaltung verringerte sich in dieser Zeitspanne jedoch nicht gleichförmig. Zwischen 1927 und 1932 fiel der Index der Preise für Ernährung um 24, für Heizung und Beleuchtung um 5,1, für Bekleidung um 29,8 Prozent. Die Wohnungsmieten, ein durch Vertrag langfristig festgelegter Preis, stiegen jedoch um 5,5 Prozent an. Spätestens ab 1931 erreichte die Unterstützung kaum noch das Existenzminimum einer Familie. Sie mußte deshalb durch Geld- oder Sachleistungen der Wohngemeinde ergänzt werden.

Während die Arbeitslosenversicherung ihrer sozialpolitischen Aufgabe immer weniger gerecht wurde, gelang die finanzielle Sanierung der Reichsanstalt. Bereits im Haushaltsjahr 1931 konnte die Behörde dank ihrer finanziellen Autonomie einen Beitragsüberschuß von 24,1 Mio. Reichsmark verbuchen. Die radikale Senkung der Ausgaben zwischen den Etatjahren 1931 und 1932 um 49,2 Prozent schlug sich in einem Haushaltsüberschuß von 372,8 Mio. Reichsmark nieder. Dieser Betrag hätte auf dem Tiefpunkt der Krise ausgereicht, um ungefähr 750000 Arbeitslose zu unterstützen.

Die Krisenfürsorge wurde zwar ab Oktober 1930 auf alle Berufsgruppen ausgedehnt, erfaßte aber nur solche Arbeitslose, deren Versicherungsanspruch erloschen war. Für die meisten Erwerbslosen verkörperte sie somit nur eine Durchlaufstation auf ihrem Weg zur kommunalen Armenfürsorge, die sich zum Auffangbecken für die Massenarbeitslosigkeit entwickelte. Die Krisenfürsorge erreichte ihren Höchststand mit 1,74 Mio. Unterstützten im März 1932. Ihre Leistungen, die zwischen 1928 und 1932 um 33 Prozent gekürzt worden waren, erwiesen sich aber als derart karg, daß die kommunalen Wohlfahrtsämter schon im Winter 1931/32 vielfach zusätzliche Unterstützungen leisten mußten.

Dank der rigorosen Sparpolitik der Reichsanstalt gelang es der Reichsregierung, im Verlauf der Krise die finanziellen Lasten der Massenarbeitslosigkeit auf die Schultern der Gemeinden abzuwälzen. Bereits 1931 zählte die Stadt Kassel unter ihren gemeldeten Arbeitslosen 54,4 Prozent Wohlfahrtserwerbslose. Ihr folgten in der Reihe der deutschen Großstädte Gelsenkirchen mit 53,9 und Ludwigshafen mit 52,5 Prozent. Die Nachfrage am Arbeitsmarkt wurde in diesen drei Städten einseitig von Industriezweigen bestimmt, die bis 1929 noch recht gut beschäftigt waren, nämlich vom Maschinenbau in Kassel, vom Kohlenbergbau in Gelsenkirchen und von der chemischen Industrie in Ludwigshafen. Deshalb stufte das Landesarbeitsamt diese Industrien nicht als krisenanfällig im Sinne der Krisenfürsorge ein, was für ihre Arbeiter bedeutete, daß sie 1930/31 nach der Aussteuerung aus der Arbeitslosenversicherung sofort an die Armenfürsorge ihrer Wohngemeinde abgeschoben wurden. Von den 6,014 Mio. Arbeitslosen, die im Januar 1933 im Deutschen Reich registriert waren, wurden nur noch 15,8 Prozent durch die Reichsanstalt unterstützt, weitere 23,6 Prozent empfingen Krisenunterstützung, aber 40,9 Prozent waren reine Wohlfahrtserwerbslose. 19,7 Prozent erhielten überhaupt keine Unterstützung mehr.

Die Leistungen der kommunalen Sozialfürsorge waren von Anfang an so bemessen, daß sie nach Abzug der Miete, der Kosten für Heizung und Beleuchtung nur noch für den Kauf der Grundnahrungsmittel ausreichten. Bald zwang die zunehmende Finanznot, vor allem in den Industriestädten, selbst diese Sätze noch zu kürzen, so daß sie das Existenzminimum nicht mehr deckten. Mit Sachzuweisungen von Heizmaterial, Kleidung und Schuhen, durch die Einrichtung von Volksküchen, Nähstuben und Wärmehallen sowie mit laufenden Mietzuschüssen und »Winterbeihilfen« versuchten die Gemeinden nunmehr, die ärgste Not bei »ihren« Arbeitslosen zu lindern. Die Erweiterung der allgemeinen Sozialhilfe zu einer kommunalen Erwerbslosenfürsorge lastete schwer auf dem Gemeindehaushalt. Eine Industriestadt wie z. B. Mannheim mußte 1932 rund 60 Reichsmark je Einwohner in der Fürsorge zuschießen, und im Haushaltsentwurf 1932 betrug der Anteil des Fürsorgeamtes 39,5 Prozent aller veranschlagten Ausgaben.

Wer mochte es den Gemeinden unter diesen Umständen verdenken, daß sie – auf dem Rücken ihrer arbeitslosen Bürger – versuchten, die Last der Unterstützung wenigstens zum Teil wieder auf die Reichsanstalt zurückzuwälzen? Viele Magistrate führten nämlich Notstands- und Fürsorgearbeiten durch, bei denen sie Wohlfahrtserwerbslose nur so lange beschäftigten, bis diese wieder ein Anrecht auf Leistungen der Arbeitslosenversicherung oder der Krisenfürsorge erlangt hatten. War diese Anwartschaft erreicht, wurden die Arbeiter sofort entlassen und durch andere, inzwischen von der Versicherung ausgesteuerte Erwerbslose ersetzt. Dieses »Karussell-System« bedeutete lediglich ein entwürdigendes Hin- und Herschieben des Arbeitslosen zwischen zwei Unterstützungsträgern und hatte auf die Lage am Arbeitsmarkt kaum Einfluß.

Rechnet man zu den Arbeitslosen noch die Familienangehörigen hinzu, dann ergibt sich, daß im Herbst 1932 36 Prozent des deutschen Volkes, also 23,3 Mio. Menschen, nur von öffentlichen Mitteln ihr Leben fristeten. Aber auch diejenigen Arbeiter und Angestellten, die von der Arbeitslosigkeit verschont blieben, entgingen nicht immer der Unterbeschäftigung. Viele Unternehmer verkürzten während der Krisenjahre in ihren Betrieben dauernd oder vorübergehend die Arbeitszeit, ohne daß ihre Belegschaft einen Lohnausgleich erhielt. Die Gewerkschaften ermittelten, daß im November 1929 von je 1000 ihrer Mitglieder 76 von Kurzarbeit betroffen waren, im November 1930 161, im November 1931 218, im August 1932 232, im November 1932 221 und im Februar 1933 241. In den verschiedenen Betrieben des IG-Farben-Konzerns waren im März 1932 nur noch 8,3 Prozent der Arbeiter unverkürzt 48 Stunden pro Woche beschäftigt. 91,7 Prozent hatten kürzere Arbeitszeiten, und zwar arbeiteten 17,5 Prozent 42 Stunden, 66,5 Prozent 40 und 2,5 Prozent weniger als 40 Stunden. Bei den Angestellten arbeiteten 41,9 Prozent verkürzt, davon 4,9 Prozent 42 und 35 Prozent 40 Stunden.

Auch die Beschäftigten mußten daher empfindliche Einbußen ihrer Einkommen hinnehmen, die durch den Rückgang der Warenpreise nicht wettgemacht wurden. Die folgende Tabelle veranschaulicht anhand von Indexziffern die Entwicklung der Bruttolöhne der Industriearbeiter:

| | Nominallohn je Stunde | Nominallohn je Woche | Reallohn je Woche |
|---|---|---|---|
| 1928 | 100 | 100 | 100 |
| 1929 | 106 | 103 | 102 |
| 1930 | 103 | 95 | 97 |
| 1931 | 95 | 84 | 94 |
| 1932 | 80 | 69 | 86 |
| 1933 | 77 | 71 | 91 |

Die erste Spalte der Tabelle enthält die jeweils für eine Arbeitsstunde im Durchschnitt gezahlten Lohnsätze. Sie zeigt, daß es den Arbeitern und ihren Organisationen gelang, auch noch im Krisenjahr 1930 das bis 1929 erkämpfte Lohnniveau einigermaßen zu verteidigen. Tatsächlich gingen noch in der ersten Jahreshälfte 1930 die meisten Kündigungen der Lohntarife von den Gewerkschaften aus, die für eine weitere Verbesserung der Einkommen ihrer Mitglieder kämpften. Ebenso wie die meisten Unternehmer glaubten die Führer der Gewerkschaften um diese Zeit noch, die Rezession des Wirtschaftskreislaufs werde bald überwunden sein. Erst im zweiten Halbjahr 1930 gelang es den Arbeitgebern unter dem Druck einer Reservearmee von 3 Mio. Arbeitslosen, die relativ starre tarifliche Lohnregelung aufzubrechen, die dann 1931 durch staatliche Eingriffe in die Tarifautonomie endgültig beseitigt wurde. Die Notverordnung vom 8. Dezember 1931 reduzierte sämtliche noch laufenden Tarifverträge auf das Niveau des 10. Januar 1927.

Die zweite Spalte, welche die durchschnittlichen Bruttoverdienste der Industriearbeiter pro Woche enthält, spiegelt die Folgen der erzwungenen Verkürzung der Arbeitszeit wider. Während der Lohnsatz pro Stunde von 1929 bis 1932 um fast 25 Prozent schrumpfte, sank infolge der Kurzarbeit der Bruttolohn für eine Arbeitswoche um 33 Prozent. In der dritten Spalte wurden die nominalen Wochenlöhne mit Hilfe der Indexziffern für die Lebenshaltung zu Reallöhnen umgerechnet. Das Ergebnis lehrt, daß auch die sinkenden Lebensmittelpreise den Rückgang des Reallohnes zwischen 1929 und 1932 um 16 Prozent nicht verhindern konnten. Allerdings handelt es sich bei dieser Zahl um einen Durchschnittswert. Deshalb kann man davon ausgehen, daß in Branchen, die wie z. B. der Maschinen- oder Fahrzeugbau besonders hart von der Verkürzung der Arbeitszeit betroffen waren, die Verdienste der »Kurzarbeiter« nur unwesentlich über den Sätzen der Arbeitslosenunterstützung lagen.

Auch die Angestellten mußten zwischen 1929 und 1933 einen Rückgang ihrer Bruttogehälter um 25 Prozent hinnehmen, doch erhöhte sich die Kaufkraft ihrer Monatsverdienste in diesem Zeitraum um 10 Prozent. Diese Feststellung gilt freilich nur für diejenigen Angestellten, die 1932 noch einen Arbeitsplatz besaßen. Die bisher – allerdings nur spärlich – vorliegenden Untersuchungen über die Personalpolitik innerhalb einzelner Unternehmungen zeigen nämlich, daß im zweiten Halbjahr

1931 neben die Gehaltskürzungen ein verschärfter Abbau von Arbeitsplätzen trat, der in manchen Firmen die Zahl der Angestellten bis Ende 1932 auf 50 bis 60 Prozent des Standes von 1929 zurückwarf. Da die Angestellten im Gegensatz zu den Arbeitern eine Kündigungsfrist bis zu sechs Monaten kannten, traf sie das Krisenjahr 1931, als ihre Arbeitgeber die Hoffnung auf eine baldige Überwindung der Krise aufgaben, besonders schwer. Die Welle der Entlassungen erfaßte überdies nicht alle Gruppen gleichzeitig. Der IG-Farben-Konzern z. B. trennte sich damals von den meisten seiner über 55 Jahre alten Chemiker und Ingenieure. Für diese Altersjahrgänge bedeutete die Entlassung das endgültige Ausscheiden aus dem Berufsleben. Gegenüber den Arbeitern und Angestellten genossen die Beamten den unbestreitbaren Vorzug des sicheren Arbeitsplatzes. Ihre Bezüge wurden jedoch während der Krisenjahre auf dem Wege der Notverordnungen um 25 bis 28 Prozent verringert.

Arbeitslosigkeit, Kurzarbeit, Lohn- und Gehaltskürzungen führten zu einem starken und raschen Schrumpfen der Nachfrage nach Waren und Dienstleistungen des privaten Bedarfs. Wer von der kommunalen Wohlfahrt oder von der Krisenfürsorge lebte, mußte sich hauptsächlich von Brot und Kartoffeln ernähren. Allenfalls konnte er sich noch Margarine und Malzkaffee leisten. Seine bisherigen Ausgaben für höherwertige Nahrungs- und Genußmittel, für Bekleidung und Schuhe, für Hausrat oder für Körperpflege und Reinigung mußte er hingegen erheblich zusammenstreichen. Seit dem Sommer 1931 konnte z. B. das Wohlfahrtsamt der Stadt Hamburg den Bedürftigen nur noch 70 Pfennig im Monat für Bekleidung aushändigen. Schulkinder blieben dem Unterricht fern, weil sie kein Schuhzeug mehr hatten.

Als Folge dieses Rückganges der Nachfrage sanken zwischen 1929 und 1932 die Jahresumsätze der Schuhgeschäfte um 39,8, der Textilgeschäfte um 41,3 und des Möbeleinzelhandels gar um 48,4 Prozent. Die Fachgeschäfte für Lebensmittel, Kolonialwaren und Feinkost kamen mit einem Umsatzrückgang von 34,2 Prozent jedoch nicht wesentlich besser davon. Auch das Handwerk klagte über den schleppenden Eingang von Aufträgen und über die sinkende Zahlungsmoral seiner Kunden. Zwischen 1929 und 1932 schrumpften die Jahresumsätze im Nahrungsmittelhandwerk, das vor allem Bäcker und Metzger umfaßte, um 32,1, im Metall- und Installationshandwerk um 52 und im Bauhandwerk um 66,4 Prozent. Sowohl im Handwerk wie im Einzelhandel führte die Arbeitslosigkeit überdies zu einer Vermehrung der Zahl der Anbieter. Die Handwerker klagten über die Zunahme der Schwarzarbeit durch Erwerbslose. Vor allem Schneider und Schuster sahen sich ferner der Konkurrenz von Arbeitslosen ausgesetzt, die versuchten, sich mit »Einmann-Reparaturbetrieben« eine Existenzgrundlage zu schaffen. Diesem Bestreben dienten auch die in den Großstädten wie Pilze aus dem Boden schießenden Verkaufsstellen für Flaschenbier, deren Pächter keinerlei Fachkenntnisse und nur wenig Anfangskapital benötigten.

Der anhaltende Rückgang des Absatzes zwang den Einzelhandel, seine Bestellungen bei der Industrie für Verbrauchsgüter zur Auffüllung seiner Lager zu drosseln. Stark rückläufige Aufträge veranlaßten auch das Handwerk, weniger Produktionsmittel zu beschaffen und weniger Werkstoffe einzukaufen. Die von diesen Entschlüssen betroffenen Unternehmer, also z. B. die Fabrikanten von Zigaretten oder Schuhen, die Hersteller von Werkzeugen oder die Produzenten von Lacken und Farben, begegneten dem Rückgang ihres eigenen Absatzes, indem sie den Umfang ihrer Produktion verminderten und nun ihrerseits Bestellungen von Produktionsgütern stornierten, also z. B. auf den geplanten Kauf neuer Maschinen verzichteten. Daraufhin begannen die Maschinenproduzenten, ihre Produktion der gesunkenen Nachfrage anzupassen. Sie verringerten ihre Einkäufe an Rohstoffen und Halbfabrikaten und räumten statt dessen ihre Lager, womit sie die Absatzkrise an ihre Zulieferer, etwa an den Kohlenbergbau und die Stahlindustrie, weiterleiteten.

Die zeitliche Verzögerung, mit der die Krise von der Industrie der Verbrauchsgüter auf die vorgelagerte Stufe der Produktion von Investitionsgütern übersprang und die unterschiedliche Belastung dieser beiden Industriezweige durch die Depression sollen am Beispiel ausgewählter Branchen verdeutlicht werden. Die in der folgenden Tabelle aufgeführten Jahresindexziffern der Produktion beziehen sich in Spalte I auf die Industrie der Nahrungs- und Genußmittel, in Spalte II auf den Maschinenbau, in Spalte III auf den Schiffbau, in Spalte IV auf die Herstellung von Personenkraftwagen und in Spalte V auf die Fertigung von Lastkraftwagen.

| | I | II | III | IV | V |
|---|---|---|---|---|---|
| 1928 | 100,0 | 100,0 | 100,0 | 100,0 | 100,0 |
| 1929 | 100,3 | 100,9 | 119,9 | 89,0 | 120,8 |
| 1930 | 99,3 | 83,1 | 104,4 | 71,5 | 71,7 |
| 1931 | 92,3 | 59,5 | 58,8 | 57,9 | 59,3 |
| 1932 | 88,3 | 38,2 | 18,7 | 40,2 | 33,4 |
| 1933 | 91,2 | 41,9 | 21,6 | 85,3 | 51,8 |

In den Spalten I und II wird der Produktion von Nahrungs- und Genußmitteln die Herstellung eines typischen Investitionsguts, der Maschine, gegenübergestellt. In der Spalte III tritt ein Investitionsgut auf, dessen Fertigung besonders schwerfällig auf konjunkturelle Schwankungen reagiert. Noch 1930 übertraf die Produktion von Schiffen den Stand von 1928, weil die Werften Neubauten vollendeten, die noch 1927/28 im Zeichen eines expandierenden Welthandels geplant und 1929 auf Kiel gelegt worden waren. Dann aber kam binnen zweier Jahre der Werftbetrieb fast zum Erliegen. Die in den Spalten IV und V vertretene Automobilindustrie machte die Erfahrung, daß bereits 1929 die Nachfrage nach dem überwiegend als Konsumgut verwendeten PKW fühlbar absackte, während die langfristig geplante Anschaffung des Investitionsgutes LKW ihr noch 1929 ein Auftragspolster sicherte.

Die Anpassung an die gesunkene Nachfrage setzte indessen auf jeder Ebene der industriellen Produktion Arbeitskräfte frei, die entweder entlassen oder zur Kurzarbeit ohne Lohnausgleich gezwungen wurden. Da die neu hinzukommenden Arbeitslosen und Kurzarbeiter ihre Verbrauchsausgaben sofort einschränken mußten, lösten sie einen erneuten Rückgang der Umsätze des Handels und des Handwerks aus, so daß sich der einmal in Gang gekommene Prozeß der Schrumpfung der wirtschaftlichen Tätigkeit aus sich selbst heraus nährte und verstärkte.

Mit welcher Schärfe die Folgen der Arbeitslosigkeit in den Industriestädten auf die Landwirtschaft übergriffen, belegt die Notlage der Viehwirtschaft in Schleswig-Holstein. Dort pflegten die Marschbauern jeweils im Frühjahr mit geliehenem Geld Jungtiere zu erwerben, die sie den Sommer über fett weideten und im Herbst als Schlachtvieh verkauften. Aus dem Verkaufserlös tilgten sie den aufgenommenen Kredit. Ihre wichtigsten Absatzgebiete waren die Großstädte Hamburg, Altona, Harburg-Wilhelmsburg, Kiel und Lübeck, ferner das Ruhrgebiet, Sachsen und Berlin, also ausnahmslos Gebiete, die früh und heftig von der Massenarbeitslosigkeit heimgesucht wurden. Da der Arbeitslose aber eher seinen Fleischverzehr als seinen Brot- oder Kartoffelkonsum einschränkte, gerieten die Marschbauern in eine sich öffnende Schere zwischen steigenden Kreditzinsen und sinkenden Verkaufspreisen, die auf dem Lande bittere Not hervorrief und der politischen Radikalisierung den Boden bereitete.

Neben den namentlich in den Großstädten immer mehr einem verdeckten Bürgerkrieg gleichenden Auseinandersetzungen zwischen den nationalsozialistischen Sturmabteilungen (SA) und dem kommunistischen »Rot-Front-Kämpferbund« zählte eine beispiellose Selbstmordwelle zu den in der Öffentlichkeit auffallenden Begleiterscheinungen der Weltwirtschaftskrise. 1932 betrug die Selbstmordquote, berechnet auf 1 Mio. Einwohner, in Großbritannien 85, in den USA 133, in Frankreich 155, aber in Deutschland 260. Dieser traurige Rekord wurde damals von keinem anderen Land auch nur annähernd erreicht. Waren es anfangs vor allem Bankiers und Industrielle, die ihrem Leben ein Ende setzten, weil ihre Firma im ersten Ansturm der Krise zusammengebrochen war, so griff die Selbstmordwelle ab 1930 nach der breiten Schicht des Mittelstandes. Der Geschäftsmann, der seinen Laden hatte schließen müssen und nun die standesgemäße Wohnung nicht mehr halten konnte, oder der Angestellte, der seinen Arbeitsplatz hatte räumen müssen und jetzt die höhere Schulbildung für seine Kinder nicht mehr bezahlen konnte, wertete seine wirtschaftliche Notlage zugleich als Zeichen des sozialen Abstiegs. Die Vorstellung, sich bei einem Fürsorgeamt der Prüfung seiner Bedürftigkeit zu unterziehen, um ein Almosen zu erlangen, erschütterte sein Ehrgefühl und sein Statusempfinden. Gerade in diesen Kreisen kam es vor, daß ganze Familien geschlossen in den Tod gingen. Mit dem Fortdauern der Depression fand die Selbstmordwelle weitere Opfer in den Reihen der langfristig Arbeitslosen, die durch die krisenbedingten Belastungen seelisch zermürbt worden waren, wie durch den täglichen aussichtslosen Gang zum Arbeitsamt, das oft stundenlange Anstehen vor den öffentlichen Notküchen in Regen und Kälte oder das Herumlungern in den städtischen Parkanlagen während des Sommers und in der dunklen, ungeheizten, engen Wohnung im Winter.

Der Gauleiter der NSDAP von Groß-Berlin, Joseph Goebbels, verstand es, die anschwellende Zahl der Selbstmorde in politische Propaganda umzumünzen. Da die Gründer der Weimarer Republik 1918/19 der Bevölkerung ein Leben in Schönheit und Würde verhießen hatten, führte er in seinem Kampfblatt ›Der Angriff‹ mit buchhalterischer Genauigkeit eine regelmäßige Statistik der Selbstmorde, die er mit der stets wiederkehrenden Wendung überschrieb: »Das Glück dieses Lebens in Schönheit und Würde vermochten nicht länger zu ertragen: . . .« (Es folgten die Namen der freiwillig aus dem Leben Geschiedenen.)

Den Versprechungen der Nationalsozialisten auf einen wirtschaftlichen Aufschwung unter ihrer Führung im »Dritten Reich« konnten die Kommunisten eine tatsächlich existierende Alternative zur weltweiten Krise des kapitalistischen Wirtschaftssystems entgegenstellen. Die Sowjetunion war nicht nur als einziger bedeutender Staat der Weltwirtschaftskrise entgangen, sie verwirklichte obendrein ihre ehrgeizigen Pläne der Industrialisierung. Eine ganze Anzahl deutscher Facharbeiter war in sowjetischen Fabriken beschäftigt, und ihre Entlohnung war, wie selbst Industrielle zugestanden, »nicht ungünstig«. Doch nicht genug damit, die Sowjetunion sicherte durch ihre Nachfrage nach Industriegütern auch Arbeitsplätze in Deutschland: 1931 wurden 74 Prozent der von Deutschland ausgeführten Werkzeugmaschinen an sowjetische Betriebe geliefert. In Chemnitz konnte die Firma Reinecker, ein weltbekannter Pionier auf dem Felde des Maschinenbaus, den Stand ihrer Belegschaft während der Krisenjahre dank sowjetischer Bestellungen einigermaßen halten, wohingegen die nicht weniger renommierte Maschinenfabrik Hartmann AG bereits 1930 in Konkurs ging. Bei den Siemens-Schuckert-Werken in Berlin übertrafen 1931 die Exportaufträge des »Rußlandgeschäftes« wertmäßig die gesamte Nachfrage des deutschen Binnenmarktes. Anfang April 1932 erteilte die Sowjetunion einen Auftrag über 350 000 t Walzeisen und 30 000 t Röhren an deutsche Stahl- und Walzwerke, der zu diesem Zeitpunkt den gesamten übrigen Auslandsverkäufen der Produzenten für anderthalb Monate entsprach. Solche Beispiele verfehlten ihre Wirkung in der deutschen Öffentlichkeit nicht. Daher nimmt es nicht wunder, daß sich das Reichskabinett bereits am 27. März 1931 mit der sowjetischen Rundfunkpropaganda befaßte, die der Reichspostminister als für Deutschland unerträglich bezeichnete, werde doch auf dem Gewerkschaftssender Moskau in deutscher Sprache aufgefordert, nach Rußland auszuwandern.

Die Sowjetunion hatte ein Wirtschaftssystem aufgebaut, in

dem staatliche Behörden die Produktion und die Verteilung der Güter planten und lenkten, während die anderen Industrienationen die Steuerung des Wirtschaftsprozesses den von privaten Anbietern und Nachfragern organisierten Märkten überließen und allenfalls durch gelegentliche Eingriffe bestimmte Marktergebnisse korrigierten. Dank dieser ordnungspolitischen Entscheidung hatte sie ihre Volkswirtschaft von den für das wirtschaftliche Wachstum innerhalb des kapitalistischen Systems typischen Rückschlägen abgekoppelt. Aber selbst wenn man die Weltwirtschaftskrise als eine der für das marktwirtschaftliche System kennzeichnende, seit dem Beginn der Industrialisierung in Zyklen auftretende Wachstumsstörung einstuft, bleibt die Frage, warum neben den USA gerade Deutschland von diesem Konjunkturabschwung derart verheerend getroffen wurde.

*Ursachen der schweren Depression der deutschen Volkswirtschaft*

Die Investitionen, die den Antriebsmotor des Wachstums der Volkswirtschaft bilden, erreichten in Deutschland bereits 1927 einen Wendepunkt. Zwar stiegen die Ausgaben für die Bruttoanlageinvestitionen zwischen 1927 und 1928 noch um 3,2 Prozent an. Schaut man indessen nur auf die Nettoinvestitionen, also z. B. auf Neubauten von Produktions- und Versorgungsanlagen, auf die Vermehrung der Ausstattung der Industrie mit Maschinen oder auf die Zunahme des Viehbestandes, so ergibt sich von 1927 auf 1928 ein Rückgang um 10,3 Prozent. Die Bestellungen neuer Maschinen durch inländische Nachfrager schrumpften in diesem Zeitraum bereits um 12,6 Prozent.

Der Anstoß zu dieser Wende ging von der Industrie für Verbrauchsgüter aus. Die Konsumausgaben der privaten Haushalte, die von 1926 auf 1927 von 51,85 auf 62,04 Mrd. Reichsmark sprunghaft angewachsen waren, beliefen sich 1928 auf 64,26 und 1929 auf 63,94 Mrd. Reichsmark. Die Ausgaben des Staates für Verbrauchsgüter begannen ebenfalls zu stagnieren. Sie betrugen 1927 8,85, 1928 und 1929 jeweils 9,92 Mrd. Reichsmark. Die Steigerungsrate von fast 20 Prozent, die der private Verbrauch von 1926 auf 1927 verbuchen konnte, war in erster Linie auf den Nachholbedarf nach der schweren, mit hoher Arbeitslosigkeit verbundenen Krise des Winters 1925/26 und auf die erheblichen Lohn- und Gehaltsverbesserungen des Jahres 1927 zurückzuführen. Spätestens an der Jahreswende 1927/28 hatte aber der Handel seine Lager, die er während dieser Krise unter dem Druck des bis zum Frühjahr 1926 vergleichsweise hohen Zinsniveaus geräumt hatte, wieder aufgefüllt. Seine Bestellungen auf Vorrat gingen merklich zurück. Der plötzlich schrumpfende Auftragseingang veranlaßte viele Unternehmer, die Konsumgüter herstellten, ihre in Erwartung eines fortdauernden kräftigen Wachstums der Nachfrage ausgeweiteten Fertigungsanlagen an die sich nun stabilisierende Höhe der Verbrauchsausgaben anzupassen. Der Zigarettenproduzent oder der Schuhfabrikant verzichtete also darauf, seinen Maschinenpark weiter auszubauen, und begnügte sich damit, abgenutzte Maschinen durch neue zu ersetzen.

Der Rückgang der Nettoinvestitionen in der Industrie für Verbrauchsgüter hätte auch die Unternehmer im Maschinenbau und in den vorgelagerten Stufen der Herstellung von Rohstoffen und Halbfabrikaten zur Vorsicht bei der Ausdehnung ihrer Produktionskapazität mahnen müssen. Dieses Warnsignal wurde jedoch aus mehreren Gründen überhört:

1. Noch bis 1930 war es möglich, Absatzverluste auf dem Binnenmarkt durch verstärkte Exportanstrengungen wettzumachen. Namentlich die Eisen- und Stahlindustrie, der Maschinenbau und die Elektroindustrie nutzten das Exportventil zur Auslastung ihrer Produktionskapazität. Das Jahr 1929 bescherte dem Maschinenbau sogar einen Exportboom, denn die Branche konnte ihren Auslandsabsatz gegenüber 1927 um 88 Prozent steigern, während der Eingang an Aufträgen aus dem Inland im gleichen Zeitraum bereits um 23 Prozent gefallen war.

2. Im Gegensatz zu den privaten Bauherren steigerte die öffentliche Hand ihre Bautätigkeit vor allem auf dem Felde des städtischen Wohnungswesens noch bis 1930. In diesem Jahr wurden fast 40 Prozent aller neuen Wohnungen von gemeinnützigen Baugesellschaften errichtet, gegenüber 28 Prozent im Jahre 1927.

3. In der Rohstoff- und Halbzeugindustrie vollzog sich die Anpassung der Produktionsanlagen an einen Rückgang der Nachfrage besonders schwerfällig, weil die Unternehmer in diesen Industriezweigen den gegenseitigen Wettbewerb meist durch Kartellabsprachen ausgeschaltet hatten. Um den im Vergleich zum Wettbewerbspreis höheren Kartellpreis auf dem Markt durchzusetzen, waren sie gezwungen, die Angebotsmenge entsprechend einzuschränken. Das Kartell legte deshalb für eine bestimmte Frist den Umfang der Produktion fest. Diese Gesamtmenge teilte es dann in Quoten auf seine Mitglieder auf,

wobei als Maßstab der Zuteilung meist die jeweils vorhandene Produktionskapazität diente. Da jeder der am Kartell beteiligten Unternehmer einen möglichst großen Anteil anstrebte, lag für den einzelnen die Versuchung nahe, seine Produktionsanlage auszuweiten, um bei der Erneuerung des Kartellvertrags Anspruch auf eine höhere Quote erheben zu können. Aus diesem Grund stockten die Unternehmer in der Rohstahlindustrie, deren Kartellvertrag Ende 1929 ablief, die Fertigungskapazität ihrer Werke ab 1927 um 2 Mio. t Rohstahl auf.

4. Der hohe Stand der Arbeitslosigkeit 1927/28 wurde den Auswirkungen der Rationalisierung zugeschrieben. Seit der Stabilisierung der Währung hatte in Deutschland eine am Vorbild der USA ausgerichtete und vom Staat geförderte Rationalisierungsbewegung eingesetzt. Vor allem die Mechanisierung der Produktion, die Standardisierung und Normierung der Produkte sowie der Übergang zur Massenfertigung machten viele Arbeitsplätze überflüssig. Doch selbst die Gewerkschaften sahen ein, daß eine strukturelle Arbeitslosigkeit als Folge der Rationalisierung vorübergehend in Kauf genommen werden mußte, um die Wettbewerbsfähigkeit der deutschen Wirtschaft auf dem Weltmarkt aufrechtzuerhalten. Unter dem Druck der amerikanischen Konkurrenz blieb z. B. den deutschen Herstellern von Personenkraftwagen gar keine andere Wahl, als die handwerkliche Fertigung in ihren Betrieben aufzugeben und das Fließbandverfahren einzuführen. Allenthalben hoffte man jedoch, die vom Fließband verdrängten Arbeiter würden bald von vorgelagerten Produktionszweigen, etwa vom Hersteller der Fließbandanlagen, eingestellt werden.

Neben dem Sockel an struktureller Arbeitslosigkeit wies die deutsche Volkswirtschaft vor Ausbruch der Weltwirtschaftskrise einen weiteren Gefahrenherd im Bereich des Kreditwesens auf. Die Modernisierung der deutschen Volkswirtschaft erforderte beträchtliche Mengen an Geldkapital, die nach den Inflationsverlusten von den inländischen Sparern nicht in voller Höhe aufgebracht werden konnten. Da außerdem die Reichsbank aufgrund ihrer Inflationserfahrungen eine Politik der Kreditrestriktion betrieb und die Diskontschraube anzog, stiegen die Zinssätze in Deutschland auf ein im internationalen Vergleich hohes Niveau. Dieses Zinsgefälle bot Ausländern einen Anreiz, ihr Geldkapital bei deutschen Banken anzulegen oder es unmittelbar an deutsche Investoren auszuleihen. Knapp die Hälfte der zwischen 1924 und 1929 im Deutschen Reich durchgeführten Nettoinvestitionen wurde daher mit Krediten aus dem Ausland, und zwar hauptsächlich aus den USA, finanziert. Dieser Weg der Finanzierung wurde schon von Zeitgenossen als »Dollarscheinblüte« oder als »Konjunktur auf Pump« getadelt. Die Verwendung ausländischer Gelder war freilich unumgänglich, weil die Kosten der technischen Neuausstattung der deutschen Industrie aus dem inländischen Sparaufkommen nun einmal nicht zu bestreiten waren. Viele deutsche Schuldner, darunter gerade auch die Banken in ihrer Rolle als Vermittler von Krediten, begingen allerdings den Fehler, das im Ausland geborgte Geld ohne Rücksicht auf dessen Fälligkeit in langfristigen Investitionsvorhaben zu binden. Ein Teil der importierten Kredite, in den Jahren 1927 und 1928 rund die Hälfte, war jedoch nur kurzfristig ausgeliehen worden, weil die Geldentwertung der Nachkriegszeit die Bereitschaft zu einer langfristigen Kreditvergabe allgemein gemindert hatte. Solange die Konjunktur günstig verlief, war der ausländische Gläubiger in der Regel bereit, den kurzfristig gewährten Kredit anstandslos zu verlängern. Im Falle einer wirtschaftlichen oder politischen Krise konnte er sein Darlehen indessen rasch zurückrufen.

Das Damoklesschwert eines plötzlichen Abzugs ausländischer Kredite schwebte insbesondere über den Gemeinden, die auf der Grundlage dieser scheinbar bequemen Finanzierungsquelle ab 1924 eine fieberhafte Bautätigkeit entfalteten. Namentlich die Städte errichteten Straßen, Versorgungsanlagen, Verwaltungsgebäude, Schulen, Krankenhäuser, Schwimmbäder und vor allem Wohnungen. Dabei war es keineswegs nur das Werben um Wählerstimmen, das die Kommunalpolitiker bewog, ihren Bürgern einen den Erfordernissen moderner Hygiene und Wohnkultur angemessenen Lebensstil zu ermöglichen. Zwischen 1914 und 1924 hatten notwendige kommunale Bauvorhaben zurückgestellt werden müssen, und in den Industriestädten hatte der ungezügelte, nur vom privaten Gewinnstreben getragene Wohnungsbau der Vorkriegszeit, verkörpert durch die »Mietskaserne«, drängende Sanierungsaufgaben hinterlassen.

Ein plötzlicher Rückzug ausländischer Gelder konnte ferner das deutsche Bankwesen rasch ins Wanken bringen. Viele Banken hatten die Vergabe von Krediten im Verhältnis zu ihrem Eigenkapital zu stark ausgedehnt, weil sie ihre Geschäftstätigkeit im Zuge eines schärfer werdenden Konkurrenzkampfes unbedingt ausweiten wollten. Das Verhältnis von eigenen zu fremden Mitteln, das sich der »goldenen Bankregel« zufolge auf 1:3 belaufen sollte, betrug 1929 bei den deutschen Banken 1:10,4 und bei den Berliner Großbanken sogar 1:15,5. Die Barliquidität der Banken, also der Umfang ihres Kassenbestandes und ihrer jederzeit abrufbaren Guthaben bei der Reichsbank in Relation zu ihren Verbindlichkeiten, war 1929 auf 3,5 gegenüber 7,4 Prozent im Jahre 1913 gesunken.

Die für Störungen des internationalen Waren- und Kapitalverkehrs besonders anfällige deutsche Volkswirtschaft befand sich mithin bereits auf dem Weg in die Rezession, als sie 1929/30 vom Zusammenbruch der Weltwirtschaft getroffen wurde. Wie kam es zu dieser Weltwirtschaftskrise? Warum begann sie gerade in den Vereinigten Staaten? Aus einem Bündel miteinander verketteter Ursachen, über deren Gewichtung noch heute diskutiert wird, lassen sich die folgenden Triebkräfte des weltweiten konjunkturellen Abschwungs freilegen:

1. Das kräftige Wachstum der amerikanischen Wirtschaft ab 1922, das von der stürmischen Entwicklung des Automobilbaus, der Film- und Fotoindustrie und der elektrotechnischen Industrie getragen wurde, gab den Anstoß für einen Aufschwung der Weltwirtschaft. Die langfristigen Absatzchancen dieser Industriezweige, die durchweg dauerhafte Konsumgüter herstellten, wurden jedoch überschätzt. 1928/29 war bereits jeder fünfte Amerikaner Besitzer eines Kraftwagens, und die meisten Haushaltungen besaßen Rundfunkgeräte und Kühlschränke, die freilich häufig genug auf Abzahlung gekauft worden waren. Nachdem der Markt für solche Güter erst einmal gesättigt war, erwies sich die Produktionskapazität als viel zu groß für den Ersatzbedarf.

2. Der Zollprotektionismus der Nachkriegszeit behinderte den internationalen Warenaustausch. Die USA führten ab 1921 wieder Prohibitivzölle ein. In Mittel- und Südosteuropa entstanden 1918 auf dem Boden der früheren großen Binnenmärkte des deutschen Kaiserreichs, des zaristischen Rußlands und der Donaumonarchie mehrere kleinere Staaten, die sich alsbald mit Zollmauern umgaben. Außerdem hatten während des Ersten Weltkrieges neutrale Staaten, denen der Zugang zu ihren Lieferanten in Europa und in den USA versperrt worden war, eine eigene Industrie für Produktionsgüter aufgebaut. War z. B. vor 1914 in acht Ländern der Erde Rohstahl erzeugt worden, so gab es nach 1918 15 Erzeugerländer. Allein die kontinentaleuropäischen Stahlhersteller hatten aber ihre Fertigungskapazi-

tät gegenüber dem Vorkriegsstand um ungefähr 30 Prozent ausgedehnt. Daher erstaunt es nicht, daß die neu hinzugekommenen Produzenten von ihren Regierungen Zollschutz verlangten und erhielten.

3. In allen Teilen der Welt klagte die Landwirtschaft über zunehmende Absatzschwierigkeiten. Ab 1920 gingen die Erlöse für Kaffee, Wolle und Baumwolle zurück. Um 1928 setzte ein rapider Verfall der Verkaufspreise für Getreide ein. Der zunehmende Einsatz künstlicher Düngemittel hatte in vielen Ländern zu einer erheblichen Verbesserung der Erträge geführt. Die landwirtschaftliche Überproduktion in den USA war darauf zurückzuführen, daß infolge des Bedarfs an Nahrungsmitteln während des Krieges die Anbaufläche ausgedehnt worden war, und daß der Ersatz der tierischen Zugkräfte durch Traktoren die Nachfrage nach Futtermitteln vermindert hatte.

4. Die Reparationsverpflichtungen Deutschlands und die aus der Kriegszeit stammenden Forderungen der USA an ihre Verbündeten setzten zwischen den einzelnen Nationen Geldströme in Milliardenhöhe in Bewegung, denen kein Austausch an Waren oder Dienstleistungen gegenüberstand. Diese Geldübertragungen verstärkten das Zinsgefälle zwischen Schuldner- und Gläubigerländern, das nun seinerseits einen Gegenstrom hauptsächlich amerikanischen Geldkapitals auslöste.

5. Die Überschätzung der Aufnahmefähigkeit der Märkte heizte in den USA eine Aktienspekulation an, welche die Kurse der meisten Aktien in schwindelnde Höhen trieb. Da wegen der Flüssigkeit des amerikanischen Geldmarktes die Banken kurzfristige Kredite zu günstigen Zinsen vergaben, beteiligten sich weite Kreise der Bevölkerung an der hektischen Spekulation. Stetige und kräftige Kursgewinne erlaubten es auch Arbeitern, Angestellten und Hausfrauen, die aufgenommenen Kredite nach kurzer Zeit mühelos zu tilgen und erneut Geld für den Erwerb von Aktien zu borgen. Im Spätherbst 1929 genügten geringe Kursrückgänge, um das auf Kreditbasis errichtete Gebäude der Aktienspekulation wie ein Kartenhaus zusammenbrechen zu lassen. Als die Banken erstmals ihr Geld zurückforderten, zwangen sie viele Spekulanten, ihren Aktienbesitz um jeden Preis loszuschlagen, womit sich die Spirale des Kurssturzes weiter nach unten drehte.

Auch in Deutschland glaubte freilich noch in der ersten Hälfte des Jahres 1930 die überwiegende Mehrheit der Politiker, der Unternehmer und der Führer der Gewerkschaften, vor einer der in Zyklen wiederkehrenden Abwärtsbewegung der Binnenkonjunktur zu stehen, wie sie die deutsche Volkswirtschaft 1900–1902 und 1907/08 durchlaufen hatte. In den einschlägigen Lehrbüchern der Nationalökonomie stand überdies zu lesen, daß derartige Rezessionen von Zeit zu Zeit sogar notwendig seien, um den Wirtschaftskreislauf nach einer Phase des ungestümen Aufschwungs von unproduktiven oder unsolide finanzierten Unternehmungen zu reinigen. Die »Reinigungskrise« erfülle außerdem die Aufgabe, die zu üppig gewachsene Kapazität der Investitionsgüterindustrie auf den laufenden Bedarf der Konsumgüterindustrie zurückzuschneiden. Sei diese Anpassung erfolgt, so würden die »Selbstheilungskräfte« der Marktwirtschaft einen neuen Aufschwung einleiten, der die Volkswirtschaft auf eine höhere Ebene des Wachstums als zuvor führen werde. Die Reinigungskrise werde nämlich auf dem Arbeitsmarkt die Löhne, auf dem Geld- und Kapitalmarkt die Zinssätze und auf dem Markt für Rohstoffe und Halbfabrikate die Preise nach unten drücken und damit neue Investitionen rentabel machen, und zwar – was für die Rezessionen vor 1914 empirisch belegbar war – zuerst im Bereich des Wohnungsbaus.

Die Entwicklung der Geld- und Kapitalmärkte entsprach zunächst dieser Theorie. Von Oktober 1929 bis August 1930 senkte die Reichsbank ihren Diskontsatz von 7,5 auf 4 Prozent. Im gleichen Zeitraum ging der Zinssatz für Monatsgeld von 9,71 im Monatsdurchschnitt auf 4,78 Prozent zurück. Die Preise für industrielle Rohstoffe und Halbzeuge zeigten sich weniger beweglich, verringerten sich aber insgesamt auch um 10 Prozent. Die Gewerkschaften hingegen wehrten sich vorerst erfolgreich gegen eine Senkung der Tariflöhne. Angesichts der zunehmenden Arbeitslosigkeit erwarteten jedoch die Unternehmer, ihnen nahestehende Politiker und namhafte Vertreter der Wirtschaftswissenschaft, daß sich die Reinigungskrise bald auch auf dem Arbeitsmarkt durchsetzen würde, um die aus ihrer Sicht überzogenen Lohnsteigerungen der Jahre 1926–1929 abzutragen.

Die weitverbreitete Hoffnung auf eine baldige Überwindung der Wirtschaftskrise zerstörte dann ein politisches Ereignis. In der Reichstagswahl vom 14. September 1930 konnte die NSDAP überraschend die Zahl ihrer Mandate von 12 auf 107 erhöhen. Sie stellte nun nach der SPD die zweitstärkste Fraktion im Reichstag. Dieses Wahlergebnis hinterließ im Ausland einen verheerenden Eindruck. Die politische Stabilität der Weimarer Republik, eine wichtige Voraussetzung für die Gewährung ausländischer Kredite, war damit ernsthaft bedroht. Außerdem hatten die Geldgeber im Ausland die hemmungslose Agitation, welche die NSDAP noch im Frühjahr gegen die Annahme des Young-Plans in Deutschland entfacht hatte, aufmerksam beobachtet. Sie waren eher als viele Deutsche geneigt, die antidemokratischen und antisemitischen Parolen dieser Partei ernstzunehmen.

Deshalb erstaunt es nicht, daß in den ersten Wochen nach dieser Wahl allein den deutschen Großbanken über 700 Mio. Reichsmark ausländischer Einlagen und Kredite gekündigt wurden. Die Reichsbank verlor in diesem Zeitraum mehr als 1 Mrd. Reichsmark an Gold- und Devisenbeständen. Als sich herausstellte, daß das Kabinett Brüning handlungsfähig blieb, verringerte sich die Geschwindigkeit der ausländischen Geldabzüge. Dennoch wurden in den ersten vier Monaten des Jahres 1931 weitere 400 Mio. Reichsmark gekündigt.

Der Abzug der ausländischen Kredite brachte den staatlichen Wohnungsbau, der neben dem Export die deutsche Binnenkonjunktur noch abstützte, schnell ins Wanken. Vor allem die Gemeinden mußten nun plötzlich Kredite zurückzahlen, mit denen sie produktive, aber nicht rentable Anlagen wie Straßen, Krankenhäuser oder Schulen finanziert hatten. Da sie andererseits ein rasch anschwellendes Heer von Erwerbslosen zu versorgen hatten, verwendeten sie Einkünfte, die ursprünglich für den Bau von Wohnungen vorgesehen waren, in erster Linie die Erträge der Hauszinssteuer, für die Sozialfürsorge. Das schnelle Versiegen der öffentlichen Geldquellen zwang insbesondere in den Großstädten die gemeinnützigen Wohnungsbaugesellschaften, Arbeiter in Massen zu entlassen und ihre Nachfrage nach Baumaschinen und Baumaterial stark einzuschränken. Private Bauherren waren nicht in der Lage, diese Nachfragelücke durch eigene Bauvorhaben zu schließen. Im Gegensatz zu den Rezessionen vor 1914 begannen nämlich jetzt die Zinssätze für langfristige Kredite erheblich zu steigen, während auf der anderen Seite die drastische Verringerung der Masseneinkommen bewirkte, daß die Mieten nicht mehr pünktlich und vollständig bezahlt wurden. Die Fertigstellung von Wohnungen im Deutschen Reich, die 1929 mit 338 802 Einheiten ihr bestes Ergebnis erzielt hatte, aber auch 1930 mit 330260 fast an den Stand des Jahres 1928 herangekommen war, ging 1931 bereits auf 251701 zurück und erreichte 1932 mit 159121 Einheiten, also mit nur noch 47 Prozent der Bauvollendungen des Jahres 1929, ihren Tiefpunkt.

Trotz des Niedergangs der arbeitsintensiven Bauwirtschaft hoffte man in Deutschland immer noch, von einer schweren Depression verschont zu bleiben. Im Verlauf des Jahres 1930 hatte sich die Exportwirtschaft auf dem Weltmarkt einigermaßen behauptet. Außerdem zeigten zwischen Januar und April 1931 mehrere Indikatoren des Konjunkturverlaufs – einige Rohstoffpreise, die meisten Aktienkurse und der Index der Produktion – weltweit eine Aufwärtsentwicklung. In Deutschland nahm die Zahl der gemeldeten Arbeitslosen zwischen Februar und Juni 1931 um 1 Mio. ab, während die Industrieproduktion um 1,3 Prozent anstieg. Der Zerfall des internationalen Währungssystems, an dessen Anfang die deutsche Bankenkrise stand, würgte jedoch diesen Zwischenaufschwung ab.

Den Anstoß zur Bankenkrise gab der Zusammenbruch der größten Geschäftsbank Österreichs. Am 11. Mai 1931 mußte die angesehene Österreichische Creditanstalt eingestehen, daß ihre Verluste aus dem Jahr 1930 fast ihr gesamtes Eigenkapital aufgezehrt hatten. Daraufhin setzte ein Ansturm der Sparer und Gläubiger auf Guthaben und Kredite ein, dem das Wiener Bankhaus nicht gewachsen war. Durch die Zahlungsunfähigkeit der Creditanstalt hellhörig geworden, begannen ausländische Gläubiger unverzüglich, ihr in Deutschland angelegtes Geldkapital zurückzurufen. Allein den Großbanken wurden in der zweiten Hälfte des Mai 1931 kurzfristige ausländische Kredite im Werte von 288 Mio. Reichsmark gekündigt.

Schon zeitgenössische Beobachter behaupteten, Frankreich habe diesen Run der Gläubiger auf die Banken bewußt angeheizt, um die Regierungen in Berlin und Wien zu zwingen, das von Paris entschieden abgelehnte Projekt einer Zollunion zwischen Deutschland und Österreich endgültig fallen zu lassen. Tatsächlich haben französische Banken aber damals keine Kredite in ungewöhnlichem Ausmaß gekündigt. Ihre kurzfristigen Anlagen in Deutschland waren ohnehin nicht groß genug, um durch deren Abzug das deutsche Bankwesen in Schwierigkeiten zu bringen. Aus der Sicht des Auslandsgläubigers sprach vielmehr eine nüchterne wirtschaftliche Überlegung für die Kündigung. Die deutschen Großbanken litten ebenso wie die Wiener Creditanstalt an einem ungünstigen Verhältnis zwischen Eigenkapital und fremden Mitteln. Auch sie klagten über das »Einfrieren« von Krediten, die sie der Industrie gewährt hatten und die jetzt nicht pünktlich getilgt wurden. Genau wie das Wiener Bankhaus hatten sie flüssige Mittel in Zeiten guter Konjunktur in Aktienbesitz angelegt, den die fortschreitende Wirtschaftskrise spürbar entwertete. Wenn unter diesen Lasten heute eine Großbank in Wien zusammenbrach, warum dann nicht morgen auch in Berlin?

Den deutschen Banken blieb keine Zeit mehr, um ihre Gläubiger im Ausland vom Gegenteil zu überzeugen. Bereits Ende Mai gerieten der Warenhauskonzern Karstadt und der Versicherungskonzern Nordstern in finanzielle Bedrängnis. Sofort erhöhte sich die Geschwindigkeit der ausländischen Kreditabzüge. Anfang Juni folgte eine Regierungskrise, in der um Haaresbreite das Kabinett Brüning gestürzt worden wäre. Mitte Juni erschütterte der Zusammenbruch des Nordwolle-Konzerns die deutsche Wirtschaft. Die Norddeutsche Wollkämmerei in Bremen hatte bei spekulativen Geschäften einen Verlust in Höhe von 200 Mio. Reichsmark erlitten. Gleichzeitig wurde bekannt, daß zwei Berliner Großbanken, die Darmstädter und Nationalbank (= Danatbank) und die Dresdner Bank, dem Nordwolle-Konzern leichtfertig große Beträge ausgeliehen hatten. Dieser Bankrott, der das Vertrauen vieler Ausländer in die solide Geschäftsführung deutscher Unternehmer zerstörte, ließ eine Lawine an Kreditabzügen losbrechen, die den Devisenbestand der Reichsbank binnen weniger Tage von 3 Mrd. auf 1,7 Mrd. Reichsmark verkürzte. Um die Zahlung der am 30. Juni 1931 fälligen Reparationsrate sicherzustellen, mußten die Zentralbanken Großbritanniens, Frankreichs und der USA sowie die Bank für Internationalen Zahlungsausgleich der Reichsbank 100 Mio. Dollar leihen. Danach trat ein vom amerikanischen Präsidenten Hoover verkündetes Moratorium für die Zahlung politischer Schulden in Kraft, das die Reparationsleistungen bis zum 30. Juni 1932 stundete.

Solche internationalen Hilfsaktionen schürten das Mißtrauen der privaten Gläubiger nur noch mehr. Auch inländische Sparer begannen nunmehr, in großem Umfang Bank- und Sparkasseneinlagen zu kündigen. Am stärksten war die Danatbank bedroht, aber auch die Dresdner Bank blieb gefährdet. Von den übrigen Berliner Großbanken – Deutsche Bank und Disconto-gesellschaft, Reichs-Kredit-Gesellschaft, Commerz- und Privatbank, Berliner Handels-Gesellschaft – ragte nur letztere wie ein Fels aus der Brandung der Liquiditätskrise heraus. Ihre Inhaber, Carl Fürstenberg und Otto Jeidels, hatten grundsätzlich keine Auslandskredite mit einer Laufzeit von weniger als sechs Monaten hereingenommen und waren auch bei ihren Ausleihungen umsichtig verfahren. Deshalb vermochte die Handels-Gesellschaft als einzige private Großbank die Krise ohne finanzielle Hilfe des Reiches zu überstehen. Anfang Juli gerieten auch die Sparkassen und Girozentralen in Bedrängnis. Zwar hatten sie selbst nur wenige kurzfristige Kredite im Ausland aufgenommen, aber ihre bedeutendsten Schuldner waren die Gemeinden. Infolge der Zahlungsunfähigkeit vieler Kommunen fror ein großer Teil der Kommunalkredite ein.

Am 11. Juli 1931 erfuhr die Reichsregierung, daß die Danatbank und die Landesbank der Rheinprovinz, die zugleich als Girozentrale für die rheinischen Sparkassen tätig war, zahlungsunfähig geworden waren. Auch die Dresdner Bank näherte sich der Illiquidität. Während die Reichsbank die rheinische Girozentrale mit einem Kredit von 30 Mio. Reichsmark stützte, verweigerte sie der Danatbank, die in den vergangenen Jahren bei der Verfolgung eines rücksichtslosen Expansionsstrebens in besonders hohem Maße Auslandskredite aufgenommen hatte, jede Hilfe. Daher blieben am Montag, dem 13. Juli 1931, in allen Filialen der Danatbank die Schalter geschlossen. Die Einstellung der Auszahlungen durch eine alte und angesehene Großbank löste unter den Sparern Panik aus. Sofort setzte der Ansturm der Kunden auf alle Banken und Sparkassen ein. Schon nach wenigen Stunden zahlten die meisten Kreditinstitute nur noch 20 Prozent der verlangten Beträge aus.

Deshalb hätten bald auch viele andere Banken und Sparkassen ihre Schalter schließen müssen, wenn die Reichsregierung nicht buchstäblich die Notbremse gezogen hätte. Sie erklärte kurzerhand den 14. und den 15. Juli zu »Bankfeiertagen«, an denen sämtliche Kreditinstitute geschlossen blieben. Danach beschränkte sie die Abhebungen auf dringende Fälle wie z. B. anstehende Lohnzahlungen oder auf bestimmte Beträge. Das Reich gründete ferner gemeinsam mit mehreren öffentlichrechtlichen und privaten Banken am 25. Juli 1931 die »Akzept- und Kreditbank«, die mit einem Aktienkapital von 200 Mio. Reichsmark ausgestattet wurde. Diese Bank gewährte allen Geschäftsbanken und Sparkassen finanzielle Unterstützung, indem sie entweder deren Handelswechsel diskontierte oder deren Buchforderungen, die im Augenblick nicht flüssig zu machen waren, durch ihr Akzept in »reichsbankfähige« Wechsel verwandelte. Von den fast 1,75 Mrd. Reichsmark, die sie bis

Ende 1931 als Kredite vermittelte, gingen über 70 Prozent an die Girozentralen und Sparkassen, die von den panikartigen Abhebungen besonders in Mitleidenschaft gezogen wurden. Die Begrenzung der Auszahlung von Sparguthaben auf 20 bis 30 Reichsmark pro Tag führte nämlich dazu, daß zahlreiche Einleger diesen Betrag nur deshalb abhoben, weil sie, was nach ihren Erfahrungen aus der Inflationszeit nur zu verständlich war, um ihre Ersparnisse fürchteten. Wie stark die Inflationsmentalität die Sparer noch beherrschte, zeigte sich daran, daß die Möbelindustrie als Anbieter dauerhafter Konsumgüter während der Bankenkrise einen ungeahnten Aufschwung erlebte. Die Umsätze im Möbelfachhandel stiegen von Juni auf Juli 1931 überraschend um 70 Prozent.

Das kurze konjunkturelle Strohfeuer in der Möbelbranche darf aber nicht darüber hinwegtäuschen, daß die meisten Gelder, die abgehoben wurden, eben nicht zum Kauf von Gütern auf dem Binnenmarkt verwendet wurden. Sie standen auch nicht als Investitionsmittel zur Verfügung, weil sie entweder im Sparstrumpf gehortet oder ins Ausland transferiert wurden. Die Verluste an Eigenkapital und an fremden Mitteln zwangen die Banken zudem, ihre Kreditvergabe erheblich einzuschränken. Allein die Berliner Großbanken verringerten die Ausleihungen mit kurzer Laufzeit, also die typischen Betriebskredite, zwischen 1930 und 1932 von 9,3 auf 5,6 Mrd. Reichsmark. Der enger gewordene Kreditspielraum beschleunigte die Geschwindigkeit des Konjunkturabschwungs.

Eine weitere Folge des Bankenkrachs war, daß Deutschland als erster Staat in der Weltwirtschaftskrise den Weg der Devisenzwangswirtschaft beschritt. Wenn die Akzept- und Garantiebank den Inlandskredit stützen sollte, mußten die Gefahrenquellen der Kapitalflucht und der Kündigung weiterer Auslandskredite abgeriegelt werden. Um den Abstrom des Geldes ins Ausland zu bremsen, hob die Reichsregierung den freien Devisenverkehr auf. Ab 1. August 1931 mußten alle ausländischen Zahlungsmittel, die in privatem Besitz waren, an die Reichsbank verkauft werden. Der private Devisenhandel wurde untersagt. Außerdem brachte die Reichsregierung Ende Juli 1931 in Zusammenarbeit mit den Regierungen Großbritanniens und der USA ein Stillhalteabkommen zwischen deutschen Schuldnern und ausländischen Gläubigern zustande.

Die Aufhebung des freien Zahlungsverkehrs verstärkte den Druck auf den Außenwert des britischen Pfundes. Amerikanische, schweizerische und niederländische Banken, die ihre Liquidität verbessern wollten, kündigten ihre kurzfristigen Anlagen in Großbritannien, weil sie ihr Geld aus dem Reich nur schwer herausbekamen. Andererseits waren kurzfristige Anlagen britischer Banken in Deutschland infolge des Stillhalteabkommens eingefroren. Deshalb trug die deutsche Bankenkrise dazu bei, daß die britische Regierung am 20. September 1931 die Bank of England von der Pflicht zur Einlösung der Pfundnoten in Gold befreite. Der Wechselkurs des Pfundes, dessen Höhe nun das Verhältnis von Angebot und Nachfrage auf den internationalen Geldmärkten bestimmte, fiel daraufhin bis Anfang 1932 um ungefähr 40 Prozent. Der größte Teil des britischen Weltreiches folgte dem Beispiel des Mutterlandes. Auch die unter englischem Einfluß stehenden Länder, wie z. B. Ägypten, und die Staaten, die ihre Währungen an das britische Pfund gekoppelt hatten, wie z. B. Irland, machten die Abwertung sofort mit. Außerhalb des »Sterling-Blocks« folgten die skandinavischen Staaten, Argentinien, Japan und Portugal bald dem Vorgehen Großbritanniens.

Diese Serie von Abwertungen, die überdies vom Aufbau eines Systems prohibitiver Einfuhrzölle begleitet wurde, brachte die letzte Säule, auf der die deutsche Binnenkonjunktur noch ruhte, nämlich die Exportwirtschaft, zum Einsturz. Obwohl sich in Deutschland die Stimmen mehrten, die zu einer Abwertung der Reichsmark rieten, hielt die Reichsregierung eisern an der Goldparität ihrer Währung fest. Nicht nur die Reparationsvereinbarungen bestärkten sie in dieser Haltung. Da ein großer Teil der deutschen Auslandsschulden einer Goldklausel unterlag, hätte eine Abwertung diese Schulden, ausgedrückt in Reichsmark, in die Höhe getrieben. Hinzu trat die Angst vor einer neuen Inflation, pflegte man doch selbst in Regierungskreisen »Wechselkursherabsetzung« und »Wechselkursverschlechterung« in einen Topf zu werfen. Die Entscheidung, die Mark nicht durch eine Abwertung von 40 Prozent an das Pfund »anzuhängen«, stellte Deutschlands Exporteure auf dem Weltmarkt Konkurrenten gegenüber, die ihre Produkte nur auf Grund der veränderten Wechselkurse und nicht wegen ihrer überlegenen Leistungsfähigkeit bis zu 40 Prozent billiger anbieten konnten. Das »Exportventil«, das während der Krise 1925/26 wenigstens einen Teil des Rückgangs der Binnennachfrage durch verstärkte Ausfuhren ausgeglichen hatte, versagte 1931/32 seinen Dienst. In der stark vom Auslandsabsatz abhängigen deutschen Maschinenindustrie z. B. schrumpften die jährlichen Exporterlöse zwischen 1930 und 1932 um 47,5 Prozent.

Den einzigen Lichtblick in der Außenhandelsbilanz bot das »Rußlandgeschäft«. Der Anteil der Lieferungen in die UdSSR an der gesamten Ausfuhr deutscher Investitionsgüter betrug 1929 4,6 Prozent, 1930 7,1 Prozent, 1931 17,8 Prozent und 1932 25,7 Prozent. So segensreich sich diese Exporte für einzelne Firmen auch auswirkten, unter volkswirtschaftlichem Blickwinkel blieben sie doch problematisch. Um sich die zum Kauf von Industrieausrüstungen in kapitalistischen Ländern notwendigen Devisen zu beschaffen, warf die sowjetische Außenhandelsbehörde Holz und Getreide zu Dumping-Preisen auf den Weltmarkt. Mitunter wickelte sie Aufträge, die sie an deutsche Unternehmer vergab, als Kompensationsgeschäfte gegen Holzlieferungen zum Nachteil der einheimischen Holzwirtschaft ab. Ferner ging die öffentliche Hand ein erhebliches finanzielles Risiko ein. Das Reich und die Länder mußten Bürgschaften für die Finanzierung des Rußlandgeschäftes übernehmen, die sich Ende 1931 bei einem wertmäßigen Umfang von 1 Mrd. auf 700 Mio. Reichsmark beliefen.

Die Talfahrt der deutschen Binnenkonjunktur wurde ferner durch eine Verzerrung des Preisspiegels als Folge privater Marktmacht beschleunigt. Die Theorie von der volkswirtschaftlich nützlichen Reinigungskrise beruhte auf der Annahme, daß im Konjunkturabschwung alle Unternehmer infolge des scharfen Wettbewerbs um die geringer werdende Nachfrage ihre Verkaufspreise drastisch herabsetzen würden. Die marktbeherrschenden Konzerne und Kartelle in der deutschen Grundstoff- und Halbzeugindustrie dachten jedoch nicht daran, beim Rückgang ihres Absatzes ihre Preisforderungen sofort und spürbar zu ermäßigen. Rückläufige Auftragseingänge beantworteten sie zunächst einmal mit einer Einschränkung ihrer Produktion, weil sie hofften, durch eine Verknappung des Angebots auf dem Markt die Höhe ihrer Absatzpreise verteidigen zu können.

Das Bestreben der Konzerne und Kartelle, ihre Gewinne auch in der Krise möglichst hoch zu halten, traf zuerst ihre Kunden in der weiterverarbeitenden Industrie. Die Unternehmer in diesem Wirtschaftszweig, auf dessen Absatzmärkten in der Regel ein heftiger Wettbewerb die Preise tief stürzen ließ, mußten schrumpfende Erlöse hinnehmen, obwohl sich die Einkaufspreise ihrer Vorprodukte kaum ermäßigt hatten. Sie reagierten auf diese Situation, indem sie ihre eigene Produktion stark drosselten und ihre Nachfrage nach Kohle, Eisen, Stahl und chemischen Grundstoffen entsprechend verkürzten. Auf diesem Weg schlug die kurzsichtige Preispolitik der Kartelle und Konzerne nach einiger Zeit wie ein Bumerang auf ihre Urheber zurück, die aber, nach wie vor einem kurzfristigen Gewinnstreben verhaftet, nun wiederum lieber Produktionsstätten stillegten und Arbeitskräfte entließen, anstatt das Niveau ihrer Verkaufspreise zu senken. Die Sondergewinne, die sie als Folge ihrer starren Preispolitik erzielten, flossen also keineswegs in Form zusätzlicher Investitionsausgaben wieder in den Wirtschaftskreislauf zurück. Sie wurden entweder gehortet, etwa durch eine Erhöhung der Kassenhaltung, oder als Rücklagen auf Sparkonten angelegt. Beide Verfahren verminderten die monetäre Nachfrage auf den Binnenmärkten.

Schon im Herbst 1930 protestierten die Unternehmer in der Eisen- und Stahlwarenindustrie heftig gegen die für sie inzwischen untragbaren Preise ihrer Rohstoffe. Weitblickende Konzernleiter wie Paul Reusch von der Gutehoffnungshütte und Fritz Springorum von der Hoesch AG versuchten während der Krisenjahre, innerhalb der Stahlkartelle eine anpassungsfähigere Preispolitik durchzusetzen. Ihre Bestrebungen scheiterten aber an der unbeweglichen Konzern- und Kartellbürokratie. Daß die gebundenen Preise für industrielle Rohstoffe und Halbfabrikate überhaupt nachgaben, war hauptsächlich den allerdings erst Ende 1931 einsetzenden Interventionen der Reichsregierung zuzuschreiben. Während aber z. B. von 1929 bis 1932 die Preise für Textilien um 57 Prozent sanken, gingen die Preise für Steinkohle nur um 15, für Eisen um 19 und für Chemikalien gar nur um 13 Prozent zurück. Die geringe Beweglichkeit der Preise chemischer Grundstoffe spiegelt die Marktmacht des 1925 gegründeten IG-Farben-Konzerns wider, der bei der Freisetzung von Arbeitskräften weit über das in seiner Branche übliche Maß hinausging. Schon diese wenigen Beispiele deuten an, welche Verzerrungen im Gefüge der einzelnen Preise das Marktverhalten der Kartelle und Konzerne hervorrief. Die relative Stabilität der gebundenen Preise wurde mithin durch den überproportionalen Rückgang der Beschäftigung von Arbeitern und Angestellten in den meist kleineren und mittleren Betrieben der Weiterverarbeiter teuer erkauft.

Der unheilvolle Einfluß privater Marktmacht auf den Ablauf der Krise wirft die Frage nach der Rolle des Staates auf. Warum gelang es den Trägern der deutschen Wirtschafts- und Finanzpolitik nicht, durch den Einsatz geeigneter Instrumente wenigstens das Abgleiten der »normalen« zyklischen Wirtschaftskrise in eine derart schwere Depression zu verhindern?

### *Die Verschärfung der Krise durch die Wirtschafts- und Finanzpolitik der Reichsregierung*

Das Ausufern der Krise zur Depression fiel in die Amtszeit des Reichskanzlers Heinrich Brüning. Der Zentrumspolitiker, der sich seit 1924 im Reichstag als Steuer- und Finanzexperte seiner Partei Ansehen erworben hatte, übernahm dieses Amt am 30. März 1930 mit dem erklärten Ziel, den Reichshaushalt zu sanieren, also die vorgesehenen Staatsausgaben mit den zu erwartenden Steuereinnahmen auszugleichen und die außerordentlichen Schulden zu tilgen. Die Ausgaben des Reiches, der Länder und der Gemeinden waren von 1925 bis 1930 um ungefähr 50 Prozent gestiegen, während sich die Steuereinnahmen gleichzeitig nur um etwa 38 Prozent erhöht hatten. Deshalb war die Verschuldung der öffentlichen Hand zwischen 1926 und 1930 von 11 auf 21,3 Mrd. Reichsmark angestiegen. Bedenklich war vor allem die Kassenlage des Reiches. Die Große Koalition unter Brünings Amtsvorgänger Hermann Müller hatte sich vergeblich bemüht, das Defizit im Reichshaushalt, das mittlerweile auf 1,283 Mrd. Reichsmark angewachsen war, durch die Erschließung neuer Steuerquellen und die Aufnahme eines Kredites zu beseitigen.

Den Ursprung der Finanzmisere des Reiches erblickte Brüning in der Ausgabenwirtschaft des Jahres 1926. Dem damals amtierenden Reichsfinanzminister Peter Reinhold, der der DDP angehörte, warf er vor, die 1925 erzielten Haushaltsüberschüsse »zur künstlichen Vermeidung von Arbeitslosigkeit« im Winter 1925/26 verschleudert und anschließend ein Programm der Arbeitsbeschaffung durch eine Anleihe, also durch die Anhäufung neuer Schulden, finanziert zu haben. Vor dem Hintergrund seiner Erfahrungen mit der Reichsfinanzpolitik 1919 bis 1923 betrachtete er den ständigen Fehlbetrag in der Haushaltsrechnung als Gefahrenherd für eine neue Inflationierung der Währung. Seine scharfe Kritik an der Schuldenwirtschaft Reinholds verwehrte ihm jedoch den Zugang zu dessen finanzpolitischer Zielsetzung, die eine behutsame Abkehr von den traditionellen Regeln der Führung des Staatshaushalts bedeutete. Reinhold, der Herkunft nach ein mittelständischer Unternehmer, stellte seine Haushaltspolitik nämlich in den Dienst der »Wiederankurbelung der Produktion«. Während er die Staatsausgaben nicht antastete, senkte er die Sätze verschiedener Steuern, die in Form von Produktionskosten vor allem auf kleinen und mittleren Betrieben lasteten. Bewußt nahm er zu Beginn des Etatjahres eine Lücke bei den Steuereinkünften in Kauf. Er hoffte jedoch, durch die steuerliche Entlastung der Produktion den Absatz so schnell zu beleben, daß das Steueraufkommen trotz der verminderten Steuertarife zu Ende des Haushaltsjahres die Summe des Voranschlags erreichen würde.

Dieses konjunkturpolitische Experiment, das zumindest in einigen Wirtschaftszweigen zur raschen Überwindung der »Zwischenkrise« beitrug, wußte Brüning nicht zu würdigen. Vielmehr erwartete er von Reinholds Nachfolger Köhler, einem Zentrumspolitiker, die Rückkehr zu einer »vorsichtigen und soliden Finanzwirtschaft«. Der neue Reichsfinanzminister enttäuschte diese Hoffnung jedoch, als er Ende 1927 eine erhebliche Anhebung der Bezüge aller Beamten – bei den unteren Besoldungsgruppen zwischen 20 und 30 Prozent – durchsetzte. Brüning hatte seinem Parteikollegen zuvor geraten, den Beamten anstelle einer globalen Gehaltserhöhung jederzeit widerrufbare Teuerungszulagen auszubezahlen. Die Mahnung, die er Köhler bei dessen Amtsantritt mit auf den Weg gegeben hatte, er möge Schluß machen mit der »Prestigepolitik in der Finanzpolitik« und im Hinblick auf die Steuerbelastung der Staatsbürger eine »gewisse Unpopularität« in Kauf nehmen, wurde jetzt – im März 1930 – zum Wahlspruch seiner Kanzlerschaft.

Außerdem erteilte der Reichspräsident dem neuernannten Kanzler den Auftrag, die Politik des Schutzes der Landwirtschaft fortzuführen und insbesondere die Gutsbetriebe im deutschen Osten vor dem Bankrott zu retten. Die meisten Großgrundbesitzer in den Ostgebieten, deren Schicht Hindenburg angehörte, hatten, nachdem die Inflation sie von ihren Lasten weitgehend befreit hatte, bis 1930 wieder einen beträchtlichen Schuldenberg angehäuft. Strukturelle Schwächen kennzeichneten aber auch die Landwirtschaft im Westen und Süden des Reiches. Die Klein- und Zwergbetriebe, die dort in vielen Gegenden vorherrschten, behinderten die Rationalisierung der Produktion und des Vertriebs landwirtschaftlicher Erzeugnisse. Unter dem Druck der Agrarverbände, die sich im Frühjahr 1929 zur »Grünen Front« zusammengeschlossen hatten, war bereits die Große Koalition zur Hochschutzzollpolitik übergegangen. Sie hatte ferner in Gestalt der »Ostpreußenhilfe« den Grundstein für eine Subventionspolitik zugunsten der ostdeutschen Landwirtschaft gelegt.

Zwischen den beiden Aufgaben der Haushaltssanierung und des Schutzes der Landwirtschaft fand die Bekämpfung der Wirtschaftskrise im wirtschafts- und finanzpolitischen Zielkatalog des Kabinetts Brüning keinen Platz. Noch bis zum Frühjahr 1931 bewerteten die meisten Fachleute den Konjunkturverlauf als normale zyklische Krise. Nach der herrschenden liberalen Wirtschaftslehre, in deren Banne auch Brüning stand, mußte jeder Versuch des Staates, die Folgen der Reinigungskrise abzumildern oder deren Dauer abzukürzen, den Gesundungsprozeß der Volkswirtschaft hinauszögern. Den unerwartet hohen Stand der Arbeitslosigkeit wollte der neue Reichskanzler allerdings nicht tatenlos hinnehmen. Um zusätzliche Arbeitsplätze zu gewinnen, schlug er seinem Kabinett neben der stärkeren Finanzierung des Wohnungsbaus zusätzliche Investitionen der Reichsbahn und der Reichspost vor, die von den Großbanken und den an Aufträgen interessierten Lieferfirmen vorfinanziert werden sollten. Ferner regte er an, im Vorgriff auf künftige Haushaltsmittel und durch die Begebung einer Anleihe im Ausland das Straßennetz auszubauen und die bereits geplante Autobahn Hamburg-Frankfurt-Basel zu vollenden.

Im Kabinett widersetzte sich vor allem Finanzminister Moldenhauer diesen Plänen. Die Anlage von »Nur-Autostraßen« lehnte er rundweg ab, weil er Autobahnen für »unverhältnismäßig kostspielig und unrentabel« hielt. Statt dessen befürwortete er den Ausbau des Straßennetzes durch die Begebung einer Anleihe, für deren Verzinsung er Teile des Ertrages der Kraftfahrzeugsteuer bereitstellen wollte. Gegen den Plan der staatlichen Arbeitsbeschaffung führte er ins Feld, daß die Unterstützung der Erwerbslosen die Reichskasse um das Fünffache billiger komme als die produktive Arbeitslosenfürsorge. Hinter diesem Widerstand steckte nicht allein das Bestreben, durch eine möglichst sparsame Verwendung der Steuereinkünfte den Ausgleich des Reichshaushalts abzusichern. Moldenhauer, der Abgeordneter der DVP war und zugleich im Aufsichtsrat des IG-Farben-Konzerns saß, trat im Kabinett Brüning als Sprachrohr der Industrie auf. Die Industrieverbände standen der staatlichen Arbeitsbeschaffung jedoch ablehnend gegenüber, weil sie befürchteten, diese Politik würde den Einfluß der öffentlichen Hand in der Wirtschaft zu ihren Lasten ausweiten.

Das Kabinett rang sich schließlich im Juni 1930 zu einem Programm der Arbeitsbeschaffung durch, das im Vorgriff auf den Reichshaushalt 1930 250 Mio. Reichsmark zur Förderung des Wohnungsbaus und 700 Mio. für Investitionen der Reichsbahn und -post bereitstellte. Abgesehen davon, daß es sich hierbei zum Teil um ohnehin fällige Ersatzinvestitionen handelte, war von diesem Programm kein spürbarer Anstoß zu einer Belebung der Konjunktur, ja noch nicht einmal eine merkliche Entlastung des Arbeitsmarktes zu erwarten. Die endgültige Finanzierung der vorgesehenen Maßnahmen beruhte nämlich auf Steuergeldern, die das Reich zwischen dem 1. April 1930 und dem 31. März 1931 einzunehmen hoffte. Die Ausgabe der 950 Mio. Reichsmark bedeutete daher nur eine Verschiebung, nicht aber eine Schöpfung von Kaufkraft. Eine Erhöhung der Nachfrage wäre jedoch nur durch eine Anleihe aus dem Ausland oder durch die Kreditaufnahme bei der Reichsbank zu bewerkstelligen gewesen. Der Versuch, Arbeitsplätze durch die Verschuldung des Reiches bei seiner Notenbank zu finanzieren, wäre zu diesem Zeitpunkt aber bereits an der überall gegenwärtigen Inflationsfurcht gescheitert.

Die Angst vor einer Wiederkehr der Inflation beherrschte nicht nur das Reichskabinett, das Direktorium der Reichsbank und die Unternehmerverbände. Die führenden Vertreter der Wirtschaftswissenschaft warnten immer wieder vor den inflationären Gefahren einer mit Notenbankkredit finanzierten Politik der Arbeitsbeschaffung. Gegen zusätzliche, nicht durch ordentliche Einnahmen gedeckte Staatsausgaben stemmte sich auch die Führung der größten Oppositionspartei, der SPD, auf deren Duldung Brünings Präsidialkabinett nach den Septemberwahlen 1930 entscheidend angewiesen war. Der bedeutende Wirtschaftstheoretiker dieser Partei und frühere Reichsfinanzminister Rudolf Hilferding kleidete die Sorge um die Stabilität der Währung in die griffige Formel, der Staat werde durch eine Geldschöpfung dem Arbeitslosenproblem lediglich ein »womöglich unüberwindbares« Inflationsproblem hinzufügen.

Aus heutiger Sicht erscheint diese Inflationspsychose unbegründet. Angesichts eines Millionenheeres von Arbeitslosen und zahlreicher verödeter Fabrikhallen hätte eine dosierte Vermehrung der Geldmenge den Produktionsprozeß ausgedehnt, ohne die Löhne und Preise sofort zu steigern. Welche zusätzliche Geldmenge hätte man indessen zu welchem Zeitpunkt dem Wirtschaftskreislauf ohne Bedenken zuführen können? Wenn man Brünings Kabinett keine hellseherischen Fähigkeiten unterstellt, mußte es bis zum Frühjahr 1931 mit diesem Finanzierungsmittel behutsam umgehen. Schließlich war der Reichsregierung erst wenige Jahre zuvor die Kontrolle über die Geldschöpfung, die bis 1922 die Vollbeschäftigung gewährleistet hatte, entglitten. Die nachfolgende Hyperinflation hatte aber gerade auch den Arbeitsmarkt in Mitleidenschaft gezogen. Aus eigener Erfahrung wußte Hilferding, daß es jedem Finanzminister schwerfallen würde, den einmal eingeschlagenen Weg der Finanzierung von Staatsausgaben durch Kredite der Notenbank wieder zu verlassen.

Der Ausgang der Reichstagswahl vom 14. September 1930 drängte die Bemühungen der Reichsregierung, wenn nicht die Krise zu bekämpfen, so doch wenigstens die Zahl der Arbeitslosen zu verringern, in den Hintergrund. Im Wahlkampf des Sommers 1930 hatten die Nationalsozialisten ohne Rücksicht auf die wahren Zusammenhänge die Reparationsregelung des am 12. März 1930 vom Reichstag gebilligten Young-Plans für die sich ständig verschlechternde Wirtschaftslage verantwortlich gemacht. Ihr unerwarteter Triumph bei der Wählerschaft bewog Brüning, das von ihm bereits ins Auge gefaßte Ziel, eine Streichung der Reparationsschuld zu erreichen, in den Mittelpunkt seiner Wirtschafts- und Finanzpolitik zu rücken.

Indessen sprachen nicht nur innenpolitische Erwägungen für den Versuch, nun mit allen Kräften eine Revision der Abmachungen des Young-Plans anzustreben. Die Unternehmer klagten über den Druck der Reparationslast, die über die Besteuerung auf sie abgewälzt werde und deshalb ihre Fähigkeit beschneide, neue Investitionen zu finanzieren. Je drückender die Krise wurde, um so mehr festigte sich in der Unternehmerschaft, aber auch in den Reihen der Wirtschaftswissenschaftler die Überzeugung, nicht die Privatwirtschaft und die klassisch-liberale Wirtschaftslehre hätten versagt, sondern die finanziellen Folgewirkungen der »Pariser Vorortverträge« hätten den Mechanismus der Selbstheilungskräfte außer Kraft gesetzt. Schließlich war nicht zu übersehen, daß, ungeachtet der Streitfrage, ob die Reparationslast für die deutsche Volkswirtschaft tragbar sei oder nicht, der Wegfall dieser Zahlungen die Aufgabe der Sanierung der Reichsfinanzen erheblich erleichtern würde.

Im Rahmen des Young-Plans hatte sich das Deutsche Reich nämlich verpflichtet, bis 1988 in 59 Jahresraten einen Betrag von 113,9 Mrd. Reichsmark zu zahlen. Gleichzeitig hatten die Reparationsgläubiger Deutschland auf bestimmte wirtschaftspolitische Verhaltensweisen festgelegt. Die Reichsbank mußte weiterhin den Umlauf an Banknoten mindestens zu 40 Prozent durch Gold oder Golddevisen decken. Es wurde ihr mithin verwehrt, eine autonome Geldpolitik zu betreiben. Der Kredit, den das Reich bei der Notenbank aufnehmen durfte, wurde auf höchstens 400 Mio. Reichsmark begrenzt. Die Parität des Wechselkurses zum US-Dollar wurde auf 4,20 Reichsmark festgesetzt. Für den Fall der Mißachtung dieser Vereinbarungen, hinter denen der Argwohn steckte, das Reich könne sich seinen Verpflichtungen durch die Inflationierung seiner Währung entziehen, drohten scharfe Sanktionen. Würde sich die Reichsregierung jedoch bemühen, den Young-Plan buchstabengetreu zu erfüllen und dabei ohne eigenes Verschulden zahlungsunfähig werden, lautete Brünings Überlegung, so wären die Gläubiger vielleicht bereit, in neue Verhandlungen über die Reparationsfrage einzutreten.

Wirtschaftlich gesehen gliederte sich die Reparationszahlung in zwei Vorgänge. Da nach dem 14. September 1930 die Zufuhr des ausländischen Geldkapitals stockte und namhafte Beträge abgezogen wurden, mußte die Jahresrate auf dem Wege der Besteuerung dem deutschen Wirtschaftskreislauf entzogen werden. Dieser in Reichsmark aufgebrachte Betrag mußte sodann in die von den Gläubigernationen gewünschten Devisen umgewechselt und dorthin überwiesen werden. Der Transfer konnte nur vorgenommen werden, wenn die Reichsbank über einen hinreichend großen Devisenvorrat verfügte. Nach Lage der Dinge war eine Vermehrung ihres Devisenbestandes allein von Exportüberschüssen der deutschen Wirtschaft zu erwarten. Deutsche Unternehmer mußten also wertmäßig mehr ins Ausland verkaufen, als sie von dort bezogen. Eine Steigerung der Ausfuhren hing freilich davon ab, daß die Preise deutscher Exportwaren unter dem Preisniveau des Weltmarktes lagen. Eine Senkung der Produktionskosten im Inland mußte daher die Absatzchancen der deutschen Exporteure verbessern. Diese Überlegungen führten das Kabinett Brüning auf die Bahn der »Deflationspolitik«. Anfangs begnügte sich die Reichsregierung noch mit Aufrufen an alle Unternehmer, ihre Verkaufspreise herabzusetzen. Als diese Appelle bei den gebundenen Preisen nicht die erhoffte Wirkung zeigten, verfügte sie am 16. Januar 1931 die zwangsweise Herabsetzung der Endverkaufspreise für

Markenartikel um 10 Prozent. Diese ersten Schritte der Deflationspolitik begleitete die Erwartung, eine Verringerung der Produktionskosten werde auch die private Investitionstätigkeit wiederbeleben, was der Zwischenaufschwung des Frühjahrs 1931 zunächst zu bestätigen schien.

Trotzdem behielt Brüning die Arbeitslosenfrage in seinem Blickfeld. Im Januar 1931 berief er eine Kommission von Sachverständigen, die Vorschläge zur Bekämpfung der Arbeitslosigkeit ausarbeiten sollte. Das nach seinem Vorsitzenden, dem ehemaligen Reichsarbeitsminister Brauns, benannte Gremium legte im Mai 1931 ein Gutachten vor, in dem die Schaffung von Arbeitsplätzen durch die Vergabe öffentlicher Aufträge auf den Gebieten der Energiewirtschaft, des Verkehrswesens, der Landwirtschaft und des Wohnungsbaus erwogen wurde. Die Kommission lehnte eine Finanzierung dieser Aufträge durch Kredite der Notenbank entschieden ab. Andererseits fürchtete sie, die Begebung einer Anleihe auf dem deutschen Geld- und Kapitalmarkt könne die dort ohnehin hohen Zinssätze aufblähen und private Investoren zurückdrängen. Daher schlug sie die Aufnahme eines langfristigen Kredits im Ausland vor. Die unmittelbar nach Erstattung des Brauns-Gutachtens ausbrechende Bankenkrise verstopfte jedoch diese Finanzierungsquelle.

Als Folge des weltweiten Nachfragerückgangs begannen inzwischen die Preise auf den internationalen Märkten rasch und stark zu fallen. Die Hoffnung Brünings, durch deflationären Druck auf das deutsche Preisgefüge den Wettlauf mit dem sinkenden Preisniveau des Weltmarkts zu gewinnen, schwand. Dafür traten nun die sozialen Folgen der Deflationspolitik in Gestalt der zunehmenden Verelendung der Bevölkerung deutlich hervor. Die Verbände der Industriellen führten die Massenarbeitslosigkeit hauptsächlich auf die Unabdingbarkeit der Tarifverträge und auf das Instrument der staatlichen Zwangsschlichtung von Lohnkonflikten, bei denen sich die Tarifparteien nicht einigten, zurück. Beide Einrichtungen hätten die Arbeitgeber bei Ausbruch der Krise gezwungen, behaupteten sie, die notwendige Senkung der Produktionskosten, deren wichtigsten Bestandteil nun einmal die Löhne verkörperten, in Form der Kurzarbeit und der Entlassung von Arbeitskräften vorzunehmen. Sie konnten darauf verweisen, daß fast alle Wirtschaftswissenschaftler und namhafte Politiker aller bürgerlichen Parteien ihre Auffassung teilten, als Folge der staatlichen Eingriffe in die Lohnbildung sei das Niveau der Lohn- und Lohnnebenkosten in Deutschland zwischen 1926 und 1930 im Vergleich zum Ausland und im Hinblick auf die Entwicklung der Produktivität zu stark angewachsen.

Auf der Ebene dieser Argumentation bewegten sich die Vertreter des Kohlenbergbaus, die dem Kanzler in einer Unterredung am 25. Juni 1931 erklärten, eine fühlbare Senkung des Verkaufspreises der Kohle erfordere zuvor eine Verringerung der Lohnkosten, die im Reich 40 Prozent über den in den Kohlenrevieren Frankreichs, Belgiens und Polens gezahlten Löhnen lägen. Zum Erstaunen der Montanindustriellen lehnte Brüning eine weitere Herabsetzung der Löhne der Bergarbeiter entschieden ab. Jede Industrie verlange Lohnkürzungen, ohne zu berücksichtigen, daß diese Maßnahme auch die Kaufkraft und damit den Absatz weiter schrumpfen lasse, erwiderte der Kanzler. Die Freigabe der Löhne könne nicht in Erwägung gezogen werden, fuhr er fort, »solange die Bevölkerung durch Kartelle und Syndikate mindestens 5 Milliarden Mehrbelastung tragen müsse«.

Der Umstand, daß Brüning nun ebenso wie die Gewerkschaften die Erhaltung der kaufkräftigen Nachfrage als Aufgabe der Lohnpolitik betonte, alarmierte den Reichsverband der deutschen Industrie. Am 30. Juli 1931 erhielt der Kanzler eine Stellungnahme »führender deutscher Industrieller« zur Finanz- und Wirtschaftspolitik. Die Unterzeichner – Krupp, Klöckner, Silverberg, Vögler, Springorum, C. F. von Siemens, Bücher, Borsig und Reusch – lobten zunächst den Mut Brünings, der sich in seiner Politik nur von »sachlichen Gründen« leiten lasse und sich »grundsätzlich jeder Rücksichtnahme auf Popularität« versagt habe. Sodann schilderten sie ausführlich die Lasten, die das System der Tarifverträge, die Einrichtung der Zwangsschlichtung und das nach ihrer Meinung zu eng geknüpfte Netz der sozialen Sicherung dem deutschen Unternehmer seit Gründung der Republik aufgebürdet hätten. Schließlich ermunterten sie den Kanzler, zur Bewältigung der Krise das Rad der sozialen Entwicklung kräftig zurückzudrehen. Alle Stände des deutschen Volkes seien wieder »zur Selbstbescheidung und sparsamen Lebensführung« zurückzubringen, weil ein verarmtes Volk wie das deutsche nur »durch Arbeit und Entsagung« wieder hochkommen könne.

Die Tatsache, daß Brüning in den folgenden Monaten tiefe und unpopuläre Einschnitte in den sozialen Besitzstand der deutschen Bevölkerung vornahm, trug ihm später den Ruf ein, sich während seiner Kanzlerschaft vom christlichen Gewerkschaftsfunktionär – er war von 1920 bis 1930 Geschäftsführer des DGB gewesen – zum Erfüllungsgehilfen industrieller Interessen gewandelt zu haben. Dieses Urteil ist jedoch aus zwei Gründen nicht haltbar. Zum einen bildete das Lohnniveau nicht das einzige Angriffsziel der Deflationspolitik. Brüning bemühte sich vielmehr, gleichzeitig die Verkaufspreise der Industriegüter zu verringern, was keineswegs im Interesse der Industriellen lag. Zum anderen begannen in der zweiten Hälfte des Jahres 1931 vor allem die Unternehmer der weiterverarbeitenden und exportorientierten Industrie sowie die Leiter der Großbanken, vom wirtschafts- und finanzpolitischen Kurs des Kanzlers, den sie bisher gestützt hatten, abzurücken und statt dessen nach einer elastischen Geldpolitik der Reichsbank zu rufen. Brünings Berater in Wirtschaftsfragen, Geheimrat Schmitz vom Vorstand der IG-Farben, empfahl bereits in der Ministerbesprechung vom 3. August 1931, das Kreditvolumen des Reiches »ohne Inflationserscheinungen« durch die Aufnahme einer langfristigen Anleihe zu erweitern. Würde man das Angebot eines langfristigen Kredits aus dem Ausland wahrnehmen, entgegnete der Kanzler, so würde man dadurch die Lösung des Reparationsproblems unmöglich machen.

Auch aus anderen Quellen geht hervor, daß sich Brüning nach dem Scheitern der Exportoffensive im Sommer 1931 entschloß, die katastrophale Lage der deutschen Wirtschaft für sein ehrgeiziges Ziel der Revision des Young-Plans auszunutzen. Die fortschreitende Lähmung des Produktionsprozesses und die Zunahme der Massenarbeitslosigkeit kamen ihm jetzt gerade recht, um den Gläubigernationen vorzuführen, daß das Reich trotz äußerster Leistungswilligkeit die ihm auferlegten Reparationslasten nicht tragen könne. Als Nachweis der Erfüllungsbereitschaft bescherte er dem deutschen Volk zum Weihnachtsfest 1931 – gegen den Widerstand seines Wirtschaftsministers Warmbold – die bisher schärfste seiner Notverordnungen. Die Notverordnung vom 8. Dezember 1931 kürzte die Tariflöhne und -gehälter um 10 bis 15 Prozent sowie alle gebundenen Preise um 10 Prozent. Auch die Kreditzinsen und die Wohnungsmieten wurden nach bestimmten Sätzen verringert. Um die Preisermäßigungen im alltäglichen Zahlungsverkehr technisch zu vereinfachen, wurde die Ausprägung eincs 4-Pfennig-Stückes angeordnet, das der Volksmund alsbald »Brüning-Vierling« taufte. Ferner wurde zum Schutz der Bevölkerung »gegen

Überteuerung von Preisen für lebenswichtige Gegenstände des täglichen Gebrauchs« ein Kommissar für die Preisüberwachung bestellt.

Obwohl diese Notverordnung eine Bresche in die erstarrte Front der Kartell- und Konzernpreise schlug, verschärfte sie dennoch die Depression auf zweierlei Weise. Da z. B. der bisher relativ stabile Preis für den wichtigen Energieträger Kohle tatsächlich vom Dezember 1931 auf Januar 1932 um 10 Prozent zurückging, warteten die Kunden der Kohlenkartelle auf weitere Preisermäßigungen und hielten sich bei ihren Bestellungen zurück. Auf der anderen Seite bewirkte die Lohn- und Gehaltssenkung einen massiven Ausfall an kaufkräftiger Nachfrage. Rückläufige Auftragseingänge veranlaßten die Unternehmer in der Industrie für Verbrauchsgüter trotz der Kürzung der Grundstoffpreise und der Kreditzinsen ihre Produktion noch mehr zu drosseln, weitere Arbeitskräfte zu entlassen und die Beschaffung von Investitionsgütern einzuschränken.

Obwohl inzwischen brauchbare Vorschläge ausgearbeitet worden waren, wie der Krise durch eine antizyklische Konjunkturpolitik zu begegnen sei, weigerte sich Brüning, Maßnahmen der Arbeitsbeschaffung durch Kredite zu finanzieren. In öffentlichen Verlautbarungen verwies er stets auf die drohende Inflationsgefahr. Interne Gespräche enthüllen jedoch, daß er im Gegensatz zum Präsidenten der Reichsbank, Luther, der ein dogmatischer Verfechter der Deflationspolitik blieb, allmählich die Notwendigkeit einer aktiven Konjunkturpolitik erkannte, die er aber erst nach der Lösung der Reparationsfrage in Angriff nehmen wollte. Ende Januar 1932 – die Zahl der gemeldeten Arbeitslosen überschritt erstmals die Grenze von 6 Millionen – traten Warmbold und Finanzminister Dietrich im Kabinett für die Verwirklichung des »Wagemann-Plans« ein, der zugunsten der Schaffung von Arbeitsplätzen die eingefrorenen Kredite der öffentlichen Hand auftauen und die Deckungsvorschriften der Reichsbank lockern wollte. Dieses Vorhaben lehnte Brüning mit der Bemerkung ab, im Ausland würde der Eindruck entstehen, Deutschland wolle durch eine »künstliche Kreditschöpfung« seine Wirtschaftslage verbessern und den Reparationszahlungen entgehen.

Trotz seines verbissenen Festhaltens am Kurs der Deflationspolitik vermochte Brüning das Transferproblem nicht zu lösen. Zwar schloß die Handelsbilanz des Deutschen Reiches mit Überschüssen ab, 1930 mit 1,56 Mrd., 1931 mit 2,78 Mrd. und selbst 1932 noch mit 1,05 Mrd. Reichsmark. Doch konnte der Aktivsaldo in der Handelsbilanz den Gold- und Devisenverlust als Folge der Kreditabzüge und der Kapitalflucht nicht ausgleichen. Der Gold- und Devisenbestand der Reichsbank, der zu Beginn des Jahres 1930 bei 3 Mrd. gelegen hatte, schmolz bis zum Juli 1932 auf 970 Mio. Reichsmark zusammen.

Auch Brünings Finanzpolitik verschärfte die Wirtschaftskrise. Gewiß galt um 1930 das Ziel des Haushaltsausgleichs ohne Rücksicht auf die jeweilige Konjunkturlage als Grundsatz einer soliden Finanzwirtschaft. Weder in der Wissenschaft noch in der Praxis hatte sich die Erkenntnis durchgesetzt, daß der Staat in einer Depression durch die Vermehrung seiner Ausgaben zusätzliche Nachfrage entfalten und durch den Verzicht auf bestimmte Steuereinkünfte seinen Bürgern Kaufkraft für Konsum- und Investitionszwecke belassen kann. Anstatt die im privaten Bereich der Wirtschaft entstandene Nachfragelücke durch Staatsaufträge auszufüllen, verfolgten alle bedeutenden Industrienationen während der Weltwirtschaftskrise eine »Parallelpolitik«, die sich an den Regeln eines Familienbudgets, also am Verhalten des »braven Hausvaters«, orientierte: Wurden die Zeiten härter, so hieß es sparen und den Gürtel enger schnallen!

Brüning freilich trieb diese Parallelpolitik auf die Spitze. Um den Reparationsgläubigern den eisernen Willen der Reichsregierung zur Aufbringung der Jahresraten zu demonstrieren, zog er die Steuerschraube bis zum Äußersten an. Gleichzeitig nahm er drastische Kürzungen der öffentlichen Ausgaben vor. In vier aufeinanderfolgenden Notverordnungen wurden die Sätze der Einkommen- und Lohn-, der Umsatz-, der Bier-, der Tabak- und der Zuckersteuer zum Teil mehrfach erhöht. Ferner wurden die Tarife der Kaffee-, Tee- und Mineralölzölle sowie die Beiträge zur Arbeitslosenversicherung angehoben. Neu eingeführt wurden eine als »Bürgersteuer« bezeichnete primitive Kopfsteuer, eine Sonderumsatzsteuer für Warenhäuser und Konsumvereine, eine Krisensteuer auf Lohn und Gehalt sowie teilweise gegeneinander ausgetauschte Steuern auf Mineralwasser und auf Getränke überhaupt.

Parallel dazu wurden die Löhne, Gehälter und Ruhegelder der Staatsbediensteten, die bereits am 26. Juni 1930 um 6 Prozent gesenkt worden waren, weiter gekürzt, und zwar durch die 1. Notverordnung vom 1. Dezember 1930 um 6 Prozent, durch die 2. Notverordnung vom 5. Juni 1931 um 4 bis 7 Prozent, schließlich durch die 4. Notverordnung vom 8. Dezember 1931 um 9 Prozent. Darüber hinaus wurden die Leistungssätze der Arbeitslosenversicherung und -fürsorge, der sozialen Rentenversicherung und der Kriegsopferversorgung herabgesetzt. Im Bereich der Sachausgaben traf die 3. Notverordnung vom 6. Oktober 1931 eine für den Arbeitsmarkt folgenschwere Entscheidung, weil sie die Errichtung neuer Verwaltungsgebäude, also z. B. den Neubau eines Rathauses oder eines Finanzamtes, bis zum 31. März 1934 untersagte.

Diese extreme Form der Parallelpolitik bewirkte, daß im Etatjahr 1931 allein die Ausgaben des Reiches bei allerdings sinkendem Preisniveau um 19 Prozent niedriger lagen als 1930, obwohl unvorhergesehene Anforderungen auf die Reichskasse zugekommen waren. So hatte die Reichsregierung nach der Bankenkrise zur finanziellen Stützung und Sanierung von Kreditinstituten rund 1,25 Mrd. Reichsmark zur Verfügung gestellt. Das Problem, die Reparationsrate aufzubringen, war damit aber nicht gelöst worden, denn die Einnahmen des Reiches waren gleichzeitig sogar um 20 Prozent zurückgegangen. Die radikale Kürzung der Personalausgaben hatte die Beamten, die Angestellten und die Arbeiter im öffentlichen Dienst gezwungen, ihren Verbrauch einzuschränken. Die Einsparungen bei den Sachausgaben schlugen sich in einer Verringerung der Einkäufe des Staates nieder. In beiden Fällen wurden die Erlöse der Unternehmer geschmälert. Daher sank nicht nur – trotz Anhebung der Steuertarife! – das Aufkommen aus der Lohnsteuer, sondern auch der Ertrag der Steuern auf Umsätze und Unternehmereinkommen. Die Anhebung der Besteuerung des Verbrauchs führte bei nicht lebensnotwendigen Gütern zu erheblichen Einbußen beim Absatz. Kaum hatte die 1. Notverordnung die Tabaksteuer erhöht, als fast die gesamte Tabakverarbeitung in Baden zum Erliegen kam. Die immer schwerer werdende Steuerbelastung des Bieres trug, während der Wein mit Rücksicht auf die Notlage vieler Winzer steuerfrei blieb, dazu bei, daß der Ausstoß der deutschen Brauereien zwischen 1929 und 1932 um 41 Prozent zurückging.

Die Beschleunigung des Konjunkturabschwungs als Folge der kombinierten Anwendung von Deflations- und Parallelpolitik wurde durch Brünings Agrarpolitik noch verstärkt. Die Einfuhrzölle wurden zum Teil mehrfach erhöht und durch Importkontingente ergänzt. Hinzu traten Maßnahmen der Umschuldung und des Vollstreckungsschutzes, die, gebündelt im Programm der »Osthilfe«, hauptsächlich der Sanierung ostelbischer Güter dienten. Das Bestreben, die Einkommen der Landwirte zu verbessern, widersprach indessen den Zielen der Deflationspolitik. Die Anhebung der Lebensmittelpreise bei gleichzeitiger Senkung der Löhne, Gehälter und Unterstützungssätze ließ sich folglich auch nicht lange durchhalten. Der Schwund der Kaufkraft der Verbraucher erzwang bald ein Nachgeben der Agrarpreise, das vor allem die Veredelungswirtschaft traf. Die Geldeinkünfte der deutschen Bauern fielen zwischen 1928/29 und 1932/33 um mehr als ein Drittel, während die Preise ihrer Produktionsmittel nicht in gleichem Maße sanken. Hinzu kam, daß die Reichsregierung die Einfuhr von Getreide und Futtermitteln rascher und schwerer mit Zöllen belastete als den Import von Schlachtvieh, Fleisch und Fett. Der Agrarprotektionismus begünstigte mithin die Roggenproduzenten, zu denen die Gutsbetriebe im Osten des Reiches zählten. Er benachteiligte dagegen die Viehzüchter, darunter vor allem die Mastbetriebe im Nordwesten, die nach der Anhebung der Einfuhrzölle den vergleichsweise teuren deutschen Roggen verfüttern mußten, obwohl ihnen die ständig schwindende Massenkaufkraft die Möglichkeit nahm, die hohen Gestehungskosten auf die Verbraucher abzuwälzen. Das Fernhalten der Agrarimporte durch das Auftürmen der Zollmauern stand außerdem Brünings Ziel im Wege, die Ausfuhr deutscher Industriewaren zu steigern. Handelspartner, denen der Agrarprotektionismus den Absatz ihrer Getreide- oder Fleischprodukte auf den Märkten des Reiches erschwerte, verfügten nicht mehr über hinreichend hohe Erlöse, um nun ihrerseits deutsche Maschinen kaufen zu können.

Die Umschuldung finanziell angeschlagener landwirtschaftlicher Betriebe bedeutete die Umwandlung kurzfristiger in langfristige, niedrig verzinsliche Schulden, wobei die Reichskasse die Kosten der Zinsdifferenz trug. Insbesondere die Osthilfe, die als politischer Zankapfel mit zum Untergang der Weimarer Republik beitrug, lastete wie ein Bleigewicht auf dem Reichshaushalt. Schon beim Amtsantritt Brünings besaß dieses Subventionsprogramm den eindeutigen Vorrang vor Maßnahmen der Arbeitsbeschaffung, wie ein Vergleich zwischen Haushaltsplan und -rechnung für 1930 ausweist: Für die »wertschaffende Arbcitslosenfürsorge« waren im Etat 55 Mio., für das Wohnungs- und Siedlungswesen 24,85 Mio. Reichsmark angesetzt worden. Ausgegeben wurden für diese beiden Posten jedoch nur 45 Mio. bzw. 6,5 Mio. Reichsmark. Dagegen überschritt die Osthilfe mit 60,79 Mio. Reichsmark den Voranschlag um über 8 Mio. Im Rahmen des Osthilfegesetzes vom 31. März 1931 waren für Förderungsmaßnahmen bis zum Jahre 1936 1,99 Mrd. Reichsmark vorgesehen, von denen allein 950 Mio. der Entschuldung dienen sollten.

Die Finanzverfassung der Weimarer Republik, die die Steuerhoheit dem Reich übertragen hatte, ließ Ländern und Gemeinden keine andere Wahl, als die Parallelpolitik Brünings in ihre Haushaltsführung zu übernehmen. Damit fehlte die finanzielle Grundlage für die Verwirklichung regionaler Programme der Arbeitsbeschaffung, wie sie z. B. der Landtag Preußens bereits im Februar 1931 von seinem Handelsministerium verlangt hatte. Im Gegenteil, kaum hatte der Reichspräsident die Notverordnung vom 8. Dezember 1931 unterzeichnet, als die von Sozialdemokraten geführte Regierung Preußens am 23. Dezember eine »Sparverordnung« zur Sicherung ihres Haushalts erließ. In diesem Gesetz hob sie im Rahmen einer Verwaltungsreform 60 Amtsgerichte auf, sie schloß mehrere Staatstheater, pädagogische Akademien und landwirtschaftliche Versuchsanstalten, sie legte Schulklassen zusammen, und sie entließ zahlreiche Junglehrer.

Die Notstandsarbeiten, welche die meisten Länder und vor allem die Industriestädte ausführen ließen, dienten dazu, die ärgste Not unter den Erwerbslosen zu lindern. Sie bildeten jedoch kein Gegengewicht zum Deflationsdruck, den die Reichspolitik auf die Wirtschaft ausübte. Eine bescheidene Entlastung des Arbeitsmarktes brachten allenfalls die Bestrebungen der Länder und Gemeinden, in ihren eigenen Unternehmungen die Entlassung von Arbeitskräften auf ein Mindestmaß zu beschränken und, wenn möglich, verlustbringende Betriebe auf Kosten der ertragreichen durchzuschleppen. So ging zwischen 1930 und 1932 die Belegschaft im Ruhrbergbau um 42,6 Prozent zurück, bei der dem preußischen Staat gehörenden Hibernia AG in Herne jedoch nur um 27,9 Prozent. Die Zahl der in den kommunalen Betrieben beschäftigten Personen wurde Anfang 1930 auf 350000 bis 370000, Ende 1932 auf 340000 bis 350000 geschätzt.

Die kommunalen und regionalen Notstandsarbeiten hätten bei der Bekämpfung der Arbeitslosigkeit zweifellos eine größere Durchschlagskraft entfaltet, wenn sie durch beschäftigungspolitische Maßnahmen des Reiches gestützt und ergänzt worden wären. Allerdings hätte ein breit angelegtes Programm zur

Ankurbelung des Wirtschaftsprozesses nach dem Versiegen der in- und ausländischen Kapitalquellen nur durch eine Geldschöpfung der Reichsbank finanziert werden können, der sich, von allen anderen Widerständen abgesehen, bereits der Young-Plan in den Weg stellte. An dieser Feststellung ändert auch der Sachverhalt nichts, daß nach dem Ausbruch der Bankenkrise die vorgesehene Mindestdeckung der umlaufenden Reichsmark-Noten durch Gold- und Devisenreserven der Reichsbank fortlaufend unterschritten wurde und z. B. am 31. Dezember 1931 statt 40 Prozent nur noch 24,2 Prozent betrug. Dieser objektive Verstoß gegen die Reparationsabmachungen war nämlich trotz der verzweifelten Bemühungen der Reichsregierung erfolgt, durch unermüdlichen Druck auf das inländische Kostenniveau im Wettlauf mit der Abwertung des britischen Pfundes die Ausfuhr zu steigern und dadurch Devisenüberschüsse zu erzielen. Hätte hingegen die Leitung der Reichsbank zum Zwecke der Ausweitung der monetären Nachfrage auf dem Binnenmarkt die Menge ihrer Banknoten gezielt über den Dekkungsrahmen hinaus vermehrt, so hätten die Reparationsgläubiger die Reichsregierung zweifellos des Vertragsbruchs bezichtigt.

Wenn die Regierung Brüning auch keinen finanziellen Spielraum besaß, um durch eine rasche und umfangreiche Erhöhung der Staatsausgaben die Produktion im Inland anzuheizen, so bleibt doch die Frage, ob sie nicht in der Lage gewesen wäre, wenigstens den konjunkturellen Abschwung zu dämpfen und das Ausmaß der Arbeitslosigkeit zu mildern. Spätestens im Sommer 1931, als die verheerenden Auswirkungen der Deflations- und Parallelpolitik allgemein sichtbar wurden, hätte sie Mittel erkunden müssen, die es erlaubt hätten, ohne Verletzung der Reparationsvereinbarungen den Kreditspielraum der Reichsbank für die Finanzierung von Notstandsarbeiten auszuweiten. Daß es diesen Ausweg gab, bezeugt die Wende in der Konjunkturpolitik, die sich in den letzten Amtstagen Brünings anbahnte. In dessen Regierungszeit fiel ferner der sozialpolitische Skandal, daß die autonome Reichsanstalt begann, sich finanzielle Polster zuzulegen – im Haushaltsjahr 1931 immerhin bereits 24,1 Mio. Reichsmark –, während Millionen von Wohlfahrtserwerbslosen darben mußten. Hätte man diesen Betrag an die Arbeitslosen »ausgeschüttet«, so wäre er in Form von Konsumausgaben schnell und vollständig in den Wirtschaftskreislauf geflossen. Eine bescheidene konjunkturpolitische Geste der

Reichsregierung im Sommer 1931 hätte vielleicht auch dem um sich greifenden Pessimismus der Unternehmer entgegengewirkt, die angesichts einer politisch und wirtschaftlich völlig ungewissen Zukunft ihr Geldkapital horteten oder auf Sparkonten anlegten, anstatt es für die Erneuerung oder Erweiterung ihres Produktivvermögens einzusetzen. Brüning aber zeigte sich, auch auf Grund seiner eigenen asketischen Veranlagung, blind für das soziale Elend, das seine Politik hervorrief, und nahm im Interesse seiner Reparationspolitik den Katastrophenwinter 1931/32 bewußt in Kauf.

Verteidiger der Deflations- und Parallelpolitik können freilich darauf verweisen, daß die Roßkur, die Brüning der deutschen Wirtschaft verordnete, zum außenpolitischen Erfolg führte. Den Willen des Kanzlers zur Erfüllung der Reparationsverpflichtungen auch unter widrigen Umständen und ohne die geringste Rücksichtnahme auf die soziale Lage der deutschen Bevölkerung mußten alle Gläubigernationen anerkennen. Da trotz dieser Anstrengungen die Zahlungsunfähigkeit Deutschlands eingetreten war, zeigten sie sich zu einer Revision des Young-Plans bereit. Die in Lausanne tagende Konferenz beschloß am 9. Juli 1932 die Einstellung der Reparationen gegen eine einmalige, nicht vor 1935 fällige Abfindung von 3 Mrd. Reichsmark. Brünings Kabinett konnte sich freilich nicht mehr mit dem Ruhm dieses Erfolges schmücken. Am 30. Mai 1932 hatte der Kanzler seinen Rücktritt erklärt, nachdem er das Vertrauen des Reichspräsidenten verloren hatte. Ungeachtet des äußeren Anlasses für seinen Sturz – Meinungsverschiedenheiten mit Hindenburg über Siedlungspläne im Osten –, war Brüning letztlich doch an seiner überzogenen Deflations- und Parallelpolitik gescheitert, von der niemand mehr einen Ausweg aus der schweren Depression erwartete.

*Ansätze zur Überwindung der Wirtschaftskrise 1932/33*

Nach dem Katastrophenwinter 1931/32 ergriffen die Gewerkschaften die Initiative für eine aktive Konjunkturpolitik. Am 26. Januar 1932 wurde der Öffentlichkeit der aus den Reihen der Freien Gewerkschaften stammende WTB-Plan vorgelegt. Dieser nach den Anfangsbuchstaben der Namen seiner Verfasser Woytinski, Tarnow und Baade benannte Plan ging von dem Gedanken aus, »daß zum Abbau der Arbeitslosigkeit und zum Wiederanstieg der Wirtschaft ein Anstoß erfolgen muß, weil die selbsttätigen Kräfte der Krisenüberwindung außer Funktion gesetzt oder gelähmt sind«. Er zielte darauf ab, durch Aufträge der Reichsbahn, der Reichspost, der Kommunalverbände und anderer Körperschaften des öffentlichen Rechts in Höhe von 2 Mrd. Reichsmark eine Million Arbeitslose wieder in Arbeit zu bringen.

Die Finanzierung dieser Aufträge, die durch Wechselkredite der Reichsbank erfolgen sollte, hätte nach der Berechnung der Autoren des WTB-Plans den Geldumlauf tatsächlich nur um 1,2 Mrd. Reichsmark vergrößert, weil die Staatskasse durch den Wegfall der Unterstützung für eine Million Erwerbslose etwa 600 Mio. und durch die Sozialabgaben und Steuerleistungen der jetzt wieder beschäftigten Arbeiter ungefähr 200 Mio. Reichsmark hätte abschöpfen können. Die Verfasser widerlegten den Einwand, eine Geldschöpfung in dieser Höhe könne die Stabilität der Währung gefährden. Auf die Frage, warum man, wenn doch keine Inflationsgefahr bestehe, nicht gleich Kredite für die Beschäftigung von 5 Millionen Arbeitslosen bereitstellen könne, erteilten sie freilich die für die damalige Inflationspsychose bezeichnende Antwort, der für ein solches Programm erforderliche Finanzaufwand enthalte währungspolitische Risiken. Der »Krisenkongreß« des ADGB erhob den WTB-Plan am 13. April 1932 zum offiziellen Programm der sozialdemokratischen Gewerkschaften.

Die konjunkturpolitische Aktivität des ADGB unterstützte die Bemühungen eines Mitglieds des Vorstands der christlichen Gewerkschaften, des Reichsarbeitsministers Adam Stegerwald, im Reichskabinett die Politik der Arbeitsbeschaffung voranzutreiben. Der von Stegerwald entworfene, am 3. März 1932 der Reichskanzlei unterbreitete Vorschlag stimmte weitgehend mit den Vorstellungen des ADGB überein. Er sah Investitionen in Höhe von 1,15 bis 1,45 Mrd. Reichsmark bei Bahn und Post, im Straßenbau, bei landwirtschaftlichen Meliorationen, bei Wasserbauvorhaben und im Kleinwohnungsbau vor. Obwohl von Finanzminister Dietrich befürwortet, scheiterte die zügige Verwirklichung dieses Plans am Widerstand der Reichsbank, deren Präsident sich gegen jede Kreditausweitung sperrte. Der Kanzler zauderte mit seiner Zustimmung und betonte den Vorrang der Lösung der Reparationsfrage. Erst als Luther durchblicken ließ, die Reichsbank könne zwar keinem geschlossenen Programm, wohl aber einzelnen Maßnahmen der Arbeitsbeschaffung finanzielle Hilfe gewähren, öffnete sich der Weg zu einem Kompromiß. Am 19. und 20. Mai 1932 verabschiedete das Kabinett ein Programm, nach dem 135 Mio. Reichsmark für Zwecke der Arbeitsbeschaffung ausgegeben werden sollten, und zwar 60 Mio. beim Straßenbau, 50 Mio. beim Wasserbau und 25 Mio. bei Meliorationen. Die Finanzierung der Staatsaufträge sollte auf folgende Weise geschehen: Die mit dem Bauvorhaben beauftragten Unternehmer zogen Wechsel auf die Deutsche Gesellschaft für öffentliche Arbeiten AG (Öffa), die von der Reichsbank rediskontiert werden konnten. Deshalb waren die Privatbanken bereit, die von der Öffa akzeptierten und mit der Rediskontzusage der Reichsbank versehenen Wechsel gegen Bargeld anzukaufen. War auch die finanzielle Ausstattung des Programms für eine spürbare Bekämpfung der Arbeitslosigkeit zu dürftig, so brachte die vorgesehene Methode der Finanzierung doch eine entscheidende Neuerung. Der Öffa-Wechsel erschloß dem Reich einen legalen Weg zur Vermehrung der umlaufenden Geldmenge. Er stellte den Prototyp des »Arbeitsbeschaffungswechsels« dar, den später vor allem Schacht zur Vorfinanzierung der Arbeitsbeschaffungs- und Rüstungsprogramme Hitlers benutzte.

Nach Brünings Sturz führte sein Nachfolger Franz von Papen die Maßnahmen des 135-Mio.-Reichsmark-Programms durch. Erst ab Juli, als das Reparationsproblem die Diskussion über eine aktive Konjunkturpolitik nicht mehr belastete, erörterte das Reichskabinett die Bereitstellung weiterer Geldmittel und den Einsatz neuer Instrumente für die Arbeitsbeschaffung. Am 28. August 1932 kündigte Reichskanzler Papen den Beitrag seiner Regierung zur Bekämpfung der Krise an. Der »Papen-Plan« verknüpfte Investitionen der öffentlichen Hand mit Steuersenkungen und Subventionen, die darauf abzielten, die private Investitionstätigkeit anzukurbeln. Dem Mißtrauen der Privatwirtschaft gegen die staatliche Arbeitsbeschaffung Rechnung tragend, lag der Schwerpunkt des Programms eindeutig auf der Anregung der Initiative der Unternehmer. Den Anstoß zu einem Aufschwung der Konjunktur sollten die folgenden Maßnahmen des Papen-Plans geben:

1. Der staatlichen Arbeitsbeschaffung wurden 300 Mio. Reichsmark zugewiesen. Gefördert werden sollten insbesondere der Straßenbau mit 102 Mio., Tiefbauarbeiten mit 52 Mio., Meliorationen mit 51 Mio. und der Ausbau der Reichswasserstraßen mit 50 Mio. Reichsmark.

2. Für die während der Zeit vom 1. Oktober 1932 bis zum 30. September 1933 fälligen und entrichteten Umsatz-, Gewer-

be-, Grund- und Beförderungssteuern gab der Staat »Steuergutscheine« aus, deren Wert sich in der Regel auf 40 Prozent des gezahlten Steuerbetrags belief. Er versprach, diese Gutscheine in der Zeit vom 1. April 1934 bis zum 31. März 1939 für die in diesem Zeitraum fälligen Steuern in Zahlung zu nehmen. Die Steuergutscheine konnten wie börsenfähige Wertpapiere verkauft oder beliehen werden, so daß sie zur Beschaffung von Bargeld für Investitionszwecke geeignet waren. Vorgesehen war die Ausgabe von Gutscheinen im Werte von 1,7 Mrd. Reichsmark. Die Reichsregierung rechnete damit, die Gutscheine nach der von dieser Aktion erhofften Wiederbelebung der Wirtschaft aus den Erträgen der dann wieder reichlich sprudelnden Steuerquellen einlösen zu können.

3. Außerdem versprach der Staat den Unternehmern für jeden ab dem 1. Oktober 1932 zusätzlich eingestellten Arbeiter eine Lohnprämie von 400 Reichsmark im Jahr, die in Form von Steuergutscheinen ausbezahlt werden sollte. Für diese Subvention wurden insgesamt 700 Mio. Reichsmark veranschlagt, die ausreichten, um 1,75 Millionen Erwerbslosen für ein Jahr wieder einen Arbeitsplatz zu verschaffen.

Die Reichsregierung rechnete damit, daß vor allem die lohnintensiven kleinen und mittleren Unternehmen von dieser Prämie Gebrauch machen würden. In einer Durchführungsverordnung zum Papen-Plan schrieb sie die 40-Stunden-Woche als Grundlage für die Berechnung der »Mehrbeschäftigung« fest. Ein Unternehmer, der nur deswegen zusätzliche Arbeitskräfte benötigte, weil er gerade die reguläre Wochenarbeitszeit von 48 auf 40 Stunden verkürzt hatte, sollte keine Lohnsubvention erhalten. Hatte hingegen ein Firmeninhaber seine Belegschaft bisher weniger als 36 Stunden pro Woche arbeiten lassen, um durch Kurzarbeit Massenentlassungen zu vermeiden, und stellte er nun neue Mitarbeiter ein, so konnte er für diese sogar erhöhte Prämien fordern. Auf diese Weise sollte vermieden werden, daß die Subvention diejenigen Arbeitgeber belohnte, die ihre Belegschaft rigoros abgebaut hatten, und ihnen obendrein Kostenvorteile gegenüber Konkurrenten verschaffte, die aus sozialer Verantwortung auf Kurzarbeit ausgewichen waren. Allerdings erwarb der Arbeitgeber erst dann ein Anrecht auf die Lohnsubvention, wenn das neue Beschäftigungsverhältnis mindestens ein Vierteljahr gedauert hatte. Da aber am 1. Oktober 1932 gerade die Leiter kleiner und mittlerer Unternehmen nicht absehen konnten, wie sich der zu erwartende saisonale Konjunkturrückgang in ihren Auftragsbüchern niederschlagen würde, scheuten sie vor Neueinstellungen zurück. Bis Dezember 1932 waren daher erst Lohnprämien im Werte von 50 Mio. Reichsmark abgerufen worden.

Unter dem Druck der Unternehmerverbände, namentlich des Reichsverbandes der Industrie, begann die Regierung Papen ferner, die zwischen den Arbeitgebern und den Gewerkschaften abgeschlossenen Tarifverträge zu »lockern«. Mehrere Mitglieder des Kabinetts betonten freilich, das Aufbrechen der Tarifabmachungen sei nur durch eine gleichzeitige Vermehrung der Zahl der Beschäftigten zu rechtfertigen, die überdies, im Gegensatz zu den Lohnkürzungen Brünings, zu einer Stärkung der Massenkaufkraft führen müsse. Die »Verordnung zur Vermehrung und Erhaltung der Arbeitsgelegenheit« vom 5. September 1932 ergänzte die Lohnprämie, die zu Lasten der Staatskasse ging, durch eine weitere Lohnsubvention auf Kosten der Arbeitnehmer, die auf die Interessen der in Großbetrieben organisierten Industriezweige zugeschnitten war. Wurden in einem Betrieb ab 15. September 1932 mehr Arbeitskräfte beschäftigt als am 15. August oder im Durchschnitt der Monate Juni, Juli und August 1932, so konnte der Arbeitgeber für die Dauer der Mehrbeschäftigung, nicht länger jedoch als ein halbes Jahr, die jeweiligen durch Tarifverträge festgelegten Lohnsätze für die 31. bis 40. Wochenstunde unterschreiten. Diese Regelung erstreckte sich nicht nur auf die neueingestellten Mitarbeiter, sondern auf die gesamte Belegschaft. Die Arbeitszeit, die über 40 Stunden pro Woche hinausreichte, war von der Kürzung des Tariflohns ausgeschlossen. Eine Vermehrung der Zahl der Arbeiter um 5 Prozent berechtigte bereits zu einer Senkung des Tariflohns um 10 Prozent für zehn Arbeitsstunden. Die Obergrenze bildete die Kürzung des Lohnsatzes um 50 Prozent bei einer Aufstockung des Personalbestandes um 25 Prozent.

Das Ziel der »Stärkung der Massenkaufkraft« wäre mit dieser Maßnahme nur erreicht worden, wenn die Arbeitgeber, ungeachtet der individuellen Lohnkürzung, für ihre nunmehr vergrößerte Belegschaft eine höhere Lohnsumme ausbezahlt hätten als zuvor. Wie das folgende Rechenexempel lehrt, trat dieser Fall aber nicht zwangsläufig ein: Ein Unternehmer, der 100 Arbeiter zu einem Tariflohnsatz von 100 Pfennig pro Stunde 48 Stunden in der Woche beschäftigte, zahlte eine Lohnsumme von 4800 Reichsmark aus. Gemäß der Verordnung vom 5. September 1932 senkte er die Arbeitszeit auf 40 Stunden und stellte

25 neue Arbeitskräfte ein. Damit war er berechtigt, den Tariflohn für zehn Arbeitsstunden von 100 auf 50 Pfennig herabzusetzen. Alle Arbeiter empfingen jetzt einen Wochenlohn von 35 Reichsmark, die Lohnsumme belief sich auf 4375 Reichsmark. Wenn der Unternehmer die Summe von 425 Reichsmark, die er gegenüber der Ausgangslage pro Woche an Lohngeldern einsparte, nicht für Konsumgüter ausgab, sondern sie für künftige Investitionen zurücklegte, schrumpfte die kaufkräftige Nachfrage. Die als Folge der Lohneinbußen der »alten« Mitarbeiter in Höhe von immerhin 27 Prozent erzielte Mehrbeschäftigung konnte deshalb recht schnell eine Minderbeschäftigung im Handel und in der Konsumgüterindustrie auslösen. Vor diesem Hintergrund sind Meldungen über Erfolge der Lockerung der Tariflöhne zu beurteilen. Es war z. B. auffällig, daß der IG-Farben-Konzern, der seine Belegschaft seit dem Ausbruch der Krise stark abgebaut hatte, plötzlich wieder zusätzliche Arbeitskräfte einstellte. Vom 1. Oktober 1932 bis zum 1. Februar 1933 erhöhte er die Zahl der Arbeiter in seinen Betrieben von 47441 auf 52489, wobei er die verkürzte Arbeitszeit von 40 Wochenstunden weitgehend durchsetzte.

Fügt man diesen Nebenwirkungen die oben bereits behandelte scharfe Kürzung der Erwerbslosenunterstützung hinzu, so gerät Papens Politik der Arbeitsbeschaffung ins Zwielicht. Die Ankurbelung der öffentlichen und privaten Investitionen, zumal mit ihrer weit über Brünings Ansätzen liegenden finanziellen Ausstattung, stellte zweifellos den richtigen Schritt auf dem Weg zur konjunkturellen Erholung dar. Die Kürzung von Lohn- und Unterstützungssätzen bedeutete hingegen einen Rückfall in die Deflationspolitik.

Wenngleich sich die Maßnahmen des Papen-Plans erst im Laufe des Jahres 1933 voll auf den Wirtschaftskreislauf auswirken konnten, so trug doch bereits die Verkündung dieses den Wünschen der Unternehmer entsprechenden Programms dazu bei, das »Investitionsklima« in der Privatwirtschaft zu verbessern. Gleichzeitig ermutigte die Leitung der Reichsbank durch eine fortlaufende Ermäßigung ihres Diskontsatzes von 8 Prozent im Dezember 1931 bis auf 4 Prozent im September 1932 die Geschäftsbanken, den Umfang ihrer Wechselkredite auszuweiten. Das Barometer der Börse zeigte an, daß die pessimistische Stimmung unter den privaten Investoren umschlug. Der Index der Aktienkurse, der, bezogen auf den Durchschnitt der Jahre 1924–1926 = 100, bis April 1932 auf 49,6 abgesunken war und im Juli bei 49,9 gestanden hatte, kletterte bis zum Dezember 1932 auf 61,8.

Zaghaft regten sich inzwischen auch die »Selbstheilungskräfte« des Marktes. Wer ein bestimmtes Mindestkapital gespart oder gehortet hatte, sah jetzt eine günstige Gelegenheit gekommen, um mit dem Bau eines Ein- oder Zweifamilien-Hauses zu beginnen. Der Index der Baupreise war von 101,9 im Durchschnitt des Jahres 1929 auf 75,6 im Jahre 1932 gefallen. Zwar lagen die Zinsen für Zwischenkredite im Vergleich zu früheren Wirtschaftskrisen immer noch recht hoch. Doch ermunterten viele Gemeinden ihre bauwilligen Bürger, indem sie ihnen Zinszuschüsse oder die Übernahme von Bürgschaften in Aussicht stellten. Die gewaltige Nachfragelücke, die der Zusammenbruch des öffentlichen Wohnungsbaus auf den Märkten der Bauwirtschaft hinterlassen hatte, wurde auf diese Weise wenigstens zum Teil durch die Projekte privater Bauherren aufgefüllt. Freilich schob sich nun an die Stelle des mehrstöckigen Mietshauses das Eigenheim oder Siedlungshaus, wie die statistische Erfassung der begonnenen Wohnungsbauvorhaben zeigt:

Zahl der »Baubeginne« in 96 Groß- und Mittelstädten

| | 1930 | 1931 | 1932 |
|---|---|---|---|
| Zahl der Wohngebäude | 25989 | 11889 | 21728 |
| Zahl der Wohnungen pro Wohngebäude | 4,82 | 4,21 | 1,69 |

Bei diesen Jahreswerten ist zu berücksichtigen, daß die Zahl der »Baubeginne« in den Monaten Januar bis März 1932 noch unter den Vergleichszahlen des Vorjahres lag. Vor allem in der zweiten Hälfte des Jahres 1932 überstiegen dann die begonnenen Bauvorhaben deutlich die entsprechenden Zahlen des Jahres 1931. Die allmähliche Belebung der Bauwirtschaft trug dazu bei, daß die Arbeitslosigkeit im Spätherbst 1932 zum ersten Mal seit Ausbruch der Weltwirtschaftskrise nicht deutlich höher lag als zur gleichen Zeit des Vorjahres.

Auftriebskräfte zeigten sich Ende 1932 auch in einem Industriezweig, den die Krise heftig geschüttelt hatte. 1928 hatten in Deutschland 27 Hersteller 80362 Personenkraftwagen in 127 verschiedenen Typen produziert. 1932 fertigten 17 Firmen 42006 Einheiten, wobei sie mit 60 Typen auskamen. Die leistungs- und anpassungsfähigeren Unternehmen, die diesen

Ausleseprozeß überlebt hatten, erzielten, wie der folgende Überblick ausweist, seit Oktober 1932 erstmals wieder steigende Verkaufszahlen auf dem Binnenmarkt:

Zulassungen fabrikneuer Personenkraftwagen in Einheiten (1928 = 100)

| | 1931 | 1932 | 1933 |
|---|---|---|---|
| Januar | 99,2 | 57,6 | 81,2 |
| Februar | 101,0 | 82,2 | 91,5 |
| März | 219,5 | 125,9 | 179,1 |
| April | 348,9 | 148,3 | 320,6 |
| September | 144,3 | 137,2 | 316,4 |
| Oktober | 118,4 | 131,6 | 313,7 |
| November | 93,8 | 117,5 | 233,4 |
| Dezember | 62,7 | 92,6 | 230,5 |

Ähnlich wie im Wohnungsbau kam es auch in dieser Branche zu einer Umschichtung in der Produktionsstruktur, denn der Anteil der PKW bis 1,5 l Hubraum wuchs zwischen 1929 und 1932 von 38,7 auf 57,7 Prozent. Die steigende Nachfrage nach Kleinwagen erklärte sich daraus, daß viele Autobesitzer wegen ihres sinkenden Einkommens die hohen Steuer- und Treibstoffkosten ihres »schweren« Wagens nicht mehr tragen konnten, aber andererseits zur Ausübung ihres Berufes, z. B. als Landarzt oder Handelsvertreter, ein Automobil benötigten. Mehrere deutsche Produzenten erkannten die Absatzchance, die sich hier bot, und entwickelten ab 1930 technisch hochwertige, steuergünstige und im Verbrauch sparsame Kleinwagen. Als Musterbeispiel sei der mit einem Zweitaktmotor mit 600 ccm ausgerüstete Frontantriebswagen »DKW-Meisterklasse« erwähnt, den die Zschopauer Motorenwerke im April 1932 vorstellten.

Den leichten konjunkturellen Aufwind, den dieser Zweig der Automobilindustrie im Winterhalbjahr 1932/33 verspürte, nutzte die nationalsozialistische Regierung für ihre erste eigenständige Maßnahme zur Belebung der Wirtschaft. Am 10. April 1933 befreite sie jeden Käufer eines neuen PKW von der Entrichtung der Kraftfahrzeugsteuer. Die »Selbstreinigung« der PKW-Industrie von unproduktiven Betrieben war freilich zu Lasten ihrer Arbeiter und Angestellten gegangen, von denen weit über die Hälfte während der Krisenjahre ihren Arbeitsplatz verloren hatten.

Von einer Entspannung der Lage auf dem Arbeitsmarkt konnte deshalb nicht die Rede sein, als das Kabinett Schleicher am 3. Dezember 1932 für knapp zwei Monate die Regierungsverantwortung übernahm. Obwohl er das Arbeitsbeschaffungsprogramm Papens fortführte, rückte Reichskanzler Schleicher, der die Zusammenarbeit mit den Gewerkschaften suchte, die staatliche Auftragsvergabe in den Vordergrund seiner Konjunkturpolitik. Außerdem bemühte er sich, Beschäftigungs- und Sozialpolitik miteinander zu verknüpfen. Folglich hob sein Kabinett am 14. Dezember 1932 die Ermächtigung der Arbeitgeber zur Tariflohnsenkung auf, die spätestens am 31. Januar 1933 eingestellt werden mußte. Vor allem finanzschwache, in einen heftigen Wettbewerb auf ihrem Absatzmarkt verstrickte Unternehmer scheuten inzwischen vor einer Kürzung der Tariflöhne zurück, weil dieses Vorhaben mehrfach wilde Streiks ausgelöst hatte, wobei sich eine bemerkenswerte Solidarität zwischen Beschäftigten und Erwerbslosen herausgebildet hatte. Um die Planung und die Durchführung beschäftigungswirksamer Maßnahmen zu verbessern, errichtete die Regierung Schleicher das »Reichskommissariat für Arbeitsbeschaffung«, das sie dem Landrat a. D. Gereke anvertraute, der mit eigenen Vorschlägen für eine staatliche Beschäftigungspolitik hervorgetreten war. Im Gegensatz zu Papen und seinen Beratern vertrat Gereke die Auffassung, daß nur umfangreiche öffentliche Arbeiten, nicht aber private Investitionen zu einem raschen Konjunkturaufschwung verhelfen könnten. Diese Überlegung prägte ein »Sofortprogramm«, an dessen Ausarbeitung er maßgeblich beteiligt war.

Am 28. Januar 1933 trat Schleichers Sofortprogramm in Kraft, das mit 500 Mio. Reichsmark ausgestattet war, von denen 100 Mio. für das Reich und 400 Mio. für die Länder und Gemeinden bestimmt waren. Die Bauvorhaben, die mit diesen Geldern ausgeführt werden sollten, erstreckten sich auf die Reparatur oder die Verbesserung bestehender Anlagen, also nicht auf völlig neue Projekte, deren Planung erhebliche Zeit in Anspruch genommen hätte. Außerdem mußten sie spätestens im Dezember 1933 beendet sein. Die Aufträge sollten auf dem Weg der Ausschreibung hauptsächlich mittleren und kleinen Unternehmen zugeteilt werden. Die Arbeiter erhielten Tariflöhne, durften aber nur 40 Stunden in der Woche beschäftigt werden. Auf den Einsatz von Maschinen sollte so weit wie möglich verzichtet werden. Die Finanzierung der Arbeitsbeschaffung erfolgte nach dem Vorbild der Öffa-Wechsel. Die Firmen, die Staatsaufträge durchführten, zogen »Arbeitsbeschaffungswechsel« auf die Öffa und die Rentenbank-Kreditanstalt. Zur Sicherung dieser Wechsel hinterlegte das Reich bei den beiden öffentlich-rechtlichen Kreditinstituten 500 Mio. Reichsmark in Form von Steuergutscheinen. Daraufhin erteilte die Reichsbank ihre Rediskontzusage. Diese auf eine rasche Belebung der Wirtschaft zugeschnittene Form der staatlichen Auftragsvergabe eignete sich als »Initialzündung« im träge dahinfließenden Wirtschaftskreislauf wesentlich besser als die Förderung privater Investitionen. Ende Februar 1933 hatten die Empfänger der Mittel des Sofortprogramms bereits über die volle Summe von 500 Mio. Reichsmark verfügt, wohingegen gerade erst Steuergutscheine im Werte von 391,1 Mio. Reichsmark ausgegeben worden waren. Inzwischen hatte sich freilich die Wende zur Diktatur vollzogen. Zwei Tage nach der Verkündung des Sofortprogramms hatte Hindenburg Hitler zum Reichskanzler ernannt.

Zum Zeitpunkt der nationalsozialistischen Machtübernahme am 30. Januar 1933 hatte die deutsche Volkswirtschaft die Talsohle der Depression bereits durchschritten. Auf dem Boden eines langsam anlaufenden, wenn auch auf dem Arbeitsmarkt noch nicht sichtbaren konjunkturellen Aufschwungs profitierte das NS-Regime von den bereits ins Werk gesetzten Maßnahmen der Präsidialkabinette Papen und Schleicher. Ein einziges Beispiel genügt, um diese Situation treffend zu kennzeichnen: Nach der Verkündung des Papen-Plans hatte sich die Unternehmensführung der Hibernia AG entschlossen, ihre finanziellen Reserven, die sie nach dem Vorbild des »braven Hausvaters« angesammelt hatte, aufzulösen und mit dem Abteufen eines neuen Schachtes auf der Zeche Altstaden zu beginnen. Im Juni 1933 wurde die Anlage eingeweiht und als Symbol für eine erfolgreiche Ankurbelung der Wirtschaft durch die »Regierung der nationalen Revolution« gefeiert.

Außerdem stand dem NS-Regime ein Bündel einsatzbereiter konjunkturpolitischer Instrumente zur Verfügung, die seit Sommer 1931 erarbeitet und erprobt worden waren. Das 1. Gesetz zur Verminderung der Arbeitslosigkeit vom 1. Juni 1933, das mit 1 Mrd. Reichsmark dotierte »1. Reinhardt-Programm«, entsprach in seinem finanziellen Rahmen, in der Auswahl der öffentlichen Arbeiten und in der Methode der Finanzierung durchaus den Plänen, die der ADGB und Reichsarbeitsminister

Stegerwald im Frühjahr 1932 verfolgt hatten. Dank der Finanzkünste des neuen Reichsbankpräsidenten Schacht, der am 16. März 1933 den konservativen Luther abgelöst hatte, konnte die NS-Regierung bis zum Frühjahr 1936 für Maßnahmen der Arbeitsbeschaffung, die freilich mit der verdeckten Aufrüstung verknüpft waren, insgesamt 5,2 Mrd. Reichsmark aufwenden. Dennoch dauerte es noch bis zum April 1937, ehe die Zahl der bei den Arbeitsämtern gemeldeten Erwerbslosen erstmals die Grenze von einer Million unterschritt.

Vor allem die katastrophale Lage am Arbeitsmarkt im Winter 1932/33 erklärt, warum es den Nationalsozialisten gelang, die Instrumente und die ersten Erfolge der Politik der Arbeitsbeschaffung ausschließlich als ihr eigenes Verdienst auszugeben. Nichts wirkte jedoch in der Anfangsphase der NS-Herrschaft unter der deutschen Bevölkerung werbender für das Regime als der zügige Abbau der Arbeitslosigkeit und die Ankurbelung der Produktion.

## 1. Denkschrift des Reichsbank-Direktoriums vom 1. Juli 1919

In der folgenden, in Auszügen wiedergegebenen Denkschrift schildern die Leiter der Reichsbank dem Reichsfinanzminister Erzberger die finanz- und währungspolitische Lage des Reiches. Sie unterbreiten ferner Vorschläge zur Konsolidierung der schwebenden Reichsschuld. Ihre Ausführungen bezeugen, daß sie die Hauptursache der Inflation durchaus erkennen und keineswegs, wie ihnen in der Literatur mitunter vorgeworfen wird, einem »fanatischen Deckungsfetischismus« huldigen.

Quelle: Akten der Reichskanzlei. Weimarer Republik. Das Kabinett Bauer. Boppard 1980, S. 40–46.

Die Reichsbank hat sich und ihren Kredit während des Krieges bis an die Grenze des Möglichen in den Dienst des Reiches gestellt. Sie hat dem Reich die sämtlichen Kriegskosten und die sonstigen Fehlbeträge des Reichshaushalts vorgeschossen, indem sie die gesamte schwebende Schuld vorläufig übernahm.

Seit Einstellung der Feindseligkeiten und nach Ausbruch der Revolution ist diese Schuld und im Zusammenhang damit auch die Inanspruchnahme der Reichsbank nicht nur nicht zurückgegangen, sondern in verstärktem Maße gewachsen. Sie hat gegenwärtig einen Höhepunkt erreicht, der die ernstesten Gefahren in sich birgt und zu den schwersten Besorgnissen Anlaß gibt. Ende Oktober v. J. bezifferte sich die Gesamtsumme der laufenden kurzfristigen Reichsschatzanweisungen auf 48,2 Mrd. M, bis Mitte Juni d. J. ist sie auf 71,4 Mrd. M, mithin um 23,2 Mrd. = 48% gestiegen. Die Lage des Geldmarktes ermöglichte es uns, einen großen Teil dieser von uns übernommenen Schatzanweisungen im Wege der Rediskontierung weiter zu begeben. Der auf solche Weise im freien Verkehr untergebrachte Gesamtbetrag stellte sich Ende Oktober auf 18,2, Mitte Juni auf 27,5 Mrd. M. ... Trotz dieser Abgaben beläuft sich die Anlage der Reichsbank in Schatzanweisungen des Reichs, die sich Ende Oktober auf 20,4 Mrd. M stellte, gegenwärtig auf nicht weniger als 28,9 Mrd. M. ...

Im Zusammenhange mit diesem Steigen der Anlage steht ein unausgesetztes Steigen des Notenumlaufs, der sich Ende Oktober auf 16,7 Mrd. M belief und am 15. Juni den Betrag von 28,3

Mrd. M erreichte. ... Zu diesem sich unaufhörlich steigernden Notenumlauf tritt der gleichfalls unausgesetzt zunehmende Umlauf an Darlehenskassenscheinen, deren Gesamtbetrag von 12,6 Mrd. Ende Oktober auf 19,8 Mrd. am 15. Juni sich erhöht hat. Etwa 11,2 Mrd. hiervon zirkulieren im freien Verkehr, der Rest – etwa 8,4 Mrd. (gegenüber 3 Mrd. Ende Oktober) – liegt als Notendeckung bei der Reichsbank.

Daß das Anwachsen des Zahlungsmittelumlaufes zum größten Teil in dem Anwachsen der schwebenden Schuld seine Ursache hat, unterliegt keinem Zweifel. Die Darlehen werden vom Reich bei der Reichsbank zwecks Zahlungsleistungen entnommen, und diese Zahlungen werden teils im Girowege, teils und überwiegend im Wege der Barzahlung, d. h. mit Hilfe von Noten und Darlehenskassenscheinen geleistet ...

Die schweren Nachteile, die sich aus dieser Entwicklung für die Reichsbank ergeben, liegen auf der Hand. Das fortwährende Anwachsen des Notenumlaufs hat die Metalldeckung der Noten mehr und mehr verschlechtert ... Die gesetzlich vorgeschriebene Dritteldeckung ... besteht hiernach gegenwärtig nur zu 12% aus Gold und zu 88% aus Darlehenskassenscheinen, zu deren Sicherstellung bei der Darlehenskasse ganz überwiegend Reichsschatzanweisungen verpfändet sind. Die bankmäßige Deckung setzt sich fast ganz aus Reichsschatzanweisungen zusammen, da der Bestand an Handelswechseln einschließlich der sogenannten Kommunalwechsel im Portefeuille der Reichsbank Mitte Juni auf 210 Mio. M zusammengeschmolzen war. Nach alledem ist die Notenausgabe so gut wie ausschließlich auf Reichsschatzanweisungen aufgebaut, die zwar kurzfällig sind, die aber bei Eintritt der Fälligkeit stets prolongiert werden müssen, und deren Betrag sich unausgesetzt erhöht. Dabei bleibt zu bedenken, daß die im freien Verkehr befindlichen Reichsschatzanweisungen, zur Zeit etwa 27,5 Mrd., eine nicht zu unterschätzende Gefahr für die Reichsbank darstellen, denn, sobald die gegenwärtige Flüssigkeit des Geldmarktes verschwindet – und daß sie bei Wiedereinsetzen der wirtschaftlichen Tätigkeit bestehen bleiben wird, ist kaum anzunehmen –, werden aller Voraussicht nach diese Schatzanweisungen mehr oder weniger der Reichsbank im Rediskont zuströmen ... Selbstverständlich wäre es dann auch nicht möglich, die an Stelle der fällig gewordenen Schatzanweisungen neu auszugebenden Stücke im freien Verkehr unterzubringen. Die Folge würde ein weiteres außerordentliches Wachsen der Anlage in Verbindung mit einem weiteren außerordentlichen Anwachsen des Notenumlaufs sein ... Angesichts dieser Lage müssen wir vom Standpunkte der Reichsbank darauf dringen, daß dem Anwachsen der schwebenden Schuld unter allen Umständen Einhalt geboten wird. Nur mit Hilfe äußerster Sparsamkeit und bei schleunigster Durchführung eines umfassenden, die Deckung der Reichsausgaben durch eigene Einnahmen ermöglichenden Steuerprogramms läßt sich das Ziel erreichen ...

Aber mit der Verhinderung eines weiteren Anwachsens der schwebenden Schuld allein ist es nicht getan. Vielmehr muß gleichzeitig die alsbaldige Abbürdung wenigstens eines erheblichen Teils dieser Schuld nachdrücklichst in Angriff genommen werden.

Wir möchten deshalb am Schlusse dieser grundsätzlichen Ausführungen auch unsererseits den Versuch machen, Wege zu finden, auf denen dieses Ziel erreicht werden könnte.

Als solche Wege sind von vornherein gegeben:

I. Die ... Umwandlung des in Belgien und Nordfrankreich liegenden deutschen Papiergeldes von ca. 8 Mrd. M in eine deutsche Markanleihe ...

II. Die große Vermögensabgabe ...

III. ... Es wird eine Zwangsanleihe ausgeschrieben dergestalt, daß jeder deutsche Besitzer von mehr als 10000 M Vermögen – berechnet nach dem Stande vom 31. Dezember 1918, wofür die Unterlagen jetzt durch die angeordneten Vermögensverzeichnisse überall alsbald vorhanden und zu beschaffen sind – verpflichtet wird, ein Drittel des diesen Betrag überschreitenden Vermögens in dieser Zwangsanleihe anzulegen ...

Eine solche Zwangsanleihe hätte den großen Vorteil

1. daß sie in ausgleichender Gerechtigkeit diejenigen Kapitalisten, die sich in der Not dem Reiche versagt hatten, nachträglich zwänge, wenigstens in annähernd gleichem Maße sich an der Reichskriegsschuld zu beteiligen,

2. daß dadurch der Besitz an Reichsanleihen einigermaßen gleichmäßig auf das ganze Volk verteilt würde und dementsprechend alle Kapitalbesitzer an dem finanziellen Stande und dem Gedeih und Verderb des Reiches interessiert würden,

3. daß die durch die Finanzlage des Reiches etwa gebotene Sonderbelastung der Zinseinnahmen ... annähernd gleichmäßig den gesamten Kapitalbesitz treffen würde,

4. daß endlich wohl erhebliche Teile der jetzt aufgespeicherten Geldbeträge dadurch herausgezwungen würden.

Das Ergebnis der Zwangsanleihe dürfte mit 20 Mrd. nicht zu hoch geschätzt sein, könnte aber leicht darüber hinausgehen ...

Jedenfalls muß auf jedem gangbaren Wege und mit allen Kräften dahin gestrebt werden, die umlaufenden Schatzanweisungen auf ein erträgliches Maß herabzumindern ... Im Portefeuille der Reichsbank hingegen würden an Stelle der abgebürdeten Schatzanweisungen die durch Wiedererwachen des Verkehrs bedingten Handelswechsel treten, und damit wäre wieder eine gesunde Grundlage für die Notenausgabe und für den Kredit der Reichsbank gewonnen ...

Reichsbank-Direktorium
Havenstein Glasenapp

## 2. Schreiben des Reichskanzlers Fehrenbach an den Allgemeinen Deutschen Gewerkschaftsbund vom 23. März 1921

Theodor Leipart, der Vorsitzende des ADGB, der Dachorganisation der sozialdemokratischen Gewerkschaften, teilt am 26. Februar 1921 Reichskanzler Fehrenbach die Forderungen seines Verbandes zur Behebung der Arbeitslosigkeit mit (Akten der Reichskanzlei. Das Kabinett Fehrenbach, S. 497–499). Anstatt der Unterstützung verlangen die Gewerkschaften für alle Erwerbslosen »Arbeit und ausreichenden Verdienst«. Den Schlüssel für die Überwindung der Arbeitslosigkeit erblicken sie in der staatlichen Förderung der Bauwirtschaft und in einer Verkürzung der Arbeitszeit. »Mit allem Nachdruck« dringen sie auf die »sofortige Einhebung aller Besitzsteuern«, deren Aufkommen zur Finanzierung der Arbeitsbeschaffung herangezogen werden soll. Fehrenbach antwortet Leipart am 23. März 1921. Der folgende Auszug aus seinem Schreiben vermittelt einen Eindruck von den Zielen, den Möglichkeiten und den Grenzen der staatlichen Beschäftigungspolitik.

Quelle: Akten der Reichskanzlei. Weimarer Republik. Das Kabinett Fehrenbach. Boppard 1972, S. 599–603.

Die Reichsregierung wendet der großen Arbeitslosigkeit, die seit dem Ende des Krieges das deutsche Wirtschaftsleben belastet, die ernsteste Aufmerksamkeit zu. Sie hat sich nicht darauf beschränkt, den Erwerbslosen durch öffentliche Unterstützungen den notwendigsten Lebensunterhalt zu gewähren in dem Ausmaß, in dem es die finanzielle Lage des Reiches, der Länder und der Gemeinden gestattet. Sie hat es vielmehr in erster Linie als ihre Aufgabe angesehen, auf jedem gangbaren Weg den Arbeitslosen Arbeit zu beschaffen, weil auch nach ihrer Auffassung die zerstörenden moralischen und volkswirtschaftlichen Folgen der Arbeitslosigkeit nicht ernst genug beurteilt werden können.

Von der Milliarde Mark an Reichsmitteln, die im Rechnungsjahr 1920 für die Erwerbslosenfürsorge aufgewendet worden sind, sind etwa 400 Mio. M in der Form der produktiven Erwerbslosenfürsorge ausgegeben worden. Diese Summe erhöht sich durch den Anteil, den die Länder und die Gemeinden hinzuzuschießen haben auf das doppelte. Auch in dem nun beginnenden Rechnungsjahr sollen, ganz in Übereinstimmung mit Ihrer ersten Forderung, öffentliche Arbeiten in weitestem Umfange in Angriff genommen werden. Ich darf auf die Haushaltspläne des Reichsverkehrs-, des Reichspostministeriums, des Reichsschatzministeriums u. a. m. verweisen, die soeben von dem Reichstage angenommen worden sind. Danach haben fast alle Ressorts größere Mittel schon für das Rechnungsjahr 1921 zur Verfügung, die mittelbar insbesondere auch zur Belebung der Bautätigkeit beitragen werden ...

Ob die Unternehmer, die die Aufträge erhalten, verpflichtet werden können, Arbeitslose einzustellen, und ob zu diesem Zwecke eine verkürzte Arbeitszeit mit mehreren Schichten von Arbeitnehmern vorzuschreiben ist, wird von dem Ergebnis einer Durchprüfung abhängen, die die zuständigen Minister bereits eingeleitet haben ... Die Reichsregierung sieht es als ihre selbstverständliche Pflicht an, den Unternehmergewinn, der durch die öffentlichen Aufträge entsteht, auf ein Mindestmaß zu begrenzen, das den Verhältnissen und insbesondere der finanziellen Lage des Reiches angemessen ist. Was die Entlohnung der Arbeitnehmer anlangt, so wird bei öffentlichen Aufträgen, die durch private Unternehmer ausgeführt werden, eine Verletzung der Tarife nicht in Frage kommen können. Zu der grundsätzlichen Erörterung aller dieser Fragen sind, wie schon oben erwähnt wurde, jetzt bereits die Vertreter der Gewerkschaften zugezogen worden ...

Unter Ziffer 6 verlangen Sie, daß, wo es auf keinem anderen Wege möglich ist, den Arbeitslosen Beschäftigung zu verschaffen, allgemein also auch für private Aufträge, die Arbeitszeit der Vollbeschäftigten verkürzt und, nach Möglichkeit, Schichtwechsel eingeführt wird. Die Opferwilligkeit, dic die vollbeschäftigten Arbeiter mit diesem Anerbieten zugunsten der Arbeitslosen erweisen, ist warm zu begrüßen. Zu bedenken ist freilich, daß die Verkürzung der Arbeitszeit und die Einführung des Schichtwechsels die allgemeinen Unkosten der Produktion wesentlich erhöhen würden und daß diese Maßnahmen auch technisch zweifellos nicht in allen Industrien und Betrieben durchführbar sind ...

In Ihrem Schreiben kommt ferner die Auffassung zum Ausdruck, daß die Belebung des Baugewerbes von besonderem Wert für die Beseitigung der Arbeitslosigkeit ist. Die Reichsregierung weiß sich in dieser Auffassung mit Ihnen einig. Es wird auch Ihnen bekannt sein, daß schon in der Zeit von 1918 bis 1920 allein aus Reichsmitteln nicht weniger als 1630000000 Mark zur Unterstützung des allgemeinen Wohnungsbaues und 300000000 Mark zur Unterstützung von Bergmannswohnungen aufgewendet worden sind. Zusammen mit den Zuschüssen, die Länder und Gemeinden für den Wohnungsbau aufgewendet haben, und mit dem Ertrage der Kohlenabgabe, die für den Bau von Bergmannswohnungen herangezogen worden ist, sind bis 1920 insgesamt mehr als 4 ¼ Mrd. M öffentliche Mittel für den Wohnungsbau aufgewendet worden. Der Betrag, der im Haushaltsjahr 1921 dem Wohnungsbau dienen soll, ist nur um ein weniges geringer. Es werden je 1 ½ Mrd. für allgemeine Wohnungsbauten und für Bergmannswohnungen und daneben weitere 700 Mio. M aus der Kohlenabgabe angesetzt werden, so daß also 3,7 Mrd. für den Wohnungsbau bereitstehen. Tatsächlich setzt, wie auch Ihnen bekannt sein dürfte, die Bautätigkeit in diesem Frühjahr mit Lebhaftigkeit ein.

Die Reichsregierung ist entschlossen, ebenso wie die Bautätigkeit auch jede andere Form der produktiven Erwerbslosenfürsorge nachdrücklich zu fördern, und sie glaubt feststellen zu können, daß ihre Bemühungen schon bisher nicht ohne Erfolg geblieben sind. Noch immer ist die Zahl der Arbeitslosen, so bedauerlich sie auch angewachsen ist, geringer als die Ziffern, die andere Länder aufweisen ...

Die Einhebung der Besitzsteuern ist in vollem Gange. Die Novelle zum Reichsnotopfer ist vor Weihnachten unter großen politischen Schwierigkeiten im Reichstag verabschiedet worden. Ein Teil wird sofort eingehoben. Die in Betracht kommenden Arbeiten werden binnen kurzem beendet sein. Im übrigen steht der Herr Reichsminister der Finanzen in diesen Fragen für eine besondere Besprechung zu Ihrer Verfügung.

gez. Fehrenbach

## 3. Reichsbankpräsident Havenstein in der Sitzung des Reichsbankkuratoriums am 26. September 1922

In der Sitzung des Reichsbankkuratoriums vom 26. September 1922 schildert Havenstein die Entwicklung der wirtschaftlichen und finanziellen Lage des Reiches zwischen dem 15. Juni und dem 15. September 1922.

Quelle: Akten der Reichskanzlei. Weimarer Republik. Die Kabinette Wirth I und II. Boppard 1972. Bd. 2, S. 1104–1108 (gekürzt).

... Der Gesamtumlauf von Reichsbanknoten, Darlehnskassenscheinen und Reichskassenscheinen betrug am 15. 9. 285,6 Mrd. M, was eine Zunahme in der Berichtszeit um 120,6 Mrd. M bedeutet.

Dieser ungeheure Bedarf des Verkehrs an papierenen Zahlungsmitteln stellte Anforderungen an die Notenpresse, die technisch kaum zu bewältigen waren, zumal durch den elftägigen Streik in der Reichsdruckerei ein Ausfall von 14 Mrd. M eingetreten war. Neuerdings macht sich eine Erleichterung im Zahlungsmittelverkehr geltend, der zu der Hoffnung berechtigt, daß die Ultimozahlungen vom 1. 10. keine Schwierigkeiten bieten werden. Die Reichsdruckerei ist leistungsfähiger gemacht, Hilfsnoten über 500 und 100 M wurden gedruckt, daneben sind Privatdruckereien in Berlin und Leipzig tätig. Für die nächste Zeit kann mit einer täglichen Ablieferung von 7–8 Mrd. M gerechnet werden.

Vorübergehend wurde die Genehmigung zur Ausgabe von Notgeld erteilt, bisher in einem Umfang von 1,5 Mrd. M, jedoch immer nur auf kurze Fristen und gegen volle Sicherheit.

Die Gesamtsumme der vom Reich begebenen Schatzanweisungen stieg in der Berichtszeit von 290,1 Mrd. M auf 350,6 Mrd. M, also um 60,5 Mrd. Bei dieser Vermehrung der schwebenden Reichsschuld spielt die Hauptrolle die Belastung des Etats durch den Friedensvertrag; allein für Beschaffung ausländischer Zahlungsmittel zur Erfüllung des Friedensvertrages sind vom 1. 4. 22 bis 10. 9. 22 rund 40 Mrd. M aufgewendet worden ...

Die ungünstige Wirkung der ungeheuren Vermehrung der schwebenden Schuld wurde dadurch verschärft, daß sie zusammenfiel mit der starken Kreditnot der Privatwirtschaft.

Von den von der Reichsbank im Verkehr untergebrachten Schatzanweisungen flossen in der Berichtszeit 42,3 Mrd. zur

Reichsbank zurück. Hierzu treten die 60,5 Mrd. Schatzwechsel, die in der Berichtszeit neu begeben wurden, so daß sich der Bestand der Reichsbank an Reichsschatzwechseln in der Berichtszeit um 102,8 Mrd. M vermehrt hat. Demgegenüber sind im Verkehr nur noch 75,9 Mrd. M an Schatzwechseln von einem Gesamtbestande von 350,6 Mrd. Die Reichsbank hat jetzt also fast ⅘ aller vom Reich begebenen Schatzwechsel in ihrem Portefeuille liegen ... Der Rückgang des Absatzes an Schatzanweisungen ist ebenso wie die Zunahme des Wechselportefeuilles der Reichsbank verursacht durch die schon seit einigen Monaten beobachtete, zuerst allmählich, in der Berichtszeit aber mit ungeheurer Wucht auftretende Kapital- und Kreditnot der deutschen Volkswirtschaft, die ihrerseits eng zusammenhängt mit der Entwertung der deutschen Mark.

Die deutsche Ausfuhr stieg im Jahre 1922 in Papiermark ständig. Sie stieg von 14,4 Mrd. M im Januar 1922 auf 35,6 Mrd. M im Juli. In Goldmark dagegen stellt sich die deutsche Ausfuhr im Januar auf 321,6 Mio. gegen 302,9 Mio. im Juli.

Infolge der fortschreitenden Währungsverschlechterung geben wir die Ausfuhren viel zu billig an das Ausland ab und müssen die notwendigen Einfuhren an Rohstoffen vielfach teurer bezahlen, als wir für verarbeitete Fertigfabrikate aus dem gleichen Quantum Rohstoffe im Export erlöst haben ... Daher steigt die Einfuhr in stärkerem Maße als die Ausfuhr, so daß wir im Juli ein Monatsdefizit der Außenhandelsbilanz von über 10 Mrd. Papiermark hatten.

## 4. Denkschrift des Deutschen Gewerkschaftsbundes an Reichskanzler Cuno vom 7. Februar 1923

Am 7. Februar 1923 legt der DGB, der Dachverband der christlichen Gewerkschaften, Reichskanzler Wilhelm Cuno eine Denkschrift vor, in der Beschwerden der Arbeitnehmer über die Ungerechtigkeiten bei der Steuererhebung, über die Auswirkungen der »Privatinflation« der Reichsbank, über die Kalkulation von Warenpreisen in Goldmark und über die Versorgung mit Lebensmitteln vorgetragen werden.

Quelle: Akten der Reichskanzlei. Weimarer Republik. Das Kabinett Cuno. Boppard 1968. S. 228–231.

... Die Lage, wie sie allmählich in allen Arbeitnehmerkreisen klar erkannt wird, ist kurz folgende:

1. Die Steuern, sowohl direkte wie indirekte Steuern, sind im vergangenen Jahre und werden im Augenblick fast restlos von den Arbeitnehmern und Festbesoldeten in jeweils vollwertigem Gelde bezahlt, fließen jedoch nur zu einem geringen Teil unmittelbar in die Kassen des Reiches und ermöglichen dadurch den Unternehmern auf Kosten des Reiches und der Arbeitnehmer ausgedehnte Zwischengewinne.

2. Die Kreditpolitik der Reichsbank bietet bei niedrigem Diskontsatz und schnell fortschreitender Geldentwertung sowie mangelnder Sichtung der Kreditgesuche den Banken und großen sonstigen Unternehmergruppen die Möglichkeit, außerordentliche Inflationsgewinne zu machen, die ebenfalls zu einer fortschreitenden Verarmung der Arbeitnehmerschichten und Enteignung des Mittelstandes führen müssen.

3. Die auf die jeweilige politische Lage nicht genügend scharf eingestellte Devisen- und Goldpolitik der Reichsbank schafft der Baisse-Spekulation eine sichere Grundlage. Die fast allgemein durchgeführte Goldkalkulation führt zum fast sofortigen Hinaufschnellen der Wertpapiere auf das Valutaniveau und ist damit ein Anreiz, eine spätere Rückwärtsentwicklung der Valutakurse, die an sich aufgrund der Verhältnisse des Geldmarktes möglich wäre, zu verhindern, da alle Warenbesitzer an einer weiteren Steigerung der Devisenkurse interessiert sind.

4. Die Versorgung der Bevölkerung mit Fett, Gefrierfleisch und Auslandsgetreide, soweit sie nach unseren Beobachtungen bislang besteht, rechtfertigt die größten Befürchtungen für die nächsten Wochen, falls nicht eine politische Entspannung eintritt.

Die so gekennzeichnete Lage veranlaßt den Deutschen Gewerkschaftsbund, dem Herrn Reichskanzler folgende 4 Forderungen zu unterbreiten:

1. Wir halten die sofortige Inangriffnahme einer großzügigen Reform in der Reichsfinanzverwaltung für unbedingt nötig, zu dem Ziele, die vorhandenen Veranlagungssteuern schnellstens zu erheben und solche Geldstrafen auf die Verschiebung der Zahlungen zu setzen, daß eine Bezahlung der Steuern in entwertetem Gelde von selbst verhindert wird ...

2. Wir fordern aktivere Maßnahmen der Reichsbank zwecks Eindämmung der Inflationsgewinne, insbesondere durch sofortige Heraufsetzung des Diskontsatzes bei starker Aufwärtsbewegung der Devisen. Dazu ist vor allen Dingen auch notwendig, eine scharfe Sichtung der an die Reichsbank herantretenden

Kreditforderungen zwecks Ausscheidung des reinen Spekulationskredites ...

3. Zur Stärkung der Interventionsmöglichkeiten der Reichsbank auf dem Devisenmarkt ist die Erfassung eines über das jetzige Maß hinausgehenden Prozentsatzes der Exportdevisen unbedingt erforderlich.

4. Wir fordern sofortige Inangriffnahme einer Vorratswirtschaft an Auslandsgetreide, Fett und Gefrierfleisch und verlangen die Bereitstellung von Krediten seitens der Reichsbank für diesen Zweck. Angesichts des Ernstes der Stunde darf eine weitausschauende Vorratswirtschaft nicht wieder wie im vergangenen Jahre an kleinlichen formalen Bedenken scheitern.

Der Deutsche Gewerkschaftsbund beschwört in ernstester Stunde das Reichskabinett, die hier aufgestellten Forderungen sofort eingehendst zu prüfen und zu schnellen Entschlüssen zu kommen. Der Glaube, daß in den vergangenen Jahren eine lückenlose Kette zwischen Hochfinanz und Regierung sich gebildet hat, greift im Volke rapide um sich, gefährdet dadurch den Widerstandswillen und ist geeignet, chaotische wirtschaftliche und soziale Zustände herbeizuführen.

Deutscher Gewerkschaftsbund

Stegerwald W. Gutsche Bernh. Otte Otto Thiel

## 5. Aufruf des Magistrats von Altona an die Bevölkerung vom 23. Oktober 1923

Der folgende Aufruf kennzeichnet die Probleme der preußischen Industriestadt Altona mit ungefähr 180000 Einwohnern in der Endphase der Hyperinflation. Seinen politischen Hintergrund bildet die bewaffnete Erhebung von Arbeitern im benachbarten Hamburg unter der Führung der Parteiorganisation der KPD vom 23. bis zum 25. Oktober 1923. Der Gedanke, ein »wertbeständiges« Notgeld auszugeben, das auf US-Dollars lautet und durch die Steuerkraft und den Grundbesitz der Stadt gedeckt wird, stammt vom 2. Bürgermeister Max Brauer (SPD), dem späteren 1. Bürgermeister der Freien und Hansestadt Hamburg von 1946 bis 1953 und 1957 bis 1961. (Vgl. hierzu Erich Lüth, Max Brauer. Glasbläser, Bürgermeister, Staatsmann. Hamburg 1972, S. 13f.)

Quelle: Rudolf Wilhelmy, Geschichte des deutschen wertbeständigen Notgeldes von 1923/24. Diss. FU Berlin 1962, S. 153.

*An die Bevölkerung Altonas!*

Die Einheit des Reiches und seine Verfassung sind in äußerster Gefahr. Ihr Schutz und ihre Einhaltung bieten die einzige Hoffnung, die furchtbare Not der Gegenwart zu überwinden. Wir rufen unsere Bevölkerung auf, sich einmütig zu Reich und Regierung zu bekennen und allen Versuchen, sie zu stürzen, mannhaft entgegenzutreten! Nur dann wird es auch möglich sein, der vorhandenen Lebensmittelnot Herr zu werden.

Plünderungen können diese Not nur verstärken und die Zufuhr von Lebensmitteln völlig unterbinden. Durchgreifende Notstandsmaßnahmen zur Sicherung der Ernährung werden sofort durchgeführt. Da die Absichten der Reichsregierung zur Schaffung eines wertbeständigen Geldes sich erst in Wochen auswirken können, haben wir uns entschlossen,

*sofort städtische wertbeständige*
*Zahlungsmittel*

herauszugeben. Die Stücke lauten auf ¼ und ⅛ Dollar.

Wir fordern alle Arbeitgeber auf, diese Zahlungsmittel zu benutzen, und den Handel, sie anzunehmen. Alle Einkünfte und das gesamte Vermögen der Stadt haften für sie. Die Stadt wird ferner sofort größere städtische Arbeiten zur Ausführung bringen,

*um den Erwerbslosen Arbeit*
*und Brot zu schaffen.*

Alle Arbeitgeber werden dringend ersucht, ihre Betriebe weiterzuführen, alle Arbeiter, in den Betrieben zu bleiben.

*Arbeitsniederlegung*
*bedeutet Verschärfung der Not!*

Einwohner Altonas! Denkt an unser Reich, unser Volk, unsere Stadt! Denkt an Euch selbst, an Eure Frauen und Kinder! Helft alle mit, durch Ruhe und Besonnenheit auch diese Schicksalsstunde zu überwinden!

Altona, den 23. 10. 1923 Der Magistrat

6. Schreiben der Farbwerke Hoechst an das Reichsfinanzministerium vom 9. August 1923

Die Unfähigkeit der Reichsbank, in der Phase der Hyperinflation den Wirtschaftskreislauf ausreichend mit Geldzeichen zu versorgen, beleuchtet das folgende Schreiben, das die Farbwerke Hoechst am 9. August 1923 an das Reichsfinanzministerium in Berlin richten.

Quelle: Manfred Schönberg, Notgeld des Stammwerkes der Hoechst AG. Frankfurt a. M. 1978, S. 51, Dok. 29

Auf unser Telegramm vom 6. August d. J. lautend:

»Nachdem Bargeld in Scheinen, wie sie von uns benötigt werden durch Reichsbank absolut nicht zu erhalten, sind wir, dortige Genehmigung voraussetzend, zur Sicherstellung Entlöhnung über 10000 Arbeiter und Angestellte genötigt, eigenes Notgeld wie früher herauszugeben. Ausgabe von Scheinen über eine Million erfolgt heute«

erhielten wir die dortige Depesche vom 9. ds. folgenden Wortlauts:

»Stadt Höchst bereits zur Notgeldausgabe ermächtigt. Nehmt städtisches Notgeld«.

Die Stadt Höchst gibt Notgeld nur in beschränktem Maße heraus und zwar die früheren Notgeldscheine mit neuem Überdruck in höheren Werten. Bei der großen Belegschaft unserer Arbeiter und Angestellten, die zur Zeit etwa 11000 beträgt, ist uns natürlich mit einigen Milliarden des Geldes nicht gedient und wir haben uns gezwungen gesehen, mangels anderweitiger Hilfe unser eigenes Notgeld, und zwar in Scheinen über 1000000 Mark und seit heute in Scheinen über 3000000 Mark in den Verkehr zu geben.

In vorzüglicher Hochachtung

## 7. Ministerbesprechung am 19. Mai 1930

Der folgende Ausschnitt aus den Aufzeichnungen über die Ministerbesprechung vom 19. Mai 1930, in dem neben Reichskanzler Brüning Verkehrsminister von Guérard (Zentrum), Arbeitsminister Stegerwald (Zentrum), Finanzminister Moldenhauer (DVP) und Wirtschaftsminister Dietrich (DDP) zu Wort kommen, zeigt, daß das Kabinett Brüning im Frühjahr 1930 der Bekämpfung der Arbeitslosigkeit im Rahmen seiner Wirtschafts- und Finanzpolitik einen hohen Stellenwert beimißt. In der Ministerrunde herrscht weitgehend Einigkeit darüber, in welchen Sektoren der Wirtschaft die Hebel der Arbeitsbeschaffung angesetzt werden sollen. Selbst der Bau von Autobahnen wird bereits erwogen. Über die Art der Finanzierung dieser Maßnahmen fehlen indessen klare Vorstellungen.

Quelle: Akten der Reichskanzlei. Weimarer Republik. Die Kabinette Brüning I und II. Boppard 1982. Bd. 1, S. 138–143 (gekürzt).

2. Konjunktur- und Saisonausgleich durch öffentliche Aufträge.

Der *Reichskanzler* wies auf die Schwierigkeiten hin, die einer Sanierung der Gemeindefinanzen im Wege stehen. Er führte ferner aus, daß die Steuereingänge sich ungünstig entwickelten. Im April seien die Einnahmen um 48 Millionen M hinter dem Voranschlage zurückgeblieben. Äußerst bedenklich sei die Tatsache, daß der Baumarkt nicht in Gang komme. Deshalb nehme die Zahl der Erwerbslosen auch nicht in dem erwünschten Maße ab. Es müsse mit allen Kräften dafür gesorgt werden, daß der Arbeitsmarkt soweit als möglich in Gang komme. Um dieses Ziel zu erreichen, sei u. a. eine frühere Verteilung der öffentlichen Aufträge notwendig, als es bisher vorgesehen sei. Reichsbahn und Reichspost seien für die Arbeitsbeschaffung unentbehrlich. Er habe erfahren, daß bei der Reichsbahn 700 000 t Schienen fertig dalägen, die übrigens auch bezahlt seien. Diese Schienen würden jedoch nicht in den Eisenbahnstrecken verarbeitet, weil Arbeitskräfte gespart werden sollten. Die Arbeitslosigkeit müsse durch Beschaffung von Arbeitsgelegenheit bekämpft werden. Gerade diesen Punkt wolle er in einem über die heutige Sitzung auszugebenden Kommuniqué betonen. Andernfalls würden sich die Parteien des Reichstags gerade dieser Angelegenheit bemächtigen. Er habe schon gehört, daß die Sozialdemokratie eine diesbezügliche Denkschrift vorbereite.

Der *Reichsverkehrsminister* führte aus, daß die Reichsbank einen Etat aufgestellt habe, den sie unter allen Umständen innehalten wolle. Die Reichsbahn achte zur Zeit fast ausschließlich auf die Einnahmeseite, während sie früher der beste Auftraggeber gewesen sei.

Das Beschaffungsprogramm der Reichsbahn sei auf ein Nichts gesunken. Nach dem Gutachten des vor einigen Jahren eingesetzten Sicherheitsausschusses der Reichsbahn müßten über die laufende Wiederherstellung hinaus 7200 Gleise wiederhergestellt werden. Er habe noch nicht gehört, daß derartige Arbeiten in Angriff genommen worden seien.

Diese Arbeiten könnten rund 30 000 Erwerbslose beschäftigen, so daß man große Summen von Unterstützungsgeldern sparen könne. Auch der Bau von Eisenbahnwaggons sei notwendig. Etwas anders liege die Angelegenheit hinsichtlich der Lokomotiven. Es seien noch genügend Lokomotiven vorhanden, so daß Neubau von Lokomotiven zur Zeit nicht in Frage komme ...

Der *Reichsarbeitsminister* führte aus, daß die Lage des Arbeitsmarktes zur Zeit trostlos sei. Im vorigen Jahre seien rund 2 Milliarden M für Bauten mehr ausgegeben worden als in diesem voraussichtlich zur Verfügung ständen. Mit diesem Betrage seien 500 000 Erwerbslose beschäftigt worden.

Wenn man von einer Zahl von 1 550 000 Erwerbslosen im Jahre ausgehe, die er jedoch noch für zu gering halte, werde man selbst dann den Etat der Reichsanstalt für Arbeitsvermittlung und Arbeitslosenversicherung nicht balancieren können, falls die Beiträge auf 4% erhöht würden, und Reformen zur Durchführung gelangten, die auf das ganze Jahr berechnet vielleicht 116 Millionen M einbringen könnten ...

Der *Reichsminister der Finanzen* führte aus, daß bei Zugrundelegung einer Erwerbslosenzahl von 1 550 000 ein Fehlbetrag von 350 Millionen M in der Arbeitslosenfürsorge, von 100 Millionen in der Krisenfürsorge eintreten werde, wenn die Beiträge nicht erhöht und keine Reform vorgenommen würde. [...] Vor allem müsse die Arbeitslosigkeit bekämpft werden. Es sei ferner zu überlegen, wie den Gemeinden geholfen werden könne. Die kurzfristige Verschuldung der Gemeinden könne man vielleicht auf 1,5 Milliarden M schätzen. In der kurzfristigen Verschuldung liege letzten Endes auch ein Hauptgrund für die fehlende Belebung des Baumarktes. Die Sparkassen seien zur Zeit durch die kurzfristigen Schulden der Gemeinden zu stark angespannt und könnten für erste Hypotheken nur wenig Geld ausgeben. Vielleicht werde es möglich sein, auf dem äußeren Markt die kurzfristigen Gemeindeschulden in langfristige umzuwandeln ...

Der *Stellvertreter des Reichskanzlers* und *Reichswirtschaftsminister* wies auf die Tatsache hin, daß jetzt auch bei zahlreichen Industrieprodukten eine Preissenkung eingetreten sei. Ursachen und Wirkungen dieses Vorganges seien nach seiner Auffassung noch nicht ganz zu übersehen. Dieser Fragenkomplex müsse jedoch mit aller Sorgfalt in der nächsten Zeit beobachtet und geprüft werden.

Von besonderer Bedeutung sei ferner die Frage, wie die auf Grund des Youngplans zu leistenden Zahlungen auf unsere Wirtschaftslage und auf die wirtschaftliche Lage der übrigen Welt einwirkten.

Die Hauptmasse der Arbeitslosen gehöre dem Baumarkt an. Hier müsse also unbedingt der Markt belebt werden. [...] Dem Baumarkt könne man relativ am leichtesten helfen, nämlich durch Kapitalzufuhr. Vielleicht sei es möglich, den erhöhten Teil der Beiträge zur Arbeitslosenversicherung der Belebung des Baumarktes zuzuführen.

An einem Beispiel habe er in seinem Ressort die Frage prüfen lassen, wie sehr die Stillegung eines Werkes die Wirtschaft schädige. Wie vielleicht bekannt sein dürfte, überlege die Direktion der Mansfelder Gruben zur Zeit eine Stillegung. Die Mansfelder Gruben förderten jährlich für 40 Millionen M Kupfer und Silber. Sie beschäftigten ungefähr 14000 Arbeiter. Wenn diese entlassen würden, würden jährlich für diese Arbeitslosen Unterstützungen in Höhe von 10 Millionen M erforderlich sein, wenn man einen jährlichen Unterstützungssatz pro Arbeiter von 700 M zugrundelege. Es sei jedoch ferner zu bedenken, daß die Stillegung des Werkes nicht nur die dort beschäftigten 14000 Arbeiter erwerbslos mache, sondern auch noch mindestens 7000 Arbeiter, die in anderen Werken beschäftigt seien. Wenn man für diese noch weiter 5 Millionen M Unterstützungsgelder rechne, komme man insgesamt auf 15 Millionen M jährlicher Unterstützungsgelder, die infolge der Stillegung der Mansfelder Gruben zu zahlen seien . . .

Der *Reichsminister der Finanzen* führte aus, daß er in den Vorschlägen des Reichswirtschaftsministers die Gefahr einer hemmungslosen Subventionspolitik erblicken müsse. Fast täglich kämen Industrielle zu ihm, um ihm mitzuteilen, sie könnten einen großen Auslandsauftrag erhalten, wenn das Reich die Differenz gegenüber dem ausländischen Konkurrenten trage, der ihn im Preise unterbiete. Der Industrielle lege dann stets dar, daß das Reich immer noch Vorteil von einem derartigen Geschäft hätte, denn andernfalls müsse das Werk stillgelegt werden. Das Reich würde dann also keine Steuern erhalten und müsse außerdem noch die Last der Unterstützungen an die Erwerbslosen durch die Reichsanstalt tragen. Bisher habe er derartige Ansinnen stets abgelehnt, da andernfalls das Ende der Privatwirtschaft bald abzusehen sei.

Auch er sei unbedingt ein Freund der produktiven Erwerbslosenfürsorge. Der Präsident der Reichsanstalt für Arbeitsvermittlung und Arbeitslosenversicherung habe jedoch einmal ausgerechnet, daß die Kosten der produktiven Erwerbslosenfürsorge das Fünffache der einfachen Unterstützung betrügen. Auf jeden Fall sei es notwendig, daß Reichsbahn und Reichspost möglichst frühzeitig Aufträge erteilten . . .

Der *Reichskanzler* wies darauf hin, daß auch die englische

Regierung vor einigen Jahren durch Vorverlegung von öffentlichen Aufträgen die Wirtschaft belebt habe. Trotzdem dieser Weg nicht ganz unbedenklich sei, werde die Reichsregierung ihn auch beschreiten müssen. Er teilte im übrigen mit, daß auch auf dem Gebiet des Straßenbaues produktive Arbeit geschaffen werden könne. Seit langer Zeit existiere der Plan einer besonderen Automobilstraße von Hamburg über Frankfurt/M. nach Basel, der »Hafraba«. Die Herren, die hinter diesem Projekt stünden, hätten ihm gesagt, daß sie es jederzeit finanzieren könnten. Sie seien jetzt auch geneigt, einer besonderen Benutzungsgebühr für diese Straße zuzustimmen ...

## 8. Denkschrift der Gewerkschaften an Reichspräsident Hindenburg vom 26. Februar 1931

Die Spitzenverbände der drei »Richtungsgewerkschaften« der Weimarer Republik, der sozialdemokratische ADGB und der AfA-Bund, der christliche DGB und der liberale »Hirsch-Dunckersche« Gewerkschaftsring, richten am 26. Februar 1931 die folgende Denkschrift zur wirtschaftlichen und sozialen Lage an das Staatsoberhaupt, den Reichspräsidenten Paul von Hindenburg. Gemeinsam unterbreiten sie Vorschläge zur Bekämpfung der Massenarbeitslosigkeit – unter anderem empfehlen sie die Verkürzung der wöchentlichen Arbeitszeit von 48 auf 40 Stunden –, und gemeinsam verteidigen sie die Tarifautonomie und das staatliche Schlichtungswesen.

Quelle: Akten der Reichskanzlei. Weimarer Republik. Die Kabinette Brüning I und II. Boppard 1982, Bd. 1, S. 913–915 (gekürzt).

Hochverehrter Herr Reichspräsident!
Die unterzeichneten Spitzenorganisationen der Arbeiter und Angestellten möchten die Aufmerksamkeit des Herrn Reichspräsidenten auf die überaus bedrückte Lage der deutschen Arbeitnehmer richten. Bei aller Würdigung der schwierigen Lage anderer Berufsschichten bleibt doch unbestreitbar, daß Not und Elend nirgends so groß sind wie bei den 5 Millionen Erwerbslosen und deren Familien. Aber auch die Lebenshaltung der Arbeitenden ist so stark eingeschränkt, daß Arbeitsfähigkeit und Arbeitswille, Gesundheit und Wirtschaft des deutschen Volkes darunter aufs schwerste leiden.

Unsere größte Sorge ist die um das Schicksal der unfreiwillig Arbeitslosen. Vornehmste Gegenwartsaufgabe ist die Wiedereinführung dieser Millionen in den Produktionsprozeß. Die bisherigen Maßnahmen haben sich als unzulänglich erwiesen; einige davon, in erster Linie die vielfach schematisch durchgeführte Lohnsenkung, als schädlich. Nicht zuletzt in Auswirkung der die Kaufkraft verringernden Lohnsenkung ist die Zahl der Arbeitslosen gestiegen. Die Einstellung der von den deutschen Unternehmern und amtlicherseits getriebenen Lohnsenkungspolitik ist eine der ersten Voraussetzungen zur Gesundung der Wirtschaft und zur Beruhigung der deutschen Arbeitnehmer . . .

Soweit der Abbau der Preise in Frage kommt, vollzieht er sich langsamer als die Senkung der Löhne und Gehälter. Auf weiten Gebieten ist ein Zurückgehen der Preise noch kaum sichtbar. Hier liegen noch unausgeschöpfte Möglichkeiten zur Konsumbelebung.

Die Arbeitsbeschaffung durch die öffentliche Hand wird gehemmt durch Zuständigkeitsstreitigkeiten zwischen den beteiligten Verwaltungen, die sich praktisch als Erschwerung der zusätzlichen Arbeitsbeschaffung auswirken und deshalb beseitigt werden müssen.

Die Erhöhung des Inlandsverbrauchs als eines der bedeutendsten Mittel zur Steigerung des Beschäftigungsgrades bedingt auch nach unserer Meinung eine kaufkräftige Landwirtschaft, deren Schutz aber innerhalb der Grenzen zu bleiben hat, die von der Rücksicht auf unseren industriellen Export und auf die Lebenshaltung der breiten Massen gezogen werden müssen. Wir sehen uns deshalb genötigt, darauf hinzuweisen, daß die gegenwärtig vorliegenden agrarpolitischen Pläne über diese Grenzen teilweise weit hinausgehen und u. E. abgelehnt werden müssen.

Bis zur vollen Beschäftigung des deutschen Produktionsapparates muß, um einen größeren Teil der unfreiwillig Arbeitslosen wieder in geregelte Tätigkeiten zu bringen, die Arbeitszeit wesentlich gekürzt, möglichst auf regelmäßig 40 Stunden gesenkt werden. Die dazu notwendigen Voraussetzungen sind unter Sicherung der Massenkaufkraft mit größter Beschleunigung herbeizuführen.

Als eine unbedingte Notwendigkeit sehen wir die Erhaltung eines rechtlich gesicherten Anspruchs auf ein Existenzminimum für die arbeitslosen Volksgenossen an. Voraussetzung dazu ist die Erhaltung der Arbeitslosenversicherung mit gesicherter Leistungsfähigkeit und die ausreichende Finanzierung einer anschließenden Fürsorge.

Mit besonderem Nachdruck erlauben wir uns die Aufmerksamkeit des Herrn Reichspräsidenten auf die Angriffe zu lenken, die gegen die tarifvertragliche Regelung der Arbeitsverhältnisse, das Schlichtungswesen einschließlich der Verbindlicherklärung von Schiedssprüchen und gegen die Sozialversicherung geführt werden. Die deutsche Arbeitnehmerschaft kann und darf nicht dulden, daß ihr Mitbestimmungsrecht bei der Gestaltung der Arbeitsverhältnisse und das Anrecht auf gesetzlich gewährleisteten Schutz im Falle unverschuldeter Leistungsunfähigkeit angetastet wird . . .

Berlin, 26. Februar 1931.

Allgemeiner Deutscher Gewerkschaftsbund: gez. Leipart
Allgemeiner freier Angestelltenbund: gez. Stähr
Deutscher Gewerkschaftsbund: gez. Imbusch, gez. Bechly
Gewerkschaftsring deutscher Arbeiter-, Angestellten- und Beamtenverbände: gez. Gust. Hartmann, gez. Gustav Schneider

## 9. Besprechung des Reichskanzlers Brüning mit Finanzminister Dietrich und Reichsbankpräsident Luther am 7. Mai 1931

Das folgende, gekürzt wiedergegebene Protokoll einer Besprechung, die am 7. Mai 1931, also noch im Zeichen des »Zwischenaufschwungs« stattfindet, beweist, daß Brüning inzwischen entschlossen ist, die Lösung der Reparationsfrage vorrangig in Angriff zu nehmen.

Sowohl der Kanzler als auch seine Gesprächspartner, Finanzminister Dietrich und Reichsbankpräsident Luther, sind sich bewußt, daß die Vorbereitung für eine Revision des Young-Plans dem deutschen Volk schwere materielle Lasten aufbürden werde. Bemerkenswert ist ferner, daß Dietrich und Luther – kurz vor Ausbruch der Bankenkrise! – den Gefahrenherd der kurzfristigen Verschuldung der deutschen Wirtschaft im Ausland völlig unterschiedlich einschätzen.

Quelle: Akten der Reichskanzlei. Weimarer Republik. Die Kabinette Brüning I und II. Boppard 1982. Bd. 2, S. 1053–1059.

Die Reparationsfrage.

Der *Reichskanzler* schlug vor, in eine rein theoretische Erörterung über die Möglichkeiten des Reparationssystems einzutreten. Allerdings hätten diese theoretischen Diskussionen zur Voraussetzung, daß man sich ein Bild über die wahre wirtschaftliche Lage mache. Dieses Bild sehe nach seiner Auffassung etwa wie folgt aus: Bei den Reichsfinanzen sei ein Fehlbetrag von rund 750 Mio. RM abzudecken. Für die Deckung lägen bereits gewisse in die Leistungsfähigkeit des Volkes tief einschneidende Vorschläge vor. Mit einer Besserung im laufenden Jahr sei nicht zu rechnen. Das Jahr 1931 werde noch ein Krisenjahr bleiben. Für Länder und Gemeinden sehe das finanzielle Bild gleich trübe aus, irgendwelche steuerlichen Reserven seien nicht mehr vorhanden. Je weiter Gehälter und Löhne abgebaut würden, um so mehr sänken die Einkünfte an Steuern. Je mehr wirtschaftliche Maßnahmen ergriffen würden, je geringer würden die Einnahmen der öffentlichen Hand. Dieser Ring könne nur gesprengt werden durch die Erleichterung auf dem Gebiet der Reparationen, oder durch hereinströmendes befruchtendes Auslandskapital. Andere Maßnahmen, selbst solche drakonischen Charakters, würden kaum zu praktischen Resultaten führen. Ausfuhrüberschüsse könnten nur erzielt werden auf Kosten anderer Länder. Nach außen hin dürfe man nicht zugeben, daß man sich aus innerpolitischen Gründen zu Schritten auf dem Reparationsgebiet drängen lasse. Allerdings sei es sehr fraglich, wie lange wir noch davon absehen können, die Notleine der Reparationen zu ziehen. Ursprünglich habe man ins Auge gefaßt gehabt, mit Revisionsschritten drei Jahre zu warten, und zwar aus verschiedenen Gründen. Man dürfe auch nicht an die Sache herangehen in einer Zeit, wo wir festgefahren seien. Nach Verkündung der neuen Notverordnung müsse man Freiheit in der Sache behalten bis Frühjahr 1932. Die materielle Änderung müsse aufgeschoben werden bis

a) nach der Neuwahl des Präsidenten in Amerika,
b) nach der Neuwahl des Parlaments in Frankreich,
c) bis nach der Abrüstungskonferenz.

Darüber, was jetzt in der Reparationsfrage zu geschehen habe, wolle er einstweilen keine Stellung nehmen. Nur das eine wolle er sagen, daß nicht 1931 das schwerste Jahr auf reparationspolitischem Gebiete sei, sondern das Jahr 1932. Im Jahre 1932 werde man ohne reparationspolitische Schritte nicht mehr durchkommen können. Denn die alsdann innerpolitisch notwendig werdenden Maßnahmen würden unerträglich werden. Klar müsse man sich auch darüber werden, daß unter Umständen die Existenz des gegenwärtigen Kabinetts gefährdet sei, wenn man die Reparationsfrage nicht jetzt anschneide. Der Druck von Rechts werde sehr groß werden. Ein Rechtskabinett werde zweifellos die Reparationsfrage aufgreifen. Ein Rechtskabinett werde die Sache auch weniger vorsichtig in Angriff nehmen wie das jetzige Kabinett. Möglicherweise werde es dann zu einem Ultimatum der Gläubiger kommen; dann aber werde sich keine Regierung der Mitte finden, die bereit sei, dem Rechtskabinett die Verantwortung abzunehmen.

Staatssekretär Dr. *Trendelenburg* führte aus, daß er die wirtschaftliche Lage genauso beurteile wie der Reichskanzler. Auch die Verhältnisse in Amerika böten keine Aussicht auf Besserung. Ob bei uns die Lage sich bessern werde, sei fraglich. Hierbei handele es sich in erster Linie um eine Vertrauensfrage. Die Finanzlage sei nicht dazu angetan, das Vertrauen zu fördern. Der Kapitalmarkt werde stets der Maßstab des Vertrauens sein. In Deutschland seien die Läger geräumt. An sich erfordere die Deckung des Konsums eine Belebung der Produktion. Es seien auch schon einige Anzeichen einer Produktionsbelebung erkennbar. Allerdings würden mit dem Anziehen der Rohstoffpreise auch die Fertigfabrikatpreise wieder in die Höhe gehen. Auf dem Gebiete des Außenhandels habe man alle Mühe, das jetzige Niveau zu halten. Von seiten der Nachbarländer sperre man sich ab als Gegenmaßnahme gegen unsere Zollpolitik. In Deutschland müsse nach seiner Meinung mehr dafür Sorge getragen werden, den jetzigen Ausfuhrstand zu halten, wie den Export einzuschränken. Im übrigen aber sei die Entwicklung der Dinge schwer zu übersehen. Die Krise müsse einmal aufhören. Wenn im Jahre 1932 ein Konjunkturanstieg beginne, so werde sich das Steueraufkommen in toto wohl halten . . .

Der *Reichskanzler* richtete sodann an den Reichsbankpräsidenten die Frage, ob wir weiterhin imstande sein würden, die erforderlichen Devisen zu beschaffen, nachdem wir den Winter mit Hilfe von Auslandskrediten überstanden hätten.

Reichsbankpräsident Dr. *Luther* erwiderte, daß der Transfer bisher gearbeitet habe unter starker Verelendung des Volks. Deutschland zahle aus Anleihen, die wir verzinsen müssen oder aus Ausfuhrüberschüssen, die erreicht würden durch Rückgang der Einfuhr. Wie in Zukunft die Dinge werden würden, wenn wir keine Anleihe mehr bekämen, könne man nicht sagen. Vielleicht könne man weiter transferieren auf Kosten der Schrumpfung der Einfuhr. Auf uns lastet der Druck der kurzfristigen Kredite. Wenn die Löhne immer weiter abgesenkt würden, die Kaufkraft immer geringer würde, werde ein Zeitpunkt kommen, in dem eine weitere Anpassung nicht mehr möglich sei. Alles, was sichere Renten abwerfe, komme in fremde Hand.

Am Ende werde uns dann nichts mehr bleiben, als unsere Arbeitskraft.

Ministerialdirektor Dr. *Zarden* machte sodann nähere Darlegungen über die voraussichtliche Entwicklung der Steuern im kommenden Jahr. Er führte aus, daß die Steuern immer mehr zurückgingen und daß auch eine wesentliche Besserung der Steuern nicht zu erwarten sei, selbst dann nicht, wenn ein Konjunkturanstieg eintreten sollte ...

Der *Reichskanzler* bemerkte anschließend, daß wir vielleicht den Weg wählen müßten, der uns innerpolitisch schaden, den wir aber im Interesse der außenpolitischen Wirkung gehen müßten. Jedenfalls müsse die Finanzsanierung bis auf das äußerste durchgeführt werden; erst dann könne man handeln. Aber der beabsichtigte Sanierungsschritt bringe uns keine Reserven, im Gegenteil, das schwerste Jahr werde erst folgen. Die neue Notverordnung müsse nach seiner Meinung vor Chequers veröffentlicht werden, damit England sähe, in welcher Lage Deutschland sich befinde. Vielleicht sei auch, in Verbindung mit der Veröffentlichung der Notverordnung, ein organisatorischer Schritt erforderlich. Keinesfalls aber dürfe Deutschland schon jetzt den Zahlungsaufschub erklären; denn ein solcher Schritt werde uns außenpolitisch in eine unmögliche Situation bringen ...

Der *Reichsminister der Finanzen* erklärte, daß wir uns nicht auf die Hoffnung versteifen dürften, von außen her saniert zu werden. Die letzten Jahre seien durch ausländisches Kapital befruchtet worden. Diese Lage werde nicht wiederkommen. Die zu beantwortende Frage sei daher, ob wir selbst das erforderliche Kapital bilden können, um sowohl die Reparationen zu bezahlen, als auch die deutsche Wirtschaft anzutreiben. Diese Frage sei zu verneinen. Deutschland gerate in einen Schrumpfungsprozeß, aus dem es keinen Ausweg gebe. Wir müßten noch einmal einen scharfen Einschnitt machen, aber er werde nicht endgültig zum Ziele führen ... Man müsse versuchen, im Wege unmittelbarer Regierungsverhandlungen einen Zahlungsaufschub herauszuschlagen. Die Gefahr des Abziehens kurzfristiger Schulden schlage er nicht allzu hoch an. Deutschland schulde dem Ausland rund 12 Milliarden. Aus diesem Grunde könnte dem Ausland nichts daran gelegen sein, uns zahlungsunfähig zu machen, weil das Ausland sonst von uns gar nichts erhalten werde. Er widerrate auch Schritten außerhalb des Youngplans. Vielmehr müsse man von den Möglichkeiten des

Youngplans Gebrauch machen, wenn der Zustand derart werde, daß wir keinen anderen Ausweg mehr sähen; aber vorher müsse man dem Volk alles zumuten. Nicht durch die Stimmung allein dürfe man sich zu Schritten verleiten lassen. Wenn wir aber die Schraube nur weiterdrehen könnten um den Preis, daß uns nur noch die Arbeitskraft bleibe, dann wolle man im Ausland eben etwas anderes als die Reparationen. Wenn der Finanzminister nicht mehr weiter wisse, dann werde man zum Handeln genötigt sein. Von dem Aufbringungsaufschub solle man erst im nächsten Jahre Gebrauch machen und dann die ganze Frage zur Entscheidung bringen.

Der *Reichsbankpräsident* erwiderte darauf, daß die kurzfristige Belastung doch wohl eine ernstere Gefahr sei, als der Reichsminister der Finanzen sie sähe. Betont werden müsse die Kurzfristigkeit, und diese Kurzfristigkeit könne uns derart treffen, daß wir sehr bald aktionsunfähig würden, wenn eine Bewegung gegen uns einsetze.

Demgegenüber meinte der *Reichsminister der Finanzen,* daß durch Anziehen der Diskontschraube Auslandskapital in genügendem Maße wieder angezogen werden könne.

Der *Reichskanzler* erklärte, daß der Prozentsatz der Verzinsung der Auslandsschulden um so empfindlicher werde, je mehr unsere Kaufkraft sinke.

Der *Reichsbankpräsident* erklärte sich vom Devisenstandpunkt aus gegen die Anwendung der Rechte des Youngplans. Er glaubte, daß durch reparationspolitische Schritte eine schleppende Krise herbeigeführt werde und vielleicht würden wir dann eines Tages nicht mehr in der Lage sein, die erforderlichen Devisen zu beschaffen. Immerhin aber müsse man abwarten, ob eine derartige Situation kommen werde. Außerdem müsse man bedenken, daß die Krise sich im Transferproblem zeigen müsse. Man spreche ja zwar immer von den Transfer-Schwierigkeiten, meine aber in Wirklichkeit die Schwierigkeiten der Aufbringung. Falls nicht eine wirkliche Transferierungsnot eintrete, sei er gegen die Anwendung der Möglichkeiten des Neuen Plans. In der Reparationsfrage arbeite die Zeit für uns. Die Zeit müsse ausgenutzt werden, um Propaganda für unsere Sache zu machen. Keinesfalls dürfe man die Reparationsfrage in Angriff nehmen, ehe sie nicht unbedingt angegriffen werden müsse. Man solle sich auch nicht zu den legal möglichen Wegen zur Unzeit drängen lassen. Für Deutschland arbeite der Gesichtspunkt der Goldentwertung. Für diesen Gesichtspunkt sei die

Stimmung in der Welt am meisten reif. Ferner müsse Deutschland sehen, einen möglichst großen Teil der Reparationen in Sachlieferungen zu verwandeln, und müsse zu diesem Zweck danach trachten, zusätzliche Aufträge zu erlangen. Wenn es uns gelingt, mit Rücksicht auf die Goldentwertung, einen 50%igen Nachlaß durchzusetzen, und dazu zusätzliche Sachlieferungen zu erreichen, um Zeit zu gewinnen bis nach den französischen Wahlen. Dies halte er für den Augenblick für die beste Hilfe. Dann aber müsse mit dem Plan radikal aufgeräumt werden.

Der *Reichskanzler* erwiderte, daß er in der großen Linie ebenso sehe wie der Reichsbankpräsident. Der Geheimfonds des Auswärtigen Amts müsse erhöht werden zum Zwecke einer vermehrten Propaganda. Für unerläßlich halte er aber auch, daß im Augenblick der Veröffentlichung der Notverordnung ein Auftakt zur Revisionsfrage in die Erscheinung trete, da sonst innerpolitisch nicht durchzukommen sei ...

Zusammenfassend könne er sagen, daß zwei Dinge nötig seien: innerpolitisch sei nötig, daß bei Erlaß der Notverordnung im Volk der Eindruck erweckt werde, daß die Revision schon eingeleitet sei; im Ausland dagegen müsse der Eindruck erweckt werden, daß wir alle Anstrengungen machen, um den Plan zu erfüllen. Der ganze Fragenkomplex müsse in Bewegung gehalten werden bis Anfang 1932. Bis dahin dürfe Deutschland es nicht zu entscheidenden Verhandlungen kommen lassen. Man müsse die Stimmung und die Bewegung narkotisieren, wenn sie zu rasch vorandränge oder aber beleben, wenn sie zu stark einzuschlafen drohe ...

## 10. Notverordnung des Reichspräsidenten vom 8. Dezember 1931

Brünings Bemühungen, das Preis- und Kostenniveau im Inland zu senken, spiegeln die folgenden Auszüge aus der Notverordnung vom 8. Dezember 1931 wider.

Quelle: Reichsgesetzblatt I, 1931, Nr. 79 (gekürzt).

Vierte Verordnung des Reichspräsidenten zur Sicherung von Wirtschaft und Finanzen zum Schutze des inneren Friedens. Vom 8. Dezember 1931.

Erster Teil: Preis- und Zinssenkung

Kapitel I: Anpassung gebundener Preise an die veränderte Wirtschaftslage.

§ 1. (1) Gebundene Preise sind zur Anpassung an die veränderte Wirtschaftslage bis zum 1. Januar um mindestens zehn vom Hundert gegenüber dem Stande vom 30. Juni 1931 zu senken.

(2) Als gebunden gelten Preise, zu deren Einhaltung die Beteiligten sich durch Verträge oder Beschlüsse ... für den inländischen Geschäftsverkehr verpflichtet haben (z. B. Kartelle, Syndikate und Preisbindungen der nächsten Stufe auf den Gebieten der Eisenwirtschaft, der Eisen- und Metallverarbeitungs-, Baustoff-, Chemie-, Papier-, Glas-, Keramik- und Textilwirtschaft sowie der Wirtschaft der künstlichen Düngemittel) ...

Kapitel II: Schutz gegen Überteuerung.

§ 1. (1) Zum Schutze der Bevölkerung gegen Überteuerung von Preisen für lebenswichtige Gegenstände des täglichen Bedarfs und lebenswichtige Leistungen zur Befriedigung des täglichen Bedarfs wird ein Reichskommissar für Preisüberwachung bestellt. Er untersteht dem Reichskanzler und hat seinen Sitz in Berlin.

(2) Die Reichsregierung bestimmt die Dauer seines Auftrags.

§ 2. Der Reichskommissar hat die Aufgabe, die im § 1 genannten Preise sowie ihre Entstehung, insbesondere die den einzelnen Wirtschaftsstufen zufließenden Preisspannen und Zuschläge, ständig zu überwachen. Hält der Reichskommissar Preise, Preisspannen oder Zuschläge für überhöht, so trägt er für ihre Senkung Sorge ...

Kapitel III: Zinssenkung.

Erster Abschnitt: Kapitalmarkt.

§ 1. (1) Der Zinssatz von Anleihen, die in öffentlichen Schuldbüchern eingetragen oder über die Teilschuldverschreibungen ausgegeben sind (Schuldverschreibungen des Reichs, der Länder, Gemeinden und Gemeindeverbände, Pfandbriefe, Kommunal- und Kleinbahnobligationen, Schuldverschreibungen von Kreditanstalten ..., Obligationen von Aktiengesellschaften, Kommanditgesellschaften auf Aktien, Gesellschaften mit beschränkter Haftung, Genossenschaften, Einzelpersonen usw.), wird, wenn er 8 vom Hundert oder weniger, aber mehr als 6 vom Hundert beträgt, auf 6 vom Hundert, wenn er mehr als 8 vom Hundert beträgt, im Verhältnis von 8 zu 6 herabgesetzt.

(2) Soweit der Zinssatz mehr als 12 vom Hundert beträgt,

wird der 12 vom Hundert übersteigende Teil des Zinssatzes im Verhältnis von 8 zu 4 herabgesetzt; im übrigen gilt Abs. 1 ...

§ 2. (1) Die Vorschriften des § 1 gelten entsprechend für Zinsen von Forderungen, einschließlich der Hypotheken, sowie von Grundschulden, wenn die regelmäßige Fälligkeit nicht früher als ein Jahr nach ihrem Entstehen eintritt ...

Zweiter Teil: Wohnungswirtschaft

Kapitel II: Mietsenkung.

§ 1. (1) Bei Mietverhältnissen, auf die die Vorschriften des Reichsmietengesetzes Anwendung finden, ermäßigt sich für die mit dem 1. Januar 1932 beginnende Mietzeit die gesetzliche Miete um zehn vom Hundert der Friedensmiete.

(2) Von dem gleichen Zeitpunkt an ermäßigt sich der Mietzins bei sonstigen Mietverhältnissen über Gebäude oder Gebäudeteile, die bis zum 1. Juli 1918 bezugsfertig geworden sind, um zehn vom Hundert der Friedensmiete.

§ 2. Bei Mietverhältnissen über Gebäude oder Gebäudeteile, die nach dem 1. Juli 1918 bezugsfertig geworden sind, ermäßigt sich vom 1. Januar 1932 ab der Mietzins anteilig um den Betrag, um den die laufende Belastung des Grundstücks nach den Vorschriften über die Zinssenkung (Erster Teil Kapitel III dieser Verordnung) gesenkt wird ...

Sechster Teil: Arbeitsrechtliche Vorschriften

Kapitel I: Löhne und Gehälter der Arbeiter und Angestellten.

§ 1. Alle am Tage des Inkrafttretens dieses Kapitels laufenden Tarifverträge (Lohn-, Mantel- und andere Tarifverträge) laufen, wenn sie nicht auf längere Dauer abgeschlossen sind oder wenn die Tarifvertragsparteien nicht nach dem Inkrafttreten dieses Kapitels eine andere Dauer vereinbaren, mit dem 30. April 1932 ab.

§ 2. (1) Falls die Lohn- oder Gehaltssätze eines am Tage des Inkrafttretens dieses Kapitels laufenden Tarifvertrages höher liegen als die des entsprechenden Tarifvertrags für den 10. Januar 1927, gelten mit Wirkung vom 1. Januar 1932 die niedrigeren Lohn- oder Gehaltssätze dieses Tarifvertrags als in dem laufenden Tarifvertrag vereinbart.

(2) Liegen die Lohn- oder Gehaltssätze des laufenden Tarifvertrags mehr als zehn vom Hundert über denen des entsprechenden Tarifvertrags für den 10. Januar 1927, so tritt lediglich

eine Kürzung um zehn vom Hundert ein; bei Lohn- oder Gehaltssätzen, die seit dem 1. Juli 1931 nicht tarifvertraglich herabgesetzt worden sind, tritt an Stelle des Satzes von zehn vom Hundert der Satz von fünfzehn vom Hundert ...

Siebenter Teil: Sicherung der Haushalte

Kapitel VI: Gehaltskürzung.

§ 1. (1) Vom 1. Januar 1932 ab werden um 9 vom Hundert gekürzt:

a) die Dienstbezüge der Reichsbeamten einschließlich des Gnadenvierteljahres,

b) die Versorgungsbezüge der Wartegeldempfänger und Ruhegeldempfänger des Reichs einschließlich des Gnadenvierteljahres,

c) die Versorgungsbezüge der Hinterbliebenen von Reichsbeamten und Soldaten der alten und neuen Wehrmacht,

d) die Übergangsgebührnisse der Soldaten der Wehrmacht nach §§ 7, 27, 32 und 70 des Wehrmachtversorgungsgesetzes und die entsprechenden Übergangsgebührnisse der Polizeibeamten beim Reichswasserschutz,

e) die Dienstbezüge der Postagenten der Deutschen Reichspost sowie der Untererheber und Hilfskassenverwalter der Reichsabgabenverwaltung,

f) die laufenden Bezüge, die ehemaligen Angestellten und Arbeitern im Reichsdienst einschließlich des Dienstes bei der Deutschen Reichspost und ihren Hinterbliebenen mit Rücksicht auf das frühere Dienstverhältnis außerhalb der reichsgesetzlichen Sozialversicherung gewährt werden (Ruhelohn, laufende Unterstützungen usw.) ...

Berlin, den 8. Dezember 1931

Der Reichspräsident
von Hindenburg

Der Reichskanzler
Dr. Brüning

Der Stellvertreter des Reichskanzlers und Reichsminister der Finanzen
H. Dietrich

Mit Wahrnehmung der Geschäfte beauftragt:
Groener, Reichswehrminister.

# Literatur und Forschungsstand

## 1. Übergreifende Darstellungen

Die wirtschaftliche und soziale Entwicklung der Weimarer Republik behandelt Dietmar Petzina, *Die deutsche Wirtschaft in der Zwischenkriegszeit.* Wiesbaden 1977. Dieser materialreiche und quantitativ fundierte Grundriß enthält einen umfassenden statistischen Anhang und eine ausführliche, nach Teilgebieten geordnete Bibliographie. Ähnlich breit angelegt ist ein Beitrag der marxistischen Geschichtsschreibung: Manfred Nussbaum, *Wirtschaft und Staat in Deutschland während der Weimarer Republik.* Berlin, Vaduz 1978. Er bietet zugleich eine kritische Würdigung der in der DDR erschienenen, manchmal nur in Maschinenschrift vorliegenden und daher schwer zugänglichen Spezialuntersuchungen.

Über das Teilgebiet der Wirtschafts-, Finanz- und Währungspolitik informiert Wolfram Fischer, *Deutsche Wirtschaftspolitik 1918–1945.* Mit einem Tabellenanhang von Peter Czada. 3. Aufl. Opladen 1968. Knut Borchardt, *Wachstum und Wechsellagen 1914–1970.* In: Handbuch der Deutschen Wirtschafts- und Sozialgeschichte. Bd. 2, Stuttgart 1976, beschreibt und untersucht den »Weimarer Konjunkturzyklus«.

Für Probleme der Geldwirtschaft und der Währungspolitik aus nationalökonomischer Sicht ist noch immer aktuell: Rudolf Stucken, *Deutsche Geld- und Kreditpolitik.* Hamburg 1937, in 3. Aufl. erschienen unter dem Titel: *Deutsche Geld- und Kreditpolitik 1914 bis 1963.* Tübingen 1964. Heinz Habedank, *Die Reichsbank in der Weimarer Republik. Zur Rolle der Zentralbank in der Politik des deutschen Imperialismus 1919–1933.* Berlin 1981, wertet die Akten der Reichsbank aus, deren Ertrag er freilich in den engen Rahmen der Theorie des staatsmonopolistischen Kapitalismus zwängt. Mit der Situation einzelner Sektoren der Volkswirtschaft in Inflation und Deflation beschäftigen sich Peter Czada, *Die Berliner Elektroindustrie in der Weimarer Zeit. Eine regionalstatistisch-wirtschaftshistorische Untersuchung.* Berlin 1969; Heinrich August Winkler, *Mittelstand, Demokratie und Nationalsozialismus. Die politische Entwicklung von Handwerk und Kleinhandel in der Weimarer Republik.* Köln 1972, und – in Form einer Aufsatzsammlung – Gerald D. Feldman, *Vom Weltkrieg zur Weltwirtschaftskrise. Studien zur deutschen Wirtschafts- und Sozialgeschichte 1914–1932.* Göttingen 1984. Die Entwicklung der deutschen Wirtschaftswissenschaft umreißt Claus-Dieter Krohn, *Wirtschaftstheorien als politische Interessen. Die akademische Nationalökonomie in Deutschland 1918–1933.* Frankfurt a. M., New York 1981, in einer quellenreichen, aber mit einer gewissen Einseitigkeit der Darstellung und des Urteils behafteten Studie.

Eine Inventur über den Stand der Erforschung der wirtschaftlichen und gesellschaftlichen Zustände in der Weimarer Republik führte 1973 ein Symposium durch, auf dem sich mehrere Experten zu besonderen Problemen der Inflation und der Wirtschaftskrise äußerten. Ihre Beiträge liegen gedruckt vor in: Hans Mommsen, Dietmar Petzina, Bernd Weisbrod (Hrsg.), *Industrielles System und politische Entwicklung in der Weimarer Republik.* Düsseldorf 1974. Ein unveränderter Nachdruck erschien 1977 als Taschenbuch in 2 Bänden.

2. Zur Inflation

Die erste umfassende Untersuchung des Inflationsprozesses legte ein italienischer Nationalökonom vor, der als Mitglied der Reparationskommission die deutsche Währungskatastrophe aus der Nähe beobachten konnte: Costantino Bresciani-Turroni, *Le vicende del marco tedesco.* Mailand 1931 (übersetzt: *The Economics of Inflation. A Study of Currency Depreciation in Post-War Germany.* London 1937, 3. Aufl. 1968). Als Verfechter der Inflationstheorie sucht er nachzuweisen, daß die verantwortungslose Finanz- und Kreditpolitik der Reichsregierung und der Reichsbank, gestützt von industriellen und agrarischen Interessenten, die von der Inflation profitierten, den Zerfall der Mark herbeiführten. Karsten Laursen und Jørgen Pedersen, *The German Inflation 1918–1923.* Amsterdam 1964, erblicken dagegen die entscheidende Ursache der Geldentwertung in einer im Hinblick auf die Produktivität der deutschen Volkswirtschaft zu raschen Anhebung der Löhne und Gehälter nach 1918. Als Anhänger der von John Maynard Keynes begründeten Konjunkturtheorie billigen sie der Inflation jedoch das Verdienst zu, bis Ende 1922 die Vollbeschäftigung gesichert und den Wiederaufbau des Produktionsapparates beschleunigt zu haben. Spezielle Fragen des Inflationsprozesses behandeln zwei weitere nationalökonomische Beiträge: Heinz Haller, *Die Rolle der Staatsfinanzen für den Inflationsprozeß.* In: Deutsche Bundesbank (Hrsg.), *Währung und Wirtschaft in Deutschland 1876–1975.* 2. Aufl. Frankfurt a.M. 1976; Otto Pfleiderer, *Die Reichsbank in der Zeit der großen Inflation, die Stabilisierung der Mark und die Aufwertung von Kapitalforderungen.* Ebd.

Die Geschichtswissenschaft konnte lange Zeit keine vergleichbaren Untersuchungen vorweisen. Sie behandelte den Problemkreis der Inflation entweder im Zusammenhang der Geschichte der Weimarer Republik oder im Rahmen eines historischen Vergleichs wie z.B. Richard Gaettens, *Inflationen. Das Drama der Geldentwertungen vom Altertum bis zur Gegenwart.* 2. Aufl. München 1955. Eine erste materialreiche und kritische Bestandsaufnahme führte Peter Czada, *Ursachen und Folgen der großen Inflation.* In: Harald Winkel (Hrsg.), *Finanz- und wirtschaftspolitische Fragen der Zwischenkriegszeit.* Berlin 1973, durch.

Die systematische Erforschung der Entstehung, des Verlaufs, der Begleitumstände und der Auswirkungen der Währungskatastrophe begann 1976 mit einer interdisziplinären Arbeitstagung. Die Träger dieses noch laufenden Forschungsvorhabens veröffentlichten die bisherigen Ergebnisse ihrer Arbeit in: Otto Büsch, Gerald D. Feldman (Hrsg.), *Historische Prozesse der deutschen Inflation 1914 bis 1924. Ein Tagungsbericht.* Berlin 1978; Gerald D. Feldman, Carl Ludwig Holtfrerich, Gerhard A. Ritter, Peter-Christian Witt (Hrsg.), *Die deutsche Inflation. Eine Zwischenbilanz.* Berlin, New York 1982. In diesen Bänden, in denen Vertreter fast aller Zweige der Geschichtswissenschaft und einiger Nachbardisziplinen zu Wort kommen, finden sich Beiträge zu den geld- und finanzpolitischen Entscheidungsprozessen auf Reichs-, Länder- und Gemeindeebene, zu den unterschiedlichen Auswirkungen der Inflation in den einzelnen Regionen und Wirtschaftssektoren, zum Verhalten einzelner politischer und sozialer Gruppen gegenüber der Geldentwertung, zur Beeinflussung der Verteilung der Einkommen und der Vermögen, zu den Strategien der Bewältigung der Inflation und schließlich zu den Auswirkungen der deutschen Währungskrise auf die internationalen Handels- und Kapitalverflechtungen. Dem Ziel, auch die über das Jahr 1923 hinausreichenden Folgen der Inflation zu untersuchen, diente eine 1983 unter der Leitung Gerald D. Feldmans durchgeführte Arbeitstagung über das Thema ›Die Nachwirkungen der Inflation auf die Geschichte 1924–33‹, deren Ergebnis veröffentlicht werden soll.

Inzwischen erschien eine umfassende Monographie, die ökonomischen und historischen Anforderungen gleichermaßen gerecht wird: Carl-Ludwig Holtfrerich, *Die deutsche Inflation 1914–1923. Ursachen und Folgen in internationaler Perspektive.* Berlin, New York 1980. Der Verfasser weist nach, daß ökonomische Vorgänge im Inflationsprozeß entscheidend von innen- und außenpolitischen Faktoren abhingen, die sich einer rein wirtschaftstheoretischen Analyse verschließen. Überdies beurteilt er die deutsche Inflation auch unter dem Blickwinkel der Weltwirtschaft. Ausführlich erläutert er ferner die Gewinnung und die Aussagekraft des Zahlenmaterials, das er für seine Beweisführung verwendet. Agnete von Specht, *Politische und wirtschaftliche Hintergründe der deutschen Inflation 1918–1923.* Frankfurt a. M., Bern 1982, bemüht sich um den Nachweis, daß die Reichsregierung die Inflation bewußt als politisches und wirtschaftliches Instrument eingesetzt habe, um sich ihrer Reparationsverpflichtungen zu entledigen und um die traditionellen Machtverhältnisse gegen die revolutionären Forderungen von 1918 abzusichern. Auf einer zu schmalen Quellenbasis wirkt ihre Argumentation jedoch wenig überzeugend.

Die Anfangsphase der Inflation erfuhr durch Konrad Roesler, *Die Finanzpolitik des Deutschen Reiches im Ersten Weltkrieg.* Berlin 1967, eine gründliche Bearbeitung. Die Reparationsfrage und den Ruhrkampf stellt Hermann J. Rupieper, *The Cuno Government and Reparations 1922–1923. Politics and Economics.* Den Haag, Boston, London 1979, in den Mittelpunkt seiner Untersuchung. Die Forschungen Holtfrerichs und der Autoren der beiden Tagungsbände zu den sozialen

Auswirkungen der Inflation ergänzen: Uwe Oltmann, *Reichsarbeitsminister Heinrich Brauns in der Staats- und Währungskrise 1923/24. Die Bedeutung der Sozialpolitik für die Inflation, den Ruhrkampf und die Stabilisierung.* Diss. Kiel 1968; Peter-Christian Witt, *Inflation, Wohnungszwangswirtschaft und Hauszinssteuer.* In: Lutz Niethammer (Hrsg.), *Wohnen im Wandel.* Wuppertal 1979; Werner Abelshauser, *Verelendung der Handarbeiter? Zur sozialen Lage der deutschen Arbeiter in der großen Inflation der frühen zwanziger Jahre.* In: Hans Mommsen, Winfried Schulze (Hrsg.), *Vom Elend der Handarbeit. Probleme historischer Unterschichtenforschung.* Stuttgart 1981; Lothar Wentzel, *Inflation und Arbeitslosigkeit. Gewerkschaftliche Kämpfe und ihre Grenzen am Beispiel des Deutschen Metallarbeiter-Verbandes 1919–1924.* Hannover 1980.

Die Auswirkungen der Inflation auf die einzelne Unternehmung in der Industrie und im Bankwesen, z. B. die Frage nach den bereits von Bresciani-Turroni beklagten und später von Laursen und Pedersen bestrittenen »Fehlinvestitionen«, sind bisher kaum erforscht worden. Die Auswertung von Firmenarchiven mit Hilfe betriebswirtschaftlicher Instrumente könnte diese Aufgabe bewältigen, wie die ersten Ergebnisse zeigen: Karl Erich Born, *Die Deutsche Bank in der Inflation nach dem Ersten Weltkrieg.* In: Deutsche Bank (Hrsg.), Beiträge zu Wirtschafts- und Währungsfragen und zur Bankgeschichte Nr. 17, Frankfurt a. M. 1979; Dieter Lindenlaub, *Maschinenbauunternehmen in der Inflation 1919–1923. Unternehmenshistorische Überlegungen zu einigen Theorien der Inflationswirkungen und Inflationserklärung.* In: Gerald D. Feldman u. a. (Hrsg.), *Die deutsche Inflation.* Angaben über die Lage einzelner Industriezweige und -firmen stellt ferner die Stadtgeschichte bereit, wie z. B. in der beispielhaften Untersuchung von Jürgen Reulecke, *Die wirtschaftliche Entwicklung der Stadt Barmen von 1910 bis 1925.* Diss. Bochum 1972.

Genauer beantworten läßt sich hingegen die Frage, ob und wie die Inflation die wirtschaftliche Macht und den politischen Einfluß der Unternehmer in der Schwerindustrie gestärkt hat. Auf den Überblick von Manfred Nussbaum, *Unternehmenskonzentration und Investstrategie nach dem Ersten Weltkrieg. Zur Entwicklung des deutschen Großkapitals während und nach der großen Inflation unter besonderer Berücksichtigung der Schwerindustrie.* In: Jahrbuch für Wirtschaftsgeschichte 1974, Teil II, S. 51–75, folgte die umfassende, ein reichhaltiges Quellenmaterial ausschöpfende Untersuchung von Gerald D. Feldman, *Iron and Steel in the German Inflation 1916–1923.* Princeton N. J. 1977. Den Prototyp des schwerindustriellen Inflationsgewinners stellt Peter Wulf, *Hugo Stinnes. Wirtschaft und Politik 1918–1924.* Stuttgart 1979, vor.

Den wirtschaftlichen und politischen Hintergrund des »wertbeständigen« Notgeldes beleuchtet Rudolf Wilhelmy, *Geschichte des deutschen wertbeständigen Notgeldes von 1923/24.* Diss. FU Berlin 1962.

Als Beispiel für die Vielfalt der Formen und der Ausgabestellen des Notgeldes innerhalb einer Industriegroßstadt sei angeführt: Heinz Hohensee, *Duisburger Notgeld.* Duisburg 1980. Die Rolle des Ersatzgeldes aus der Sicht einer großen Unternehmung veranschaulicht Manfred Schönberg, *Notgeld des Stammwerkes der Hoechst AG. Ein Beitrag zur Geschichte der Inflationsjahre 1918–1923.* Frankfurt a. M. 1978.

Den Anteil Luthers an der Überwindung der Inflation arbeiten Karl-Bernhard Netzband, Hans Peter Widmaier, *Währungs- und Finanzpolitik der Ära Luther 1923–1925.* Basel, Tübingen 1964, heraus, wohingegen Claus-Dieter Krohn, *Stabilisierung und ökonomische Interessen. Die Finanzpolitik des Deutschen Reiches 1923–1927.* Düsseldorf 1974, die Bedeutung Hilferdings hervorhebt und sich kritisch mit der Rolle Helfferichs auseinandersetzt. Krohn behandelt außerdem die Entstehung und den Inhalt der Aufwertungsgesetze. Den Beitrag Schachts zur Stabilisierung der Währung skizziert Helmut Müller, *Die Zentralbank – eine Nebenregierung. Reichsbankpräsident Hjalmar Schacht als Politiker der Weimarer Republik.* Opladen 1973, auf der Grundlage eines politologischen Ansatzes.

3. Zur Weltwirtschaftskrise

Eine Gesamtdarstellung der Weltwirtschaftskrise und der verschiedenen Versuche, die Ursachen und den Verlauf der Depression zu deuten, steht noch aus. Die Vorgänge auf dem Weltmarkt und den Zerfall des internationalen Währungsmechanismus schildert Charles P. Kindleberger, *Die Weltwirtschaftskrise 1929–1939.* München 1973. Eine Reihe von Erklärungsansätzen bleibt jedoch außerhalb seines Blickfeldes. Einen Eindruck von den Auswirkungen der Weltwirtschaftskrise auf das politische, wirtschaftliche, gesellschaftliche und kulturelle Leben in Deutschland vermittelt eine Sammlung chronologisch und sachlich geordneter Dokumente, die neben einer Einführung mit kommentierenden und verbindenden Texten versehen sind: Wilhelm Treue (Hrsg.), *Deutschland in der Weltwirtschaftskrise in Augenzeugenberichten.* 2. Aufl. Düsseldorf 1967; als Taschenbuch ohne Abbildungen, München 1976. Obwohl in einzelnen Teilen durch neuere Forschungsergebnisse überholt, sind als Darstellungen des eigenständigen Krisenverlaufs in Deutschland immer noch grundlegend: Gerhard Kroll, *Von der Weltwirtschaftskrise zur Staatskonjunktur.* Berlin 1958, und Rolf E. Lüke, *Von der Stabilisierung zur Krise.* Zürich 1958.

Dietmar Keese, *Die volkswirtschaftlichen Gesamtgrößen für das Deutsche Reich in den Jahren 1925–1936.* In: Werner Conze, Hans Raupach (Hrsg.), *Die Staats- und Wirtschaftskrise des Deutschen Reiches 1929/33.* Stuttgart 1967, berechnet und beurteilt die einzelnen Teilströme des Wirtschaftskreislaufs vor, während und nach der Krise. Friedrich-Wilhelm Henning, *Die zeitliche Einordnung der Überwindung der Weltwirtschaftskrise in Deutschland.* In: Harald Winkel (Hrsg.), *Finanz- und wirtschaftspolitische Fragen der Zwischenkriegs-*

*zeit.* Berlin 1973, erarbeitet und erörtert einzelne Indikatoren der Entwicklung der deutschen Binnenkonjunktur in den Jahren 1932/33.

Die Erforschung der Lage ausgewählter Wirtschaftszweige während der Krisenjahre erstreckte sich bisher vor allem auf das Bankwesen, die Grundstoff- und Schwerindustrie und die Landwirtschaft. Sie erfolgte zum Teil im Rahmen von Untersuchungen, die sich in erster Linie mit den politischen Bestrebungen der Verbände und Interessengruppen der Privatwirtschaft beschäftigen und die deshalb weiter unten im Zusammenhang mit den Abhandlungen zur Wirtschaftspolitik aufgeführt werden. Hier seien die folgenden Arbeiten über einzelne Sektoren der Wirtschaft genannt: Karl Erich Born, *Die deutsche Bankenkrise 1931. Finanzen und Politik.* München 1967; Joachim Blatz, *Die Bankenliquidität im Run 1931. Statistische Liquiditätsanalyse der deutschen Kreditinstitutsgruppen in der Weltwirtschaftskrise 1929–1933.* Köln 1970; Fritz-Ullrich Fack, *Die deutschen Stahlkartelle in der Weltwirtschaftskrise. Untersuchung über den ökonomisch-politischen Einfluß ihres Verhaltens und ihrer Marktmacht auf den Verlauf der großen deutschen Staats- und Wirtschaftskrise.* Diss. FU Berlin 1957; Hans-Joachim Winkler, *Preußen als Unternehmer 1923–1932. Staatliche Erwerbsunternehmen im Spannungsfeld der Politik am Beispiel der Preussag, Hibernia und Veba.* Berlin 1965; Hans Münch, *Die Bedeutung der sowjetischen Aufträge an die sächsische Werkzeugmaschinenindustrie in der Zeit der Weltwirtschaftskrise 1929 bis 1932.* In: Jahrbuch für Wirtschaftsgeschichte, Teil IV (1965) S. 54–76; Fritz Blaich, *Der private Wohnungsbau in den deutschen Großstädten während der Krisenjahre 1929–1933.* In: Jahrbücher für Nationalökonomie und Statistik 183 (1969) S. 435–448; Achim Becker, *Absatzprobleme der deutschen PKW-Industrie 1925–1932.* Diss. Regensburg 1979.

Die Untersuchung der Situation und der besonderen Probleme einzelner Unternehmungen steckt noch in den Anfängen. Dieses Gebiet beherrschen nach wie vor Selbstdarstellungen in Form der »Firmenfestschrift«, die nur selten wissenschaftlichen Ansprüchen genügen. Immerhin liegen zwei auch unter methodischem Gesichspunkt bedeutsame Beiträge vor: Helmuth Tammen, *Die I. G. Farbenindustrie Aktiengesellschaft (1925–1933). Ein Chemiekonzern in der Weimarer Republik.* Berlin 1978; Dieter Lindenlaub, *Die Anpassung der Kosten an die Beschäftigungsentwicklung bei deutschen Maschinenbauunternehmen in der Weltwirtschaftskrise 1928–1932. Unternehmenshistorische Untersuchungen zu Schmalenbachs Theorie der Fixkostenwirkungen.* In: Hermann Kellenbenz (Hrsg.), *Wachstumsschwankungen. Wirtschaftliche und soziale Auswirkungen.* Stuttgart 1981.

Die Frage, wie sich die Weltwirtschaftskrise auf einzelne Regionen des Deutschen Reiches ausgewirkt hat, wird oft im Rahmen zeitlich übergreifender Darstellungen zur Stadt- und Landesgeschichte behandelt, wie z. B. in: Herbert Schwarzwälder, *Geschichte der Freien Hansestadt Bremen.* Bd. 3: *Bremen in der Weimarer Republik (1918–1933).*

Hamburg 1983; Harald Pohl, *Kommunale Wirtschafts- und Finanzpolitik in Bayern zur Zeit der Weimarer Republik. Dargestellt am Beispiel der Wirtschaftsregion Ingolstadt.* Regensburg 1984. Für einige Städte liegen bereits spezielle, auf die Krisenzeit bezogene Untersuchungen vor, die fast alle im Literaturverzeichnis der musterhaften Arbeit von Ursula Büttner, *Hamburg in der Staats- und Wirtschaftskrise 1928–1931.* Hamburg 1982, aufgezählt werden. Zu ergänzen ist die Studie von Friedrich Zunkel, *Köln während der Weltwirtschaftskrise 1929–33.* In: Zeitschrift für Unternehmensgeschichte 26 (1981), S. 104–128. Für die Flächenstaaten fehlen bisher vergleichbare Darstellungen. Einen Überblick über regionale Krisenprobleme vermitteln: Rudi Allgeier, *Grenzland in der Krise. Die badische Wirtschaft 1928–1933.* In: Thomas Schnabel (Hrsg.), *Die Machtergreifung in Südwestdeutschland. Das Ende der Weimarer Republik in Baden und Württemberg 1928–1933.* Stuttgart, Berlin, Köln, Mainz 1982; Thomas Schnabel, *»Warum geht es in Schwaben besser?« Württemberg in der Weltwirtschaftskrise 1928–1933.* Ebd. Die Entwicklung einzelner Indikatoren des Konjunkturablaufs in den verschiedenen Gebieten des Reiches berechnet und diskutiert Dietmar Petzina, *Zum Problem des Verlaufs und der Überwindung der Weltwirtschaftskrise im regionalen Vergleich – Materialien und Interpretation.* In: Friedrich-Wilhelm Henning (Hrsg.), *Probleme der nationalsozialistischen Wirtschaftspolitik.* Berlin 1976. Über wirtschaftliche Rivalitäten zwischen zwei Reichsländern als Folge der Krise berichtet Fritz Blaich, *Wirtschaftlicher Partikularismus deutscher Länder während der Weltwirtschaftskrise 1932: Das Beispiel der Auto-Union AG.* In: Vierteljahrshefte für Zeitgeschichte 24 (1976), S. 406–414.

Im Gegensatz zu den sektoralen und regionalen Auswirkungen der Weltwirtschaftskrise wurden die Ziele, Mittel und Ergebnisse der staatlichen Wirtschafts- und Finanzpolitik während der Krisenjahre gründlich erforscht und ausgiebig diskutiert. Im Vordergrund dieser Diskussion steht die Politik der beiden Kabinette des Reichskanzlers Heinrich Brüning.

Rudolf Morsey, *Brünings Kritik an der Reichsfinanzpolitik 1919–1929.* In: Erich Hassinger, J. Heinz Müller, Hugo Ott (Hrsg.), *Geschichte, Wirtschaft, Gesellschaft.* Festschrift für Clemens Bauer. Berlin 1974, behandelt Brünings Erfahrungen als Finanzexperte der Zentrumspartei. Die Finanzpolitik, die Brünings Vorgänger im Amt des Kanzlers betrieb, untersucht Ilse Maurer, *Reichsfinanzen und Große Koalition. Zur Geschichte des Reichskabinetts Müller (1928–1930).* Bern, Frankfurt a. M. 1973. Die Ursachen und den Ablauf der »Zwischenkrise« sowie das konjunkturpolitische Experiment des Finanzministers Reinhold beschreibt und erörtert Fritz Blaich, *Die Wirtschaftskrise 1925/26 und die Reichsregierung. Von der Erwerbslosenfürsorge zur Konjunkturpolitik.* Kallmünz 1977. Mit der Politik der Arbeitsbeschaffung bis zu Brünings Amtsantritt setzt sich Dieter Hertz-Eichenrode, *Wirtschaftskrise und Arbeitsbeschaffung. Konjunkturpolitik 1925/26 und die Grundlagen der Krisenpolitik Brünings.* Frankfurt a. M., New York 1982, auseinander. Über den Stand des ökonomischen Wissens während der Weltwirtschaftskrise und die damals entworfenen wirtschaftlichen Rettungspläne unterrichten Gottfried Bombach, Hans-Jürgen Ramser, Manfred Timmermann, Walter Wittmann (Hrsg.), *Der Keynesianismus II. Die beschäftigungspolitische Diskussion vor Keynes in Deutschland. Dokumente und Kommentare.* Berlin, Heidelberg, New York 1976. Knut Borchardt, *Zur Aufarbeitung der Vor- und Frühgeschichte des Keynesianismus in Deutschland. Zugleich ein Beitrag zur Position von W. Lauterbach.* In: Jahrbücher für Nationalökonomie und Statistik 197 (1982), S. 359–370, verweist jedoch auf Ungenauigkeiten bei der Gewichtung und der zeitlichen Einordnung der beschäftigungspolitischen Projekte in diesem Band.

Die Kritiker der Wirtschafts- und Finanzpolitik Brünings sind sich seit langem darüber einig, daß der rigorose Kurs der Deflations- und Parallelpolitik des Kanzlers den konjunkturellen Abschwung erheblich beschleunigt und den Grad der Depression der deutschen Volkswirtschaft empfindlich verschärft hat. Kontrovers bleiben hingegen die Fragen nach den Zielen, die Brüning mit dieser Politik verfolgte, und nach dem Handlungsspielraum, der ihm dabei zur Verfügung stand. Waren Deflations- und Parallelpolitik zwangsläufige Folgen vorgegebener außenpolitischer Konstellationen und wirtschaftlicher Rahmenbedingungen? Oder gab es Alternativen und Mechanismen, um mit Hilfe einer expandierenden Geld- und Fiskalpolitik Programme der Arbeitsbeschaffung zu finanzieren und damit eine antizyklische Konjunkturpolitik zu betreiben?

Gegen die zunächst vorherrschende Überzeugung, Brüning habe nach Maßgabe des nationalökonomischen Wissens seiner Zeit untaugliche Instrumente zur Bekämpfung der Wirtschaftskrise eingesetzt, wandte Wolfgang J. Helbich, *Die Reparationen in der Ära Brüning. Zur Bedeutung des Young-Plans für die deutsche Politik 1930 bis 1932.* Berlin-Dahlem 1962, ein, der Kanzler habe von Anfang an seine Wirtschafts- und Finanzpolitik dem Ziel der Lösung der Reparationsfrage untergeordnet. Horst Sanmann, *Daten und Alternativen der deutschen Wirtschafts- und Finanzpolitik in der Ära Brüning.* In: Hamburger Jahrbuch für Wirtschafts- und Gesellschaftspolitik 10 (1965), S. 109–140, stellte im Rahmen einer wirtschaftstheoretischen Analyse des Inhalts dieser Politik fest, Brüning habe nach der Septemberwahl 1930 sein primäres Ziel gewechselt. An die Stelle der Sanierung des Reichshaushalts sei nun die Streichung der Reparationsschuld getreten. Deshalb habe der Kanzler die von der wirtschaftlichen Situation her gebotene Krisenbekämpfung vernachlässigen müssen. Eine umfassende Darstellung der Reparationspolitik, die nach den Erkenntnissen neuerer Quellenforschungen Helbich und Sanmann korrigiert, legte Winfried Glashagen, *Die Reparationspolitik Heinrich Brünings 1930–1931.*

*Studien zum wirtschafts- und außenpolitischen Entscheidungsprozeß in der Auflösungsphase der Weimarer Republik.* Diss. Bonn 1980, vor.

Eine Gegenposition bezog Henning Köhler, *Arbeitsbeschaffung, Siedlung und Reparationen in der Schlußphase der Regierung Brüning.* In: Vierteljahrshefte für Zeitgeschichte 17 (1969), S. 276–307, der die völlige Unterordnung der Wirtschaftspolitik unter die Reparationspolitik bestreitet. Dieser Position näherte sich erst neuerdings wieder Winfried Gosmann, *Die Stellung der Reparationsfrage in der Außenpolitik der Kabinette Brüning.* In: Josef Becker, Klaus Hildebrand (Hrsg.), *Internationale Beziehungen in der Weltwirtschaftskrise 1929–1933.* München 1980.

Werner Jochmann, *Brünings Deflationspolitik und der Untergang der Weimarer Republik.* In: Dirk Stegmann, Bernd-Jürgen Wendt, Peter-Christian Witt (Hrsg.), *Industrielle Gesellschaft und politisches System. Beiträge zur politischen Sozialgeschichte.* Festschrift für Fritz Fischer. Bonn 1978, versucht, das starre Festhalten an der Deflationspolitik aus Brünings antidemokratischer Einstellung und aus dessen antisemitischen Ressentiments, namentlich gegen die Ratschläge jüdischer Bankiers, abzuleiten. Auf dieser über den Bereich der Wirtschaft und der öffentlichen Finanzen hinausragenden Ebene bewegt sich auch Peter-Christian Witt, *Finanzpolitik als Verfassungs- und Gesellschaftspolitik. Überlegungen zur Finanzpolitik des Deutschen Reiches in den Jahren 1930 bis 1932.* In: Geschichte und Gesellschaft 8 (1982), S. 87–115. Nach seiner Darlegung benutzten Brüning und die ihn unterstützenden Interessengruppen die Parallelpolitik und die mit ihr verbundene Umgestaltung der Finanzverfassung bewußt zur »Aushebelung des parlamentarischen Systems« und zur »Zerstörung der sozialen Komponenten in der Weimarer Verfassungsordnung«.

Eine weitere, bislang heftig geführte Diskussion über die Ziele und Mittel der Wirtschaftspolitik Brünings löste Borchardt 1979 aus. Nach einer wirtschaftstheoretisch fundierten, mit Zahlenmaterial belegten Argumentationskette gelangte er zu dem Ergebnis, daß in der Ära Brüning keine politisch relevante Partei oder Gruppe ein alternatives Konzept zur Deflations- und Parallelpolitik vertreten habe und daß überdies ökonomische und politische Zwangslagen den Kurswechsel zu einer wirksamen aktiven Konjunkturpolitik gar nicht zugelassen hätten. Die wichtigsten, bisher vorliegenden Beiträge zur neuen »Brüning-Kontroverse« sind: Knut Borchardt, *Zwangslagen und Handlungsspielräume in der großen Weltwirtschaftskrise der frühen dreißiger Jahre. Zur Revision des überlieferten Geschichtsbildes.* In: ders., *Wachstum, Krisen, Handlungsspielräume der Wirtschaftspolitik. Studien zur Wirtschaftsgeschichte des 19. und 20. Jahrhunderts.* Göttingen 1982; Gerhard Schulz, *Reparationen und Krisenprobleme nach dem Wahlsieg der NSDAP 1930. Betrachtungen zur Regierung Brüning.* In: Vierteljahresschrift für Sozial- und Wirtschaftsgeschichte 67 (1980), S. 200–222; Claus-Dieter Krohn, *»Ökonomische Zwangslagen« und* *das Scheitern der Weimarer Republik. Zu Knut Borchardts Analyse der deutschen Wirtschaft in den zwanziger Jahren.* In: Geschichte und Gesellschaft 8 (1982), S. 415–426; Carl-Ludwig Holtfrerich, *Alternativen zu Brünings Wirtschaftspolitik in der Weltwirtschaftskrise?* In: Historische Zeitschrift 235 (1982), S. 605–631; Werner Conze, *Zum Scheitern der Weimarer Republik. Neue wirtschafts- und sozialgeschichtliche Antworten auf alte Kontroversen.* In: Vierteljahresschrift für Sozial- und Wirtschaftsgeschichte 70 (1983), S. 215–221; Knut Borchardt, *Noch einmal: Alternativen zu Brünings Wirtschaftspolitik?* In: Historische Zeitschrift 237 (1983), S. 67–83.

Die Wirtschafts- und Finanzpolitik der Kabinette Papen und Schleicher behandeln ausführlich Helmut Marcon, *Arbeitsbeschaffungspolitik der Regierungen Papen und Schleicher. Grundsteinlegung für die Beschäftigungspolitik im Dritten Reich.* Bern, Frankfurt a. M. 1974, und Thomas Kuczynski, *Die unterschiedlichen wirtschaftspolitischen Konzeptionen des deutschen Imperialismus zur Überwindung der Wirtschaftskrise in Deutschland 1932/33 und deren Effektivität.* In: Lotte Zumpe (Hrsg.), *Wirtschaft und Staat im Imperialismus.* Berlin 1976. Während Marcon die Entstehung der Arbeitsbeschaffungsprogramme und deren Durchführung in allen Verästelungen nachzeichnet, unternimmt Kuczynski den methodisch bemerkenswerten Versuch, die Wirksamkeit dieser Maßnahmen mit ökonometrischen Instrumenten zu messen.

Die Ziele, Mittel und Wirkungen der deutschen Agrarpolitik während der Krisenjahre erläutert Dieter Gessner, *Agrardepression und Präsidialregierungen in Deutschland 1930 bis 1933. Probleme des Agrarprotektionismus am Ende der Weimarer Republik.* Düsseldorf 1977. Die »Osthilfe« behandeln Friedrich Martin Fiederlein, *Der deutsche Osten und die Regierungen Brüning, Papen, Schleicher.* Diss. Würzburg 1966, und Dieter Hertz-Eichenrode, *Politik und Landwirtschaft in Ostpreußen 1919–1930. Untersuchung eines Strukturproblems in der Weimarer Republik.* Köln, Opladen 1969. Probleme der Geld- und Währungspolitik greifen auf: Gerd Hardach, *Weltmarktorientierung und relative Stagnation. Währungspolitik in Deutschland 1924–1931.* Berlin 1976; Jürgen Schiemann, *Die deutsche Währung in der Weltwirtschaftskrise 1929–1933. Währungspolitik und Abwertungskontroverse unter den Bedingungen der Reparationen.* Bern, Stuttgart 1980; Knut Borchardt, *Zur Frage der währungspolitischen Optionen Deutschlands in der Weltwirtschaftskrise.* In: ders., *Wachstum, Krisen, Handlungsspielräume der Wirtschaftspolitik.* Göttingen 1982. Willi Albers, *Finanzpolitik in der Depression und in der Vollbeschäftigung.* In: Deutsche Bundesbank (Hrsg.), *Währung und Wirtschaft in Deutschland 1876–1975.* 2. Aufl. Frankfurt a. M. 1976, beurteilt die finanzpolitischen Maßnahmen aus der Sicht der modernen Finanzwissenschaft.

Mit Fragen der Sozialpolitik beschäftigen sich Helga Timm, *Die deutsche Sozialpolitik und der Bruch der Großen Koalition im März*

*1930.* Düsseldorf 1952, 2. Aufl. 1982, und Wilhelm Adamy, Johannes Steffen, *»Arbeitsmarktpolitik« in der Depression. Sanierungsstrategien in der Arbeitslosenversicherung 1927–1933.* In: Mitteilungen aus der Arbeitsmarkt- und Berufsforschung 15 (1982), S. 276–291. Die Belastung der Gemeindehaushalte durch die Massenarbeitslosigkeit und die Bemühungen der Industriestädte, durch Maßnahmen der Arbeitsbeschaffung die soziale Not zu lindern, skizziert Dieter Rebentisch, *Kommunalpolitik, Konjunktur und Arbeitsmarkt in der Endphase der Weimarer Republik.* In: Rudolf Morsey (Hrsg.), *Verwaltungsgeschichte. Aufgaben, Zielsetzungen, Beispiele.* Berlin 1977. Die Literatur zu diesem Themenbereich wird weitergeführt und gleichzeitig den noch offenen Fragen gegenübergestellt bei: Fritz Blaich, *Kommunalpolitik und Weltwirtschaftskrise.* In: Informationen zur modernen Stadtgeschichte 1983, S. 1–6.

Über die wirtschaftlichen Vorstellungen und Forderungen der Verbände und Interessengruppen sowie über deren Einflußnahme auf die Gestaltung der staatlichen Wirtschaftspolitik liegt eine Reihe neuerer Untersuchungen vor, die Quellen aus staatlichen und privaten Archiven auswerten: Dieter Gessner, *Agrarverbände in der Weimarer Republik. Wirtschaftliche und soziale Voraussetzungen agrarkonservativer Politik vor 1933.* Düsseldorf 1976; Michael Schneider, *Das Arbeitsbeschaffungsprogramm des ADGB. Zur gewerkschaftlichen Politik in der Endphase der Weimarer Republik.* Bonn-Bad Godesberg 1975; Udo Wengst, *Unternehmerverbände und Gewerkschaften in Deutschland im Jahre 1930.* In: Vierteljahrshefte für Zeitgeschichte 25 (1977), S. 99–119; Michael Wolffsohn, *Industrie und Handwerk im Konflikt mit staatlicher Wirtschaftspolitik? Studien zur Politik der Arbeitsbeschaffung in Deutschland 1930–1934.* Berlin 1977; ders., *Banken, Bankiers und Arbeitsbeschaffung im Übergang von der Weimarer Republik zum Dritten Reich.* In: Bankhistorisches Archiv 1 (1977), S. 54–70; Bernd Weisbrod, *Schwerindustrie in der Weimarer Republik. Interessenpolitik zwischen Stabilisierung und Krise.* Wuppertal 1978; Reinhard Neebe, *Großindustrie, Staat und NSDAP 1930–1933. Paul Silverberg und der Reichsverband der deutschen Industrie in der Krise der Weimarer Republik.* Göttingen 1981; Michael Grübler, *Die Spitzenverbände der Wirtschaft und das erste Kabinett Brüning. Vom Ende der Großen Koalition 1929/30 bis zum Vorabend der Bankenkrise 1931.* Düsseldorf 1982; Wolfgang Zollitsch, *Einzelgewerkschaften und Arbeitsbeschaffung: Zum Handlungsspielraum der Arbeiterbewegung in der Spätphase der Weimarer Republik.* In: Geschichte und Gesellschaft 9 (1982), S. 87–115.

Einen Einblick in das Entscheidungszentrum der Reichswirtschafts- und -finanzpolitik erschließen die folgenden Biographien: Adelheid von Saldern, *Hermann Dietrich. Ein Staatsmann der Weimarer Republik.* Boppard 1966; Helmut J. Schorr, *Adam Stegerwald. Politiker der ersten deutschen Republik. Ein Beitrag zur Geschichte der christlich-*

*sozialen Bewegung in Deutschland.* Recklinghausen 1966; Eckhard Wandel, *Hans Schäffer. Steuermann in wirtschaftlichen und politischen Krisen.* Stuttgart 1974. Schäffer, ein enger Vertrauter Brünings, war von 1929 bis 1932 Staatssekretär im Reichsfinanzministerium und galt als Experte für Reparationsfragen.

Den Einfluß konjunktureller, demographischer und politischer Faktoren auf das Wählerverhalten in den vier Reichstagswahlen zwischen 1930 und 1933 untersuchen Bruno S. Frey, Hannelore Weck, *Hat Arbeitslosigkeit den Aufstieg des Nationalsozialismus bewirkt?* In: Jahrbücher für Nationalökonomie und Statistik 196 (1981), S. 1–31.

## Zur Quellenlage

### 1. Ungedruckte Quellen

Die Akten der zentralen Organe des Deutschen Reiches spiegeln die Überlegungen, Zielsetzungen und Entscheidungen der Träger der Wirtschafts- und Finanzpolitik zwischen 1914 und 1933 wider. Dieses Archivgut enthält neben dem Schriftwechsel der einzelnen Reichsressorts auch zahlreiche Eingaben und Auskünfte der Reichsländer, der Gemeinden, der Verbände und einzelner Persönlichkeiten aus Politik und Wirtschaft. Das Aktenmaterial der Reichskanzlei sowie einige »Restakten« aus dem Reichsarbeits-, dem Reichsfinanz- und dem Reichswirtschaftsministerium befinden sich im Bundesarchiv in Koblenz. Die Hauptmasse des Schriftgutes der Reichsministerien wird in der Historischen Abteilung I des Deutschen Zentralarchivs in Potsdam aufbewahrt. Dort lagern auch Akten der kaiserlichen »Reichsämter«, die für die erste Phase der Inflation von 1914 bis 1918 maßgebend sind. Erhebliche Dokumentationslücken bestehen vor allem in den Beständen des Reichsfinanzministeriums. Eine wichtige Quelle für die Darstellung der währungspolitischen Entscheidungen bilden die Akten der Deutschen Reichsbank, die in Potsdam verwahrt werden. Das Politische Archiv des Auswärtigen Amtes in Bonn besitzt Akten zur Reparationspolitik.

Einen Einblick in den wirtschafts-, finanz- und währungspolitischen Entscheidungsprozeß gewähren ferner die Aufzeichnungen von Personen, die an der Gestaltung dieser Politik mitwirkten. Als besonders ergiebig für die hier berührten Themenkreise erweisen sich die von 1909 bis 1923 überlieferten Handakten Rudolf Havensteins aus seiner Amtszeit als Präsident der Reichsbank, die das Deutsche Zentralarchiv in Potsdam aufbewahrt, und das von 1924 bis 1932 reichende Tagebuch Hans Schäffers, welches das Institut für Zeitgeschichte in München erworben hat. Nachlässe oder Nachlaßteile Hans Luthers sowie der Reichsminister Matthias Erzberger und Hermann Dietrich lagern im Bundesarchiv. In diesem Zusammenhang ist auch der Schriftwechsel aufschlußreich, den die beiden Großindustriellen Paul Silverberg und Paul Reusch in ihrer Eigenschaft als Spitzenfunktionäre mehrerer Wirtschaftsverbände mit den Trägern und Akteuren der Wirtschaftspolitik geführt haben. Den Nachlaß Silverbergs besitzt das Bundesarchiv, die Korrespondenz Reuschs verwahrt das Historische Archiv der Gutehoffnungshütte in Oberhausen.

Ergänzende Hinweise auf die Wirtschafts-, Finanz- und Währungspolitik sowie Aufschlüsse über die regionalen Auswirkungen der Inflation und der Wirtschaftskrise bietet das Schriftgut der Regierungen und der Verwaltungsbehörden der Reichsländer. Die Hauptmasse der Akten Preußens, also des von seiner Bevölkerungszahl wie von seinem wirtschaftlichen und politischen Gewicht bei weitem bedeutendsten

Reichslandes, besitzt die Historische Abteilung II des Deutschen Zentralarchivs in Merseburg. Dieses Aktenmaterial enthält in erheblichem Umfang »Wirtschaftsschriftgut«, aus dem sich die Lage einzelner Wirtschaftszweige oder Unternehmungen nachzeichnen läßt. Aktenmaterial aus den ehemaligen preußischen Oberpräsidien und Regierungen lagert in mehreren Archiven der Bundesrepublik. Aktenbestände, die über die Lage im rheinisch-westfälischen Industriegebiet Auskunft geben, verteilen sich auf das Hauptstaatsarchiv Düsseldorf, das Staatsarchiv Koblenz und das Staatsarchiv Münster.

Entsprechende Akten der Reichsländer Baden, Bayern, Hessen, Sachsen und Württemberg liegen im Generallandesarchiv Karlsruhe, im Bayerischen Hauptstaatsarchiv München, im Hessischen Staatsarchiv Darmstadt, im Staatsarchiv Dresden und im Hauptstaatsarchiv Stuttgart. Freilich riß der Bombenkrieg erhebliche Lücken in diese Bestände. Die Akten des sächsischen Finanzministeriums wurden zum Teil vernichtet, fast alle Ministerialakten des Volksstaates Hessen und das gesamte Schriftgut des württembergischen Wirtschaftsministeriums gingen verloren. Quellen zur wirtschaftlichen und sozialen Entwicklung im bedeutendsten Stadtstaat finden sich im Staatsarchiv der Freien und Hansestadt Hamburg, das auch Akten der ehemals selbständigen Industriegroßstädte Altona und Harburg-Wilhelmsburg verwahrt. Für die Untersuchung der lokalen Auswirkungen der Inflation und der Krise sind die Aktenbestände der einzelnen Stadtarchive, die freilich zum Teil erhebliche Kriegsverluste erlitten, unentbehrlich.

Für Arbeiten über die sektoralen Auswirkungen bilden die Akten der Kammern, Verbands-, Werks- und Firmenarchive die Quellengrundlage. Viele Industrie- und Handelskammern verwalten ihre Unterlagen aus den Jahren 1914–1933 noch in eigenen Aktenregistraturen. Andere haben dieses Schriftgut abgegeben, und zwar entweder an das Stadtarchiv ihres Standortes oder an das zuständige regionale Wirtschaftsarchiv, vor allem an das Rheinisch-Westfälische Wirtschaftsarchiv zu Köln e. V. und das Westfälische Wirtschaftsarchiv Dortmund. Das Aktenmaterial des Deutschen Industrie- und Handelstags, des Dachverbandes der Industrie- und Handelskammern, gelangte ins Bundesarchiv. Dort lagern auch Restakten des Reichsverbandes der Deutschen Industrie, dessen Archiv als verschollen gilt. Auch das Archiv des Centralverbands des Deutschen Bank- und Bankiersgewerbes e. V. dürfte durch die Kriegsereignisse vernichtet worden sein. Die Aufbewahrung von Geschäftspapieren aus der Zeit der Inflation und der Weltwirtschaftskrise blieb in der Bundesrepublik dem Ermessen der jeweiligen Unternehmensleitung überlassen. Vor allem die bedeutenden Industriefirmen und Großbanken haben jedoch inzwischen eigene Archive aufgebaut, die von Fachleuten betreut werden. Selbst in den Reihen der mittelgroßen Unternehmungen reift allmählich die Erkenntnis, daß es auch für Zwecke der eigenen Firma vorteilhaft sein kann, wichtige, für den Geschäftsbetrieb nicht mehr benötigte Akten der Nachwelt zu erhalten. Schriftgut der privaten Wirtschaft, das zwischen 1914 und 1933 in Mitteldeutschland angefallen war und erhalten geblieben ist, befindet sich entweder in den Staatsarchiven der DDR oder in den Archiven der großen »Volkseigenen Betriebe«, z. B. im Archiv des VEB Carl Zeiss, Jena.

Über die vorhandenen Unternehmens-, Kammer- und Verbandsarchive und ihre Bestände unterrichten in Form von Loseblattsammlungen, die bei Bedarf ergänzt und berichtigt werden: Gesellschaft für Unternehmensgeschichte (Hrsg.), *Deutsche Wirtschaftsarchive. Nachweis historischer Quellen in Unternehmen, Kammern und Verbänden der Bundesrepublik Deutschland.* Wiesbaden 1978, und: dies. und Institut für bankhistorische Forschung (Hrsg.), *Deutsche Wirtschaftsarchive.* Bd. 2: *Kreditwirtschaft.* Wiesbaden 1983. Eine genaue Übersicht auch über die öffentlichen Archive vermitteln Thomas Trumpp, Bodo Herzog, *Summarisches Auswahlinventar von Quellen zum Thema »Industrielles System und politische Entwicklung in der Weimarer Republik« in Archiven der Bundesrepublik Deutschland* (Zwischenergebnis, Stand: September 1973). In: Hans Mommsen u. a. (Hrsg.), *Industrielles System und politische Entwicklung in der Weimarer Republik,* und Thomas Trumpp, *Quellen zur Wirtschafts- und Sozialgeschichte der Inflationszeit in Archiven der Bundesrepublik Deutschland.* In: Otto Büsch u. a. (Hrsg.), *Historische Prozesse der deutschen Inflation 1914 bis 1924. Ein Tagungsbericht.* Die wichtigsten einschlägigen Aktenbestände, die in der DDR lagern, erschließen: Helmut Lötzke (Hrsg.), *Übersicht über die Bestände des Deutschen Zentralarchivs Potsdam.* Berlin 1957; Herbert Buck (Bearb.), *Zur Geschichte der Produktivkräfte und Produktionsverhältnisse in Preußen 1810–1933. Spezialinventar des Bestandes Preußisches Ministerium für Handel und Gewerbe.* Bd. 1, 2 Teile, Weimar 1966 und 1968; Bd. 2, Berlin 1960; Bd. 3, Weimar 1970; K. Metschies, *Der Bestand »Deutsche Reichsbank«, Volkswirtschaftliche und Statistische Abteilung im Deutschen Zentralarchiv Potsdam, Historische Abteilung I.* In: Jahrbuch für Wirtschaftsgeschichte 3 (1968), S. 387–391.

2. Gedruckte Quellen und Quellenpublikationen

Wirtschafts- und finanzpolitische Entscheidungen des Reiches, die in Gesetzesform gegossen wurden, veröffentlichte das Reichsministerium des Innern im jährlich erscheinenden *Reichsgesetzblatt, Teil 1.*

Über das Zustandekommen dieser Gesetze unterrichten die für jede Legislaturperiode herausgegebenen *Verhandlungen des Reichstags,* die in die *Stenographischen Berichte* über die Parlamentsdebatten und in die *Anlagen zu den Stenographischen Berichten* untergliedert sind. Die »Anlagenbände« enthalten neben den Gesetzentwürfen auch amtliche Untersuchungen über den Zustand einzelner Wirtschaftsregionen und -zweige. Eine wichtige Quelle für die Währungspolitik stellen die jährlich herausgegebenen *Verwaltungsberichte der Reichsbank* dar.

Die wirtschaftlich und politisch bedeutenden Reichsländer legten ihre Gesetze und die Aufzeichnungen der Verhandlungen ihrer Parlamente ebenfalls in gedruckter Form vor. Als Beispiel seien die *Preußische Gesetzsammlung*, herausgegeben vom Preußischen Staatsministerium, und die *Verhandlungen des Bayerischen Landtags* genannt. Die größeren Städte gaben für jedes Haushaltsjahr *Verwaltungsberichte* heraus, in denen sie Rechenschaft über ihre Haushaltspolitik und ihre wirtschaftliche und soziale Tätigkeit ablegten.

Quellenmaterial zur Verbandspolitik während der Inflations- und Krisenjahre liefern die zeitgenössischen Veröffentlichungen der wirtschaftlich bedeutenden und politisch einflußreichen Organisationen, wie z. B. das ab 1925 in Berlin herausgegebene *Jahrbuch des Allgemeinen Deutschen Gewerkschafts-Bundes* oder die ebenfalls in Berlin in unregelmäßiger Folge erschienenen *Veröffentlichungen des Reichsverbandes der Deutschen Industrie*.

Eine Auswahl gedruckt vorliegender Quellen, z. B. Ausschnitte aus den Verhandlungen des Reichstags oder Zeitungsartikel, enthält die ab 1958 von Herbert Michaelis und Ernst Schraepler bearbeitete und herausgegebene Dokumentensammlung: *Ursachen und Folgen. Vom deutschen Zusammenbruch 1918 und 1945 bis zur staatlichen Neuordnung Deutschlands in der Gegenwart*, und zwar im Bd. 5: *Die Weimarer Republik. Das kritische Jahr 1923*. Berlin o. J., und im Bd. 8: *Die Weimarer Republik. Das Ende des parlamentarischen Systems. Brüning-Papen-Schleicher 1930–1933*. Berlin o. J. Karl Dietrich Erdmann und Wolfgang Mommsen gaben die Kabinettsprotokolle und Sachakten aus dem Bestand »Reichskanzlei« des Bundesarchivs in mehreren, jeweils mit umfassenden einleitenden Kommentaren ausgestatteten Bänden unter dem Titel *Akten der Reichskanzlei. Weimarer Republik* heraus. Im Folgenden werden diejenigen Bände, welche wesentliches Quellenmaterial zur Inflation oder zur Wirtschaftskrise enthalten, mit den Namen ihrer Bearbeiter, mit ihrem Untertitel und mit ihrem Erscheinungsjahr vorgestellt. Der Erscheinungsort ist jeweils Boppard am Rhein: Anton Golecki, *Das Kabinett Bauer*. 1980; Peter Wulf, *Das Kabinett Fehrenbach 1920/21*. 1972; Ingrid Schulze-Bidlingmaier, *Die Kabinette Wirth I und II*. 2 Bde., 1973; Karl-Heinz Harbeck, *Das Kabinett Cuno 1922/23*. 1968; Karl Dietrich Erdmann, Martin Vogt, *Die Kabinette Stresemann I und II*. 2 Bde., 1978; Martin Vogt, *Das Kabinett Müller II*. 1970; Tilman Koops, *Die Kabinette Brüning I und II*. 2 Bde., 1982. Ein weiterer Band, der die letzten acht Monate des Kabinetts Brüning II umfaßt, wird folgen.

Die währungspolitischen Gesetze und Verordnungen der Inflationszeit werden zusammengefügt und kommentiert bei: Hermann Bente, *Die deutsche Währungspolitik von 1914 bis 1924*. In: Weltwirtschaftliches Archiv 23/I (1926), S. 117*–191*. Die Pläne zur Sanierung der Währung werden übersichtlich geordnet und erläutert bei: Paul Beusch, *Währungszerfall und Währungsstabilisierung*. Berlin 1928. Die

Entwicklung der deutschen Eisen- und Stahlindustrie und ihrer Verbandspolitik unter den Bedingungen der Entwertung der Mark wird dokumentiert durch : Gerald D. Feldman, Heidrun Homburg, *Industrie und Inflation. Studien und Dokumente zur Politik der deutschen Unternehmer 1916–1923.* Hamburg 1977. Dieses Werk gliedert sich in eine Darstellung und in einen Quellenanhang, in dem 50 Dokumente aus Verbands- und Firmenarchiven, aus den Nachlässen führender Industrieller und aus den Aktenbeständen des Reichswirtschafts- und -arbeitsministeriums ausgebreitet werden.

Die Zusammenhänge zwischen der Wirtschaftskrise, der innenpolitischen Entwicklung Deutschlands und den Entscheidungen der Reichsregierung in der Ära Brüning dokumentiert die in der Reihe *Quellen zur Geschichte des Parlamentarismus und der politischen Parteien* erschienene, von Gerhard Schulz eingeleitete, von Ilse Maurer und Udo Wengst bearbeitete Edition: *Politik und Wirtschaft in der Krise 1930–1932. Quellen zur Ära Brüning.* 2 Teile, Düsseldorf 1980. Diese Publikation stützt sich auf das einschlägige Archivgut des Bundesarchivs, des Deutschen Zentralarchivs und der süddeutschen Landesarchive, auf die Nachlässe bedeutender Politiker, hoher Ministerialbeamter und führender Industrieller und auf schwer zugängliche Partei- und Verbandsakten.

3. Statistische Quellen

Das von den statistischen Ämtern des Reiches, der Länder und der größeren Städte erfaßte und aufbereitete Zahlenmaterial bildet die ergiebigste und zuverlässigste Quelle für quantitative Untersuchungen zur Geschichte der Inflation und der Wirtschaftskrise. Die Ergebnisse der »amtlichen« Statistik wurden in mehreren Periodika und in zahlreichen Einzelschriften veröffentlicht.

Die laufenden Erhebungen des Statistischen Reichsamtes in Berlin wurden im *Statistischen Jahrbuch für das Deutsche Reich* zusammengefaßt. Für die Forschung mitunter interessante Teil- und Zwischenergebnisse, die nur in zusammengedrängter Form in das Jahrbuch aufgenommen wurden, enthalten die *Vierteljahrshefte zur Statistik des Deutschen Reiches.* Ab 1921 gab das Reichsamt die halbmonatlich erscheinende Zeitschrift *Wirtschaft und Statistik* heraus, die in »gemeinverständlicher und aktueller Weise« über die Zustände und Vorgänge im Wirtschaftsleben berichtete. Ergebnisse der Reichsstatistik, »zahlenmäßige Feststellungen anderer Reichsstellen« sowie Beiträge der Landes- und Städtestatistik und der nichtamtlichen Statistik wurden in dieser Zeitschrift unmittelbar nach Abschluß der Erhebung und Aufbereitung in einen erläuternden Text eingebunden und zu graphischen Darstellungen umgeformt.

Ergänzende Angaben liefern die periodischen Veröffentlichungen der Landesstatistik, etwa die *Zeitschrift des Preußischen Statistischen Landesamts* oder die *Zeitschrift des Bayerischen Statistischen Landes-*

*amts*, und das vom Deutschen Städtetag herausgegebene *Statistische Jahrbuch deutscher Städte*.

Eine kommentierte und mit bibliographischen Angaben versehene Auswahl von Zeitreihen, die weitgehend der amtlichen Statistik entnommen wurden, legen vor: Dietmar Petzina, Werner Abelshauser, Anselm Faust, *Sozialgeschichtliches Arbeitsbuch III. Materialien zur Statistik des Deutschen Reiches 1914–1945*. München 1978.

Der Erscheinung der Inflation widmete das Statistische Reichsamt eine breit angelegte Zahlendokumentation: *Zahlen zur Geldentwertung in Deutschland 1914 bis 1923*. (Wirtschaft und Statistik 5 Jg., Sonderheft 1) Berlin 1925. Das umlaufende Notgeld wurde in diesem Werk freilich nur für das Jahr 1923 erfaßt, obwohl Geldsurrogate schon früher in größerem Umfang ausgegeben und danach wieder eingezogen worden waren. Außerdem weisen viele Zeitreihen in der Phase der Hyperinflation Lücken auf, weil die Erhebungen des Statistischen Reichsamtes mit dem Tempo der Geldentwertung nicht mehr Schritt halten konnten. Einschlägiges Zahlenmaterial enthalten ferner die Denkschrift *Deutschlands Wirtschaft, Währung und Finanzen*. Im Auftrage der Reichsregierung den von der Reparationskommission eingesetzten Sachverständigenausschüssen übergeben, die in der Absicht publiziert wurde, Deutschlands Unfähigkeit zur Zahlung der Reparationen nachzuweisen, sowie der Tätigkeitsbericht der Reichsbank *Die Reichsbank 1901–1925*. Berlin 1925. Für die Geschäftsbanken liegen entsprechende Zahlenreihen nicht vor. Insbesondere fehlen auch nur einigermaßen vollständige Angaben über die Höhe der Guthaben auf Zahlungsverkehrskonten. Deshalb ist es nicht möglich, die Menge des Giralgeldes, das zwischen 1914 und 1922 dank der Förderung des bargeldlosen Zahlungsverkehrs wachsende Bedeutung erlangt hatte, exakt zu bestimmen.

Die Vorgänge innerhalb einzelner Wirtschaftszweige oder gar innerhalb einer bestimmten Unternehmung wie z. B. die Entwicklung der Belegschaft oder der Umsätze sind bislang nur spärlich mit Zahlen belegt worden. Vor allem fehlt bisher – auch für die Zeit der Weltwirtschaftskrise – eine repräsentative laufende Statistik der von den Unternehmern tatsächlich ausbezahlten Löhne und Gehälter. Die Bewegung der Tariflohnsätze bringt die Entwicklung der Effektivlöhne nämlich nur sehr unvollkommen zum Ausdruck. In diesem Bereich könnte indessen die Auswertung der Aktenbestände in Banken- und Firmenarchiven zu neuen Erkenntnissen verhelfen. Eine Übersicht über unveröffentlichtes und zum Teil auch noch nicht aufgearbeitetes Zahlenmaterial gibt Thomas Trumpp, *Statistikmaterial zur Wirtschafts- und Sozialgeschichte der deutschen Inflation in Archiven der Bundesrepublik Deutschland*. In: Feldman u. a. (Hrsg.), *Industrie und Inflation*.

Wesentlich reichhaltiger ist das Zahlenmaterial, das für die Erforschung der Weltwirtschaftskrise zur Verfügung steht. Ernst Wagemann, seit Ende 1923 Leiter des Statistischen Reichsamtes, gründete

1925 in Berlin das Institut für Konjunkturforschung, welches die Aufgabe erhielt, aus der im Reichsamt gewonnenen »Primärstatistik« Daten für konjunkturtheoretische und -politische Analysen herauszuarbeiten. Das Institut gab die *Vierteljahrshefte zur Konjunkturforschung* heraus und veröffentlichte zwei grundlegende Quellen zur wirtschaftlichen und sozialen Entwicklung Deutschlands in der Krisenzeit: *Konjunkturstatistisches Handbuch 1933.* Berlin 1933; *Konjunkturstatistisches Handbuch 1936.* Berlin 1935.

Die Einführung der Arbeitslosenversicherung im Jahre 1927 setzte eine genaue und systematische Erfassung der Daten des Arbeitsmarktes voraus. Hatte sich das Reichsamt bei der Berechnung der Arbeitslosigkeit bisher mit den Meldungen der verschiedenen Gewerkschaftsverbände über die Zahl ihrer arbeitslosen Mitglieder behelfen müssen, so konnte es jetzt exakte Angaben der Arbeitsämter auswerten. Die wichtigste gedruckte Quelle zur Arbeitsmarktstatistik verkörpert das vom Reichsarbeitsministerium jährlich herausgegebene *Reichsarbeitsblatt. Amtsblatt des Reichsarbeitsministeriums, des Reichsversicherungsamts, der Reichsanstalt für Arbeitsvermittlung und Arbeitslosenversicherung und der Reichsversicherungsanstalt für Angestellte. Teil 2, Nichtamtlicher Teil.*

Die Bewältigung der Bankenkrise von 1931 erbrachte als Nebenergebnis eine wesentliche Verbesserung der für die private Bankwirtschaft verfügbaren Datenbasis durch: Untersuchungsausschuß für das Bankwesen (Hrsg.), *Untersuchung des Bankwesens 1933.* 2. Teil: *Statistiken.* Zusammengestellt von der Volkswirtschaftlichen und Statistischen Abteilung der Reichsbank, Berlin 1934. Wichtiges Zahlenmaterial enthalten ferner die von der Reichs-Kredit-Gesellschaft AG, Berlin, ab 1925 halbjährlich zusammengestellten Berichte *Deutschlands wirtschaftliche Entwicklung* ... bzw. *Deutschlands wirtschaftliche Lage an der Jahreswende* ... Für die Analyse der außenwirtschaftlichen Einflüsse auf den Verlauf der deutschen Binnenkonjunktur ist als Quelle unentbehrlich *Die deutsche Zahlungsbilanz der Jahre 1924–1933* (Wirtschaft und Statistik 14. Jg., Sonderheft 14). Berlin 1934.

Die wichtigsten Ergebnisse der zeitgenössischen amtlichen Statistik wurden, zum Teil im Rahmen einer Neubearbeitung, zusammengefaßt in: Länderrat des amerikanischen Besatzungsgebietes (Hrsg.), *Statistisches Handbuch von Deutschland 1928–1944.* München 1949.

### 4. Memoirenliteratur

Eine wichtige Quellengattung stellen ferner die in Buchform erschienenen persönlichen Aufzeichnungen und Erinnerungen dar, wenngleich sie meistens der nachträglichen Rechtfertigung des Verhaltens ihrer Autoren in der Öffentlichkeit dienen. Für die Beschreibung und Erklärung der Inflation ist die Memoirenliteratur freilich wenig ergiebig. Den damaligen Stand des ökonomischen Wissens schildern Moritz Julius Bonn, *So macht man Geschichte. Bilanz eines Lebens.* München

1953, und L. Albert Hahn, *Fünfzig Jahre zwischen Inflation und Deflation.* Tübingen 1963. Auch Hans Luther, *Politiker ohne Partei. Erinnerungen.* Stuttgart 1960, behandelt die Entwertung der Mark. Nutzbringender sind freilich die Beobachtungen, die der damalige britische Gesandte in Berlin, ein entschiedener Anhänger der Inflationstheorie, aufgezeichnet hat: Edgar Viscount D'Abernon, *Ein Botschafter der Zeitenwende. Memoiren.* Bd. 1: *Von Spa (1920) bis Rapallo (1922);* Bd. 2: *Ruhrbesetzung.* Leipzig o. J.

Die Wirtschaftskrise nimmt in der Memoirenliteratur zwar erheblich breiteren Raum ein, doch wird sie überwiegend unter dem Vorzeichen der Wirtschafts- und Finanzpolitik Brünings behandelt. Die starre Deflations- und Parallelpolitik des Reichskanzlers rechtfertigen: Hermann Pünder, *Politik in der Reichskanzlei. Aufzeichnungen aus den Jahren 1929–1932.* Stuttgart 1961; Hans Luther, *Vor dem Abgrund. 1930–1933. Reichsbankpräsident in Krisenzeiten.* Berlin 1964; Gottfried Reinhold Treviranus, *Das Ende von Weimar. Heinrich Brüning und seine Zeit.* Düsseldorf, Wien 1968. Pünder war Staatssekretär in der Reichskanzlei. Luther verteidigt gleichzeitig seine eigene Haltung als »aufrechter Deflationist«. Treviranus war unter Kanzler Brüning zunächst Reichsminister für die besetzten Gebiete, hernach Reichsverkehrsminister.

Die Veröffentlichung der Erinnerungen des Reichskanzlers: Heinrich Brüning, *Memoiren 1918–1934.* Stuttgart 1970, ließ die Diskussion über die Zielsetzung, die der Deflations- und Parallelpolitik zugrundelag, erneut aufleben. Da bis heute keine historisch-kritische Ausgabe dieser posthum veröffentlichten Erinnerungen vorliegt, sei zur Beurteilung ihres Quellenwertes auf Rudolf Morsey, *Zur Entstehung, Authentizität und Kritik von Brünings ›Memoiren 1918–1934‹.* Opladen 1975, verwiesen.

Die Schwierigkeiten, mit denen die Reichshaushaltspolitik während der Krisenjahre zu kämpfen hatte, beleuchtet: Lutz Graf Schwerin von Krosigk, *Staatsbankrott. Die Geschichte der Finanzpolitik des Deutschen Reiches von 1920 bis 1945, geschrieben vom letzten Reichsfinanzminister.* Göttingen, Frankfurt, Zürich 1974. Den Ablauf der Bankenkrise hält ein zeitgenössischer Beobachter in Tagebuchform fest: Rolf E. Lüke, *Der 13. Juli 1931. Das Geheimnis der deutschen Bankenkrise.* Frankfurt a. M. 1981. Einen neuen Blickwinkel zur Beurteilung der Wirtschafts- und Finanzpolitik der Krisenzeit öffnen die kommentierten Erinnerungen eines Politikers der SPD, der von 1927 bis 1932 zunächst Ministerialdirektor, sodann Staatssekretär im Preußischen Ministerium für Handel und Gewerbe war: Hagen Schulze (Hrsg.), *Hans Staudinger. Lebenserinnerungen eines politischen Beamten im Reich und in Preußen 1889 bis 1934.* Bonn 1982. Über die Vorschläge zur Arbeitsbeschaffung und ihre Verwirklichung im Rahmen der Wirtschaftspolitik Schleichers berichtet der ehemalige »Reichskommissar für Arbeitsbeschaffung«: Günther Gereke, *Ich war königlich-preußischer Landrat.* Berlin 1970.

## 1. Die jeweilige Verzehnfachung des Dollarkurses seit dem Kriegsausbruch

| 1 Goldmark = Papiermark | Datum | Dollarkurs in Papiermark | Zeitraum |
|---|---|---|---|
| 1 | Juli 1914 | 4,20 | |
| 10 | Jan. 1920 | 41,98 | 5½ Jahre |
| 100 | 3. Juli 22 | 420,00 | 2½ Jahre |
| 1 000 | 21. Okt. 22 | 4 430,00 | 108 Tage |
| 10 000 | 31. Jan. 23 | 49 000,00 | 101 Tage |
| 100 000 | 24. Juli 23 | 414 000,00 | 174 Tage |
| 1 000 000 | 8. Aug. 23 | 4 860 000,00 | 13 Tage |
| 10 000 000 | 7. Sept. 23 | 53 000 000,00 | 30 Tage |
| 100 000 000 | 3. Okt. 23 | 440 000 000,00 | 26 Tage |
| 1 000 000 000 | 11. Okt. 23 | 5 060 000 000,00 | 8 Tage |
| 10 000 000 000 | 22. Okt. 23 | 40 000 000 000,00 | 11 Tage |
| 100 000 000 000 | 3. Nov. 23 | 420 000 000 000,00 | 11 Tage |
| 1 000 000 000 000 | 20. Nov. 23 | 4 200 000 000 000,00 | 17 Tage |

Quelle: Hermann Bente, Die deutsche Währungspolitik von 1914–1924. In: Weltwirtschaftliches Archiv 23/1 (1926), S. 134*.

## 2. Der Umfang der von der Reichsbank an das Reich und an die Privatwirtschaft vergebenen Kredite
In Milliarden Mark, soweit nicht anders angegeben

| Datum | Diskontierte Schatzanweisungen | Diskontierte Handelswechsel | Darlehenskassenkredite |
|---|---|---|---|
| 31. Dez. 1913 | – | 1,49 | – |
| 31. Aug. 1914 | 1,93 | 2,81 | 0,24 |
| 31. Dez. 1915 | 5,21 | 0,59 | 2,34 |
| 31. Dez. 1916 | 8,87 | 0,74 | 3,41 |
| 31. Dez. 1917 | 14,21 | 0,39 | 7,69 |
| 31. Dez. 1918 | 27,16 | 0,26 | 15,63 |
| 31. Dez. 1919 | 41,25 | 0,49 | 24,89 |
| 31. Dez. 1920 | 57,63 | 3,01 | 35,53 |
| 31. Dez. 1921 | 132,33 | 1,06 | 15,31 |
| 30. Juni 1922 | 186,13 | 4,75 | 25,08 |
| 30. Nov. 1922 | 672,22 | 246,95 | 91,71 |
| 31. Jan. 1923 | 1 609,00 | 697,00 | 381,00 |
| 31. März 1923 | 4 552,00 | 2 372,00 | 1 147,00 |
| 31. Mai 1923 | 8 022,00 | 4 015,00 | 1 892,00 |
| 31. Juli 1923 | 53 752,00 | 18 314,00 | 3 987,00 |
| 30. Sept. 1923 | 45 216 000,00 | 3 660 000,00 | 941 000,00 |
| 15. Nov. 1923 | 189,801 Trillionen | 39,53 Trillionen | 1,996 Billiarden |

Quelle: Zahlen zur Geldentwertung in Deutschland 1914 bis 1923 (Wirtschaft und Statistik 5. Jg., Sonderheft 1). Berlin 1925, S. 48, 50, 52.

## 3. Einnahmen und Ausgaben des Reichs, 1920–1923
In Millionen »Goldmark«, umgerechnet über die Dollarmeßziffer

| Rechnungsjahr (1. 4.–31. 3.) | Ordentliche Einnahmen Insgesamt | Steuern | Ausgaben | Saldo (Zuwachs der schwebenden Schuld) |
|---|---|---|---|---|
| 1920 | 3275,1 | 3178,1 | 9328,7 | 6053,6 |
| 1921 | 2975,5 | 2927,4 | 6651,3 | 3675,8 |
| 1922 | 1508,3 | 1488,1 | 3950,6 | 2442,3 |
| 1. 4.–30. 11. 1923 | 588,2 | 518,6 | 5278,3 | 4690,1 |

Quelle: Deutschlands Wirtschaft, Währung und Finanzen. Berlin 1924, S. 32.

## 4. Die Entwicklung der Schulden des Reichs, 1913–1923
In Milliarden Mark, soweit nicht anders angegeben

| Stand am 31. 3. | Fundierte Schuld | Schwebende Schuld Insgesamt | Schwebende Schuld bei der Reichsbank |
|---|---|---|---|
| 1913 | 4,8 | – | – |
| 1914 | 4,9 | – | – |
| 1915 | 9,5 | 7,2 | 6,0 |
| 1916 | 30,2 | 9,3 | 7,3 |
| 1917 | 50,3 | 18,5 | 13,1 |
| 1918 | 71,9 | 33,0 | 15,7 |
| 1919 | 92,4 | 63,7 | 29,9 |
| 1920 | 93,0 | 91,5 | 42,7 |
| 1921 | 82,2 | 166,3 | 64,5 |
| 1922 | 65,7 | 271,9 | 146,5 |
| 1923 | 59,6 | 6601,1 | 4552,0 |
| 15. Nov. 23 | – | 191,6 Trillionen | 189,8 Trillionen |

Quellen: Deutschlands Wirtschaft, Währung und Finanzen, S. 29; Zahlen zur Geldentwertung, S. 48f.; Statistisches Jahrbuch für das Deutsche Reich 1923, S. 357.

## 5. Vergleichszahlen zur Preisentwicklung und Industrieproduktion einzelner Länder

| Jahr | Deutsches Reich | Großbritannien | Frankreich | Italien | USA |
|---|---|---|---|---|---|
| | Indexziffern der Großhandelspreise (1913 = 100) | | | | |
| 1918 | 217 | 226 | 339 | 409 | 194 |
| 1919 | 415 | 242 | 356 | 366 | 206 |
| 1920 | 1486 | 295 | 509 | 624 | 226 |
| 1921 | 1911 | 182 | 345 | 578 | 147 |
| 1922 | 34200 | 154 | 327 | 562 | 149 |
| 1923 | — | 152 | 419 | 575 | 154 |

| Jahr | Deutsches Reich | Großbritannien | Frankreich | Italien | USA |
|---|---|---|---|---|---|
| | Jährliche Veränderung der Industrieproduktion in Prozent | | | | |
| 1920 | + 45 | — | + 8 | + 1 | + 3 |
| 1921 | + 20 | − 31 | − 12 | + 3 | − 22 |
| 1922 | + 7 | + 19 | + 41 | + 9 | + 26 |
| 1923 | − 34 | + 9 | + 13 | + 7 | + 19 |
| 1924 | + 50 | + 3 | + 23 | + 13 | − 6 |

Quelle: Peter Czada, Ursachen und Folgen der großen Inflation. In: Harald Winkel (Hrsg.), Finanz- und wirtschaftspolitische Fragen der Zwischenkriegszeit. Berlin 1973, S. 41.

## 6. Arbeitslosigkeit und Kurzarbeit in Deutschland von November 1929 bis Mai 1933

Die folgende Tabelle enthält in Spalte A die Anzahl der jeweils im Durchschnitt eines Monats beim Arbeitsamt gemeldeten Erwerbslosen, in Spalte B die Anzahl der Arbeitslosen, die von der Reichsanstalt für Arbeitsvermittlung und Arbeitslosenversicherung unterstützt wurden, in Spalte C die Anzahl der Empfänger von Krisenunterstützung, in Spalte D die Anzahl der Wohlfahrtserwerbslosen. Alle Angaben in den Spalten A bis D erfolgen in Tausend.

Die Spalte E gibt Auskunft, wie viele von jeweils 100 Mitgliedern der Gewerkschaftsverbände jeweils im Durchschnitt eines Monats ohne Lohnausgleich »kurz« arbeiten mußten. Bereits im März 1933 konnten infolge des zunehmenden Terrors der nationalsozialistischen Machthaber nicht mehr alle Gewerkschaften über die Kurzarbeit berichten.

| | A | B | C | D | E |
|---|---|---|---|---|---|
| **1929** | | | | | |
| Nov. | 2036 | 1200 | 187 | | 7,6 |
| Dez. | 2851 | 1775 | 210 | | 8,5 |
| **1930** | | | | | |
| Jan. | 3218 | 2233 | 250 | | 11,0 |
| Feb. | 3366 | 2379 | 277 | | 13,0 |
| März | 3041 | 2053 | 294 | | 12,6 |
| Apr. | 2787 | 1763 | 318 | | 12,1 |
| Mai | 2635 | 1551 | 338 | | 12,0 |
| Juni | 2641 | 1469 | 366 | | 12,6 |
| Juli | 2765 | 1498 | 403 | | 13,9 |
| Aug. | 2883 | 1507 | 441 | 453 | 14,8 |
| Sept. | 3004 | 1493 | 473 | 541 | 15,1 |
| Okt. | 3252 | 1562 | 511 | 618 | 15,4 |
| Nov. | 3699 | 1788 | 566 | 693 | 16,1 |
| Dez. | 4384 | 2166 | 667 | 761 | 16,9 |
| **1931** | | | | | |
| Jan. | 4887 | 2554 | 811 | 846 | 19,2 |
| Feb. | 4972 | 2589 | 908 | 901 | 19,5 |
| März | 4743 | 2317 | 924 | 940 | 18,9 |

| | A | B | C | D | E |
|---|---|---|---|---|---|
| Apr. | 4358 | 1887 | 902 | 988 | 18,1 |
| Mai | 4053 | 1578 | 929 | 1004 | 17,4 |
| Juni | 3954 | 1412 | 941 | 1017 | 17,7 |
| Juli | 3990 | 1205 | 1027 | 1063 | 19,1 |
| Aug. | 4215 | 1282 | 1095 | 1131 | 21,4 |
| Sept. | 4355 | 1345 | 1140 | 1208 | 22,1 |
| Okt. | 4623 | 1185 | 1350 | 1303 | 22,0 |
| Nov. | 5060 | 1366 | 1406 | 1421 | 21,8 |
| Dez. | 5668 | 1642 | 1506 | 1565 | 22,3 |
| 1932 | | | | | |
| Jan. | 6042 | 1885 | 1596 | 1713 | 22,6 |
| Feb. | 6128 | 1852 | 1674 | 1833 | 22,6 |
| März | 6034 | 1579 | 1744 | 1944 | 22,6 |
| Apr. | 5739 | 1232 | 1675 | 2019 | 22,1 |
| Mai | 5583 | 1076 | 1582 | 2091 | 22,9 |
| Juni | 5476 | 940 | 1544 | 2164 | 22,4 |
| Juli | 5392 | 757 | 1354 | 2229 | 23,0 |
| Aug. | 5224 | 697 | 1295 | 2030 | 23,2 |
| Sept. | 5103 | 618 | 1231 | 2047 | 22,7 |
| Okt. | 5109 | 582 | 1139 | 2204 | 22,6 |
| Nov. | 5355 | 638 | 1131 | 2311 | 22,1 |
| Dez. | 5773 | 792 | 1281 | 2407 | 22,7 |
| 1933 | | | | | |
| Jan. | 6014 | 953 | 1419 | 2459 | 23,7 |
| Feb. | 6001 | 942 | 1513 | 2476 | 24,1 |
| März | 5599 | 686 | 1479 | 2401 | – |
| Apr. | 5331 | 530 | 1409 | 2288 | – |
| Mai | 5039 | 466 | 1336 | 2161 | – |

Quelle: Statistische Beilage zum Reichsarbeitsblatt Nr. 1, 1931, S. 1; Nr. 10, 1931, S. 169; Nr. 4, 1932, S. 57; Nr. 34, 1932, S. 519; Nr. 1, 1934, S. 5f.

## 7. Bestelleingang, Umsätze und Belegschaft der Siemens-Firmen 1928 bis 1934

| Geschäftsjahr (1. 10.–30. 9.) | Bestell-eingang | Umsätze | Beschäftigte der Stammfirmen im Inland am Ende des Geschäftsjahres | | |
|---|---|---|---|---|---|
| | | | Arbeiter | Angestellte | insgesamt |
| | Siemens & Halske (Basis: 1928/29 = 100) | | | | |
| 1927/28 | — | 82,6 | 97,3 | 87,5 | 94,4 |
| 1928/29 | 100,0 | 100,0 | 100,0 | 100,0 | 100,0 |
| 1929/30 | 100,0 | 101,6 | 69,9 | 91,2 | 76,2 |
| 1930/31 | 94,9 | 94,6 | 65,4 | 85,6 | 71,6 |
| 1931/32 | 54,2 | 66,2 | 49,2 | 66,9 | 54,5 |
| 1932/33 | 53,6 | 50,8 | 52,2 | 63,7 | 55,6 |
| 1933/34 | 86,8 | 65,6 | — | — | — |

| Geschäftsjahr (1. 10.–30. 9.) | Bestell-eingang | Umsätze | Beschäftigte der Stammfirmen im Inland am Ende des Geschäftsjahres Arbeiter | Angestellte | insgesamt |
|---|---|---|---|---|---|
| | Siemens-Schuckertwerke (Basis: 1928/29=100) | | | | |
| 1927/28 | 95,8 | 93,3 | 110,0 | 97,4 | 106,2 |
| 1928/29 | 100,0 | 100,0 | 100,0 | 100,0 | 100,0 |
| 1929/30 | 75,9 | 93,8 | 78,3 | 90,1 | 81,9 |
| 1930/31 | 55,8 | 65,6 | 61,6 | 76,9 | 66,2 |
| 1931/32 | 33,9 | 42,0 | 47,8 | 60,6 | 51,7 |
| 1932/33 | 34,9 | 35,2 | 50,0 | 57,0 | 52,1 |
| 1933/34 | 48,3 | 44,2 | — | — | — |

Quelle: Peter Czada, Die Berliner Elektroindustrie in der Weimarer Zeit. Eine regionalstatistisch-wirtschaftshistorische Untersuchung. Berlin 1969, S. 192.

## 8. Das Volkseinkommen und wichtige gesamtwirtschaftliche Größen im Deutschen Reich 1927 bis 1933 Angaben in Milliarden RM

| Jahr | Volkseinkommen | Arbeitnehmereinkommen | Unternehmereinkommen | Bruttoinvestitionen im Inland | Laufende Staatsausgaben | Reparationszahlungen |
|---|---|---|---|---|---|---|
| 1927 | 66,2 | 42,1 | 21,0 | 16,8 | 8,7 | 1,6 |
| 1928 | 71,2 | 46,4 | 21,8 | 15,8 | 9,6 | 2,0 |
| 1929 | 70,9 | 46,9 | 21,6 | 12,2 | 10,0 | 2,3 |
| 1930 | 64,6 | 43,7 | 19,4 | 9,5 | 8,7 | 1,7 |
| 1931 | 52,1 | 37,0 | 16,2 | 4,4 | 7,8 | 1,0 |
| 1932 | 41,1 | 28,8 | 13,0 | 5,3 | 6,9 | 0,2 |
| 1933 | 42,6 | 29,1 | 13,6 | 6,5 | 7,0 | 0,1 |

Der Posten »Unternehmereinkommen« erfaßt Einkommen privater Haushalte aus Unternehmertätigkeit und Vermögen. Die »Bruttoinvestitionen« enthalten die Anlageinvestitionen und die Mengen- und Wertänderungen der Vorräte.

Quelle: Dietmar Keese, Die volkswirtschaftlichen Gesamtgrößen für das Deutsche Reich in den Jahren 1925–1936. In: Werner Conze, Hans Raupach (Hrsg.), Die Staats- und Wirtschaftskrise des Deutschen Reichs 1929/33. Stuttgart 1967, S. 47, 49, 53.

9. Die Entwicklung der wichtigsten Investitionsausgaben der öffentlichen Hand vom 1. April 1927 bis zum 31. März 1933
Angaben in Millionen RM

| Rechnungsjahr | Neubau von Straßen, Wegen und Wasserstraßen | Sonstige Neubauten (ohne Wohnungswesen) | Wohnungswesen | Wertschaffende Arbeitslosenfürsorge |
|---|---|---|---|---|
| 1927 | 805,7 | 785,1 | 1551,4 | 225,0 |
| 1928 | 707,1 | 813,2 | 1433,3 | 196,5 |
| 1929 | 682,4 | 849,1 | 1468,7 | 128,2 |
| 1930 | 492,3 | 526,2 | 1049,8 | 18,8 |
| 1931 | 307,0 | 317,5 | 528,3 | 14,8 |
| 1932 | 241,5 | 181,9 | 259,2 | 98,9 |

Quelle: Statistik des Deutschen Reichs, Band 475: Die Finanzwirtschaft der öffentlichen Verwaltung im Deutschen Reich (Ausgaben, Einnahmen, Personalstand und Schulden) für das Rechnungsjahr 1932/33 mit Hauptergebnissen für das Rechnungsjahr 1933/34. Berlin 1936, S. 34.

10. Die Entwicklung der Produktion und des Exports der deutschen Industrie von 1928 bis 1933 (1928 = 100)

| Jahr | Produktion in Mengen | Ausfuhr in Mengen | Produktion in Werten | Ausfuhr in Werten |
|---|---|---|---|---|
| 1928 | 100 | 100 | 100 | 100 |
| 1929 | 100,2 | 114,3 | 100,2 | 113,2 |
| 1930 | 87,4 | 107,3 | 83,1 | 102,0 |
| 1931 | 70,6 | 97,0 | 61,0 | 82,1 |
| 1932 | 58,7 | 66,4 | 43,9 | 49,3 |
| 1933 | 66,2 | 61,9 | 48,0 | 41,6 |

Quelle: Rolf Wagenführ, Die Bedeutung des Außenmarktes für die deutsche Industriewirtschaft. Die Exportquote der deutschen Industrie von 1870 bis 1936 (Sonderhefte des Instituts für Konjunkturforschung Nr. 41). Berlin 1936, S. 32.

11. Preisindexziffern der aus der Landwirtschaft zum Verkauf gelangenden Erzeugnisse
Basis: 1909/10–1913/14 = 100

| Wirtschaftsjahr (1. 7.–30. 6.) | Roggen | Speisekartoffeln | Schlachtrinder | Butter |
|---|---|---|---|---|
| 1927/28 | 153 | 160 | 114 | 142 |
| 1928/29 | 132 | 135 | 105 | 144 |
| 1929/30 | 108 | 107 | 110 | 128 |
| 1930/31 | 102 | 95 | 101 | 109 |
| 1931/32 | 122 | 89 | 65 | 95 |
| 1932/33 | 97 | 85 | 56 | 84 |
| 1933/34 | 95 | 75 | 62 | 101 |

Quelle: Länderrat des Amerikanischen Besatzungsgebiets (Hrsg.), Statistisches Handbuch von Deutschland 1928–1944. München 1949, S. 461.

12. Die Entwicklung der Industrieproduktion in den wichtigsten Industriestaaten der Welt zwischen 1927 und 1934
Basis: 1913 = 100

| Jahr | Deutsches Reich | USA | Großbritannien | Frankreich | Italien | UdSSR | Japan |
|---|---|---|---|---|---|---|---|
| 1927 | 122,1 | 154,5 | 96,0 | 115,6 | 161,2 | 114,5 | 270,0 |
| 1928 | 118,3 | 162,8 | 95,1 | 134,4 | 175,2 | 143,5 | 300,2 |
| 1929 | 117,3 | 180,8 | 100,3 | 142,7 | 181,0 | 181,4 | 324,0 |
| 1930 | 101,6 | 148,0 | 91,3 | 139,9 | 164,0 | 235,5 | 294,9 |
| 1931 | 85,1 | 121,6 | 82,4 | 122,6 | 145,1 | 293,9 | 288,1 |
| 1932 | 70,2 | 93,7 | 82,5 | 105,4 | 123,3 | 336,1 | 309,1 |
| 1933 | 79,4 | 111,8 | 88,3 | 119,8 | 133,2 | 363,2 | 360,7 |
| 1934 | 101,8 | 121,6 | 100,2 | 111,4 | 134,7 | 437,0 | 413,5 |

Quelle: League of Nations (Hrsg.), Industrialization and Foreign Trade. O.O. 1945, S. 134.

Deutsche Geschichte der neuesten Zeit
vom 19. Jahrhundert bis zur Gegenwart
Herausgegeben von Martin Broszat, Wolfgang Benz, Hermann Graml in Verbindung mit dem Institut für Zeitgeschichte

Die »neueste« Geschichte setzt ein mit den nachnapoleonischen Evolutionen und Umbrüchen auf dem Wege zur Entstehung des modernen deutschen National-, Verfassungs- und Industriestaates. Sie reicht bis zum Ende der sozial-liberalen Koalition (1982). Die großen Themen der deutschen Geschichte des 19. und 20. Jahrhunderts werden, auf die Gegenwart hin gestaffelt, in dreißig konzentriert geschriebenen Bänden abgehandelt. Ihre Gestaltung folgt einer einheitlichen Konzeption, die die verschiedenen Elemente der Geschichtsvermittlung zur Geltung bringen soll: die erzählerische Vertiefung einzelner Ereignisse, Konflikte, Konstellationen; Gesamtdarstellung und Deutung; Dokumentation mit ausgewählten Quellentexten, Statistiken, Zeittafeln; Workshop-Information über die Quellenproblematik, leitende Fragestellungen und Kontroversen der historischen Literatur. Erstklassige Autoren machen die wichtigsten Kapitel dieser deutschen Geschichte auf methodisch neue Weise lebendig.

4501 Peter Burg: Der Wiener Kongreß
Der Deutsche Bund im europäischen Staatensystem
4502 Wolfgang Hardtwig: Vormärz
Der monarchische Staat und das Bürgertum
4503 Hagen Schulze: Der Weg zum Nationalstaat
Soziale Kräfte und nationale Bewegungen bis zur Reichsgründung
4504 Michael Stürmer: Die Reichsgründung
Deutscher Nationalstaat und europäisches Gleichgewicht im Zeitalter Bismarcks
4505 Hans-Jürgen Puhle: Das Kaiserreich
Liberalismus, Feudalismus, Militärstaat
4506 Richard H. Tilly: Der Gründerkrach
Die Industrielle Revolution und ihre Folgen
4507 Helga Grebing: Arbeiterbewegung
Sozialer Protest und kollektive Interessenvertretung bis 1914
4508 Rüdiger vom Bruch: Der Wilhelminismus
Deutsches Bürgertum zwischen Humanismus und alldeutschem Nationalismus
4509 Wolfgang J. Mommsen: Imperialismus
Deutsche Kolonial- und Weltpolitik 1880 bis 1914
4510 Günther Mai: Das Ende des Kaiserreichs
Politik und Kriegführung im Ersten Weltkrieg
4511 Klaus Schönhoven: Reformismus und Radikalismus
Gespaltene Arbeiterbewegung im Weimarer Sozialstaat

4512 Horst Möller: Weimar
Die unvollendete Demokratie
4513 Peter Krüger: Versailles
Deutsche Außenpolitik zwischen Revisionismus und Friedenssicherung
4514 Corona Hepp: Avantgarde
Moderne Kunst und konservative Kulturkritik seit der Jahrhundertwende
4515 Fritz Blaich: Der Schwarze Freitag
Inflation und Wirtschaftskrise
4516 Martin Broszat: Die Machtergreifung
Der Aufstieg der NSDAP und die Zerstörung der Weimarer Republik
4517 Norbert Frei: Der Führerstaat
Nationalsozialistische Herrschaft 1933 bis 1945
4518 Bernd-Jürgen Wendt: Großdeutschland
Außenpolitik und Kriegsvorbereitung des Hitler-Regimes
4519 Hermann Graml: Reichskritallnacht
Antisemitismus und Judenverfolgung im Dritten Reich
4520 Hartmut Mehringer und Peter Steinbach:
Emigration und Widerstand
Das NS-Regime und seine Gegner
4521 Lothar Gruchmann: Totaler Krieg
Vom Blitzkrieg zur bedingungslosen Kapitulation
4522 Wolfgang Benz: Potsdam 1945
Besatzungsherrschaft und Neuaufbau im Vier-Zonen-Deutschland
4523 Wolfgang Benz: Die Gründung der Bundesrepublik
Von der Bizone zum souveränen Staat
4524 Dietrich Staritz: Die Gründung der DDR
Von der sowjetischen Besatzungsherrschaft zum sozialistischen Staat
4525 Die Adenauer-Zeit
Wohlstandsgesellschaft und Kanzlerdemokratie
4526 Manfred Rexin: Die Deutsche Demokratische Republik
Von Ulbricht bis Honecker
4527 Ludolf Herbst: Option für den Westen
Vom Marshallplan bis zum deutsch-französischen Vertrag
4528 Peter Bender: Neue Ostpolitik
Vom Mauerbau bis zum Moskauer Vertrag
4529 Thomas Ellwein: Krisen und Reformen
Die Bundesrepublik seit den sechziger Jahren
4530 Helga Haftendorn: Sicherheit und Stabilität
Außenbeziehungen der Bundesrepublik zwischen Ölkrise und Nato-Doppelbeschluß

# Personenregister

# Deutsche Geschichte der neuesten Zeit

Peter Burg:
Der Wiener Kongreß
dtv 4501

Wolfgang Hardtwig:
Vormärz
dtv 4502

Hagen Schulze:
Der Weg zum Nationalstaat
dtv 4503

Michael Stürmer:
Die Reichsgründung
dtv 4504

Hans-Jürgen Puhle:
Das Kaiserreich
dtv 4505 (i. Vorb.)

Richard H. Tilly:
Vom Zollverein zum Industriestaat
dtv 4506 (i. Vorb.)

Helga Grebing:
Arbeiterbewegung
Sozialer Protest und kollektive Interessenvertretung bis 1914
dtv 4507

Rüdiger vom Bruch:
Bildungsbürgertum und Nationalismus
dtv 4508 (i. Vorb.)

Wolfgang J. Mommsen:
Imperialismus
dtv 4509 (i. Vorb.)

Gunter Mai:
Das Ende des Kaiserreichs
dtv 4510

Klaus Schönhoven:
Reformismus und Radikalismus
Gespaltene Arbeiterbewegung im Weimarer Sozialstaat
dtv 4511

Horst Möller:
Weimar · Die unvollendete Demokratie
dtv 4512

Peter Krüger:
Versailles
dtv 4513

Corona Hepp:
Avantgarde
Moderne Kunst, Kulturkritik und Reformbewegungen nach der Jahrhundertwende · dtv 4514

Fritz Blaich:
Der Schwarze Freitag
dtv 4515

Martin Broszat:
Die Machtergreifung
dtv 4516

Norbert Frei:
Der Führerstaat
dtv 4517

Bernd-Jürgen Wendt:
Großdeutschland
Außenpolitik und Kriegsvorbereitung des Hitler-Regimes
dtv 4518

Hermann Graml:
Reichskristallnacht
dtv 4519

Lothar Gruchmann:
Totaler Krieg
dtv 4521 (i. Vorb.)

Wolfgang Benz:
Potsdam 1945
Besatzungsherrschaft und Neuaufbau
dtv 4522
Die Gründung der Bundesrepublik
dtv 4523

Dietrich Staritz:
Die Gründung der DDR · dtv 4524

Manfred Rexin:
Die Deutsche Demokratische Republik
dtv 4526 (i. Vorb.)

Ludolf Herbst:
Option für den Westen
Vom Marshallplan bis zum deutsch-französischen Vertrag · dtv 4527

Peter Bender:
Neue Ostpolitik
Vom Mauerbau bis zum Moskauer Vertrag
dtv 4528

Thomas Ellwein:
Krisen und Reformen
Die Bundesrepublik seit den sechziger Jahren
dtv 4529

Helga Haftendorn:
Sicherheit und Stabilität
Außenbeziehungen der Bundesrepublik zwischen Ölkrise und NATO-Doppelbeschluß · dtv 4530